DE L'EAU SUR LE PAPIER

**

L'enfer de Diderot

DE LA MÊME AUTEURE

Défense et illustration de la toutoune québécoise, 1991, Éditions Alain Stanké, essai

La Couleuvre, 1995, Éditions Alain Stanké, roman

Babyboom Blues, avec Angèle Delaunois, 1997, Éditions Alain Stanké, entretiens

Les mains si blanches de Pye Chang, 2000, Éditions Triptyque, roman

Mon père, ce salaud, 2001, Éditions Vents d'Ouest, roman

Le cri du silence, 2002, Éditions Vents d'Ouest, roman

Vocalises sur un sanglot, 2003, Éditions Trois, poésie

Interdit d'ennuyer, avec Claude Jasmin, 2004, Éditions Triptyque, entretiens

L'univers secret de Willie Flibot, 2005, Éditions HMH Hurtubise, roman

Mon royaume pour un biscuit, 2006, Éditions HMH Hurtubise, roman

Au bout du quai, 2008, Éditions Trois-Pistoles, poésie

La Couturière, Les aiguilles du temps, 2008, Éditions Trois-Pistoles, roman

La Couturière, La vengeance de la veuve noire, 2009, Éditions Trois-Pistoles, roman

J'ai tué Freud et il m'en veut encore, 2009, Éditions Marcel Broquet, roman

Une fleur entre deux pierres, 2009, Éditions Marcel Broquet, roman

Quelle mouche te pique ?, 2010, Éditions Art Le Sabord, poésie

La Couturière, La persistance du romarin, 2010, Éditions Trois-Pistoles, roman

Pour faire damner mon père, collection «Écrire», 2011, Éditions Trois-Pistoles, essai

De l'eau sur le papier, L'Heure bleue, 2011, Éditions Trois-Pistoles, roman

... ainsi qu'une quarantaine d'autres romans, une dizaine de participations à des revues littéraires et à des collectifs, et plus de mille lettres d'opinion.

Francine Allard

DE L'EAU
SUR LE PAPIER

**

L'enfer de Diderot

ÉDITIONS TROIS-PISTOLES

Éditions Trois-Pistoles
31, route Nationale Est
Paroisse Notre-Dame-des-Neiges (Québec)
G0L 4K0
Téléphone : 418-851-8888
Télécopieur : 418-851-8888
C. élect. : vlb2000@bellnet.ca

Saisie : Francine Allard
Mise en pages : Roger Des Roches
Couverture : Olivier Lasser
Révision : André Morin et Victor-Lévy Beaulieu

Les Éditions Trois-Pistoles bénéficient des programmes
d'aide à la publication du Conseil des Arts du Canada, du
gouvernement du Canada, par l'entremise du Fonds du livre
du Canada, de la Société de développement des entreprises
culturelles du Québec (SODEC) et du programme de crédit
d'impôt pour l'édition de livres du gouvernement du Québec
(gestion Sodec).

EN EUROPE (COMPTOIR DE VENTES)
Librairie du Québec
30, rue Gay-Lussac
75005 Paris, France
Téléphone :   43 54 49 02
Télécopieur :   43 54 39 15

ISBN 978-2-89583-269-0
Dépôt légal :
Bibliothèque et Archives nationales du Québec, 2013
Bibliothèque et Archives Canada, 2013
© Éditions Trois-Pistoles, 2013

Ce roman est pour Yolande, ma mère.
Parce que je sais que malgré tout,
elle a compris que j'étais différente.

Tout ce qui n'apparaît pas limpide aux
Montréalais est hermétique.

PAUL-ÉMILE BORDUAS

L'unité de temps est encore plus rigoureuse
pour le peintre que pour le poète;
celui-là n'a qu'un instant presque indivisible.

DIDEROT, *Salons*

Tous les personnages de ce roman ont existé, mais pas nécessairement dans le rôle que leur a confié l'auteure. Leurs noms ont été immortalisés tout simplement afin de leur rendre hommage.

F. A.

Première partie

1

Le bon moine poussa un petit caillou rond du bout de sa chaussure empoussiérée par ses nombreux va-et-vient sur la route qui séparait le réfectoire de la chapelle. Il secoua le pied pour déloger une pierre qui s'était introduite dans sa chaussure alors qu'il circulait sur le chemin rocailleux. Monsieur Trousset avait affirmé dans sa dernière correspondance qu'il serait au prieuré à neuf heures. Le saint homme consulta sa montre : les deux aiguilles étaient en attente sur le dix. Son invité arrivait de la Bourgogne avec la fébrilité de celui qui allait enfin mettre la main sur une œuvre rare. Didier Trousset avait été récemment élu le secrétaire de la Société des Ingénieurs civils de France et depuis, il n'avait qu'une idée en tête : se procurer tous les volumes de l'*Encyclopédie* de Diderot et d'Alembert.

Le frère Hubert se pencha au-dessus d'un plant de pervenches. Il venait d'y remarquer un étrange insecte qui se vautrait sans gêne parmi un froufrou de pétales bleus. Il l'attrapa par l'abdomen, l'examina un moment avant de le jeter sur la pierraille du sol puis, sans autre pitié pour cette création divine, l'écrasa en tournant le pied pour ne lui donner aucune chance. Quand il eut fini, personne n'aurait pu deviner que, quelques secondes avant, un insecte avait existé, celui-ci n'étant plus qu'un crachat de chair et de pattes éclaboussées. La chaleur venait de tomber sur la petite ville de Vézoul.

La voiture monta en crachotant la petite ruelle derrière l'église Notre-Dame-de-la-Motte et contourna la place Saint-Joseph pour enfin s'immobiliser au pied du jeune homme.

Il y avait en France de nombreux exemplaires complets de l'*Encyclopédie du dictionnaire raisonné des sciences, des arts et des métiers, par une société de gens de lettres, M.DCC.LI*, maroquinés et apostillés de la lente écriture des moines et dont une copie trônait dans la bibliothèque personnelle de la grande Catherine de Russie. Didier Trousset savait que cette encyclopédie établissait en quelque sorte le bilan de toutes les connaissances de l'être humain de l'époque telles que consignées par Diderot et d'Alembert. C'était la seule œuvre vivante qui avait été écrite en faisant appel aux plus grands professeurs et savants de la moitié du XVIIIᵉ siècle. Des philosophes, des médecins, des philologues, des physiciens, des théologiens et encore bien d'autres furent appelés à la rescousse à une époque où Haïti croulait sous un terrible tremblement de terre, que les Chinois remettaient le Tibet sur les rails et que Benoît XIV condamnait la franc-maçonnerie.

Le jeune moine Hubert, né Rodolphe Duvivier, était entré au prieuré de Vézoul à treize ans et bien qu'ayant été jugé simple d'esprit par ses supérieurs, il tenait admirablement bien le rôle de secrétaire et de réceptionniste du prieuré Saint-Jean, lui-même sous la tutelle de l'abbaye Marie-des-Anges sise au haut de la colline.

Une voiture s'immobilisa à dix heures et des poussières. Monsieur Trousset en sortit, redonnant sa forme à la jambe de son pantalon anthracite en la secouant avec vigueur. Il sourit au frère Hubert en lui tendant la main, mais celui-ci colla plutôt ses mains ensemble comme s'il récitait une prière. Il ne regarda pas Didier Trousset dans les yeux, préférant fixer ses propres sandales.

Trousset était un petit homme charnu qui marchait les pieds vers l'extérieur en se balançant de droite à gauche pour maintenir son équilibre. Il portait des bagues à deux doigts de chaque main, un bracelet hérité de sa mère et une montre Louis Cartier. De fines moustaches le rendaient plutôt sympathique, et lorsqu'il avait écrit au frère Hubert pour lui parler de l'*Encyclopédie*, son écriture fleurie avait donné confiance au jeune moine qui s'occupait des envois postaux du prieuré. Le frère Hubert était influencé par l'écriture des gens. La graphie du plombier et celle du mécano n'étaient pas aussi bien formées, rondes et régulières que celle d'un clerc notaire et nettement moins anguleuse et méthodique que celle d'un moine.

– Monsieur Trousset, je ne vous attendais plus.

– Je suis en retard et toute raison que je vous donnerais ne constituerait en aucune sorte une excuse valable. Disons seulement que le temps passe vite, expliqua-t-il en secouant la cendre de son cigare qui alla effleurer la sandale du jeune moine.

L'ingénieur balaya les alentours du regard et fixa son attention sur la vieille chapelle qui n'avait sûrement pas été bâtie selon les instructions d'un architecte tant la toiture se cambrait dangereusement.

– Où sont les livres ? J'ai tellement hâte de les toucher.

– Nous allons d'abord prendre un rafraîchissement avant de nous enthousiasmer devant l'*Encyclopédie*. Vous devez être fatigué après un tel voyage.

– Sans façons.

– Venez, monsieur Trousset. Suivez-moi ! Sous le saule pleureur, j'ai apporté un pichet de citronnade et quelques victuailles. Il y a deux chaises de bois pour nous reposer et discuter un peu de vos aspirations. Il faut que je sois certain que l'*Encyclopédie*…

– Je vous ai écrit trois fois au sujet de mes intentions.

– Mais je dois être certain que vous ne me cachez pas quelques motifs intéressés autres que ceux que vous m'avez exposés. Diderot est un écrivain important et je veux m'assurer que vous respecterez toutes ses théories, même les plus reculées. Autrement dit, monsieur Trousset, il faut que je sache que l'œuvre qui jadis a ébranlé la France tout entière ne va pas provoquer un autre scandale entre les pays qui possèdent cette œuvre rarissime. Vous voulez du miel dans votre citronnade ?, demanda le moine à l'ingénieur quand ils furent assis sous le grand saule.

Le jour où il avait décidé de se consacrer à Dieu, de vivre pauvrement et de ne jamais aimer une femme, le jeune Rodolphe Duvivier avait annoncé à son père, le soir de la Noël, qu'il joignait les moines de l'abbaye Marie-des-Anges, et il ne voulut répondre à aucune des questions posées par lui. Était-il attiré par les garçons ? Que s'était-il passé pour qu'il éprouve le besoin de se retirer du vrai monde ? Le père Duvivier roulait des feuilles de tabac et roulait aussi bien les hommes qui achetaient ses cigares, mais il avait élevé tout seul ses deux fils. L'autre, Jacob, avait pris le chemin de Paris et était devenu aubergiste.

Quand son jeune fils posa les pieds dans l'enceinte de la maison principale de l'abbaye et que, tout de suite, dom Marcelin l'avait assigné à l'accueil et au téléphone, le frère Hubert sut qu'il était à sa place dans la marche silencieuse des moines, dans la ligne mélodieuse de leurs voix traînantes, dans la grégarité de leurs repas. Mais les moines, bizarrement, étaient tout entier dévoués à la Vierge Marie, sans doute pour contrer leur refus des femmes. Le père de Rodolphe Duvivier ne comprenait pas.

– Vous aimeriez une pêche, monsieur Trousset ? C'est le seul péché qui a le droit de pousser dans la cour du prieuré, dit-il avant de s'esclaffer.

– Je n'ai plus faim. Je dois partir avant la tombée du jour. Vous devez comprendre à quel point l'objet de ma visite est important. Plus que tout, vous saisissez ?

Le moine acquiesça. Dans l'*Encyclopédie*, de Jaucourt avait écrit :

La religion chrétienne n'ordonne pas de se retirer absolument de la société pour servir Dieu dans l'horreur d'une solitude, parce que le chrétien peut se faire une solitude intérieure au milieu de la multitude et parce que Jésus-Christ a dit : que votre lumière luise devant les hommes afin qu'ils voient vos bonnes œuvres et qu'ils glorifient votre père qui est aux cieux. (…) Mais il est à propos de se livrer quelques fois à la solitude et cette retraite a de grands avantages ; elle calme l'esprit, elle assure l'innocence, elle apaise les passions tumultueuses que le désordre du monde a fait naître ; c'est l'infirmerie des âmes, disait un homme d'esprit.

Le frère Hubert rota, passa la main sur son abdomen en riant et se leva d'un coup sec.

– Allons-y, puisque vous êtes venu pour ça.

– Oui, je suis prêt.

Le frère Hubert ramassa ce qui restait de leurs maigres agapes : un bout d'aile de volaille, la moitié d'un quignon de pain, un morceau de tomate et le fond d'un pichet de citronnade. Il enroula la nappe de toile brute, replaça les chaises près de la table, jeta un regard furtif sur la rivière à travers les cheveux du grand saule. Son invité le suivit avec l'agilité d'un petit garçon qu'on emmène à la fête foraine.

●

On aurait dit un grimoire. Ou un livre satanique. Depuis 1751, il en pleuvait en France, et on recommençait à s'intéresser à l'*Encyclopédie*. Les moines étaient persuadés que c'était l'époque moderne qui venait exprès troubler leur quiétude. Le pape Pie XII était pris au creux d'une vague spirituelle mondiale et dom Marcelin demandait que l'on priât chaque jour pour l'âme de son chef. Tous les prélats ecclésiastiques craignaient pour la foi chrétienne.

Le premier tome était chargé de textes denses et pleins. La couverture de cuir marron avait subi quelques blessures, quelques rudesses, ou les volumes avaient été rangés entre des rayons trop étroits. Sur le dos, les deux premières lettres dorées s'étaient effacées juste là où les doigts avaient dû passer souvent. On pouvait lire EROT là où on devait lire DIDEROT. L'ingénieur toussotait entre deux « M'Dieu ! M'Dieu ! » et il tremblait d'excitation. Des perles de suée roulaient sur son front et il échappa quelques sanglots de salive qu'il essuya du revers de la main. Il calculait mentalement combien d'années avaient passé depuis sa dernière visite au confessionnal. Il repoussa les nombreuses occasions où il avait péché. La luxure, l'hypocrisie, l'envie, la paresse, il les avait toutes explorées moult fois. Mais l'*Encyclopédie du dictionnaire raisonné des sciences, des arts et des métiers* de Diderot, de d'Alembert et de leurs cent quarante-trois collaborateurs nés deux siècles auparavant, venait de trouver un idolâtre, un protecteur. Pourtant, il s'en était imprimé plusieurs milliers d'exemplaires à une époque où les écrits revêtaient une terrible importance, faisant s'y intéresser le roi et les savants qui butinaient autour de lui, le pape et ses grands prêtres, les médecins du corps et de l'âme. L'*Encyclopédie* comptait dix-sept volumes de textes denses et onze volumes de planches illustrées par les meilleurs dessinateurs choisis par Diderot lui-même. Plus de vingt millions de mots. De quoi rendre jaloux les poètes de l'époque.

Didier Trousset se sentait hautement privilégié. Ce qui ne l'empêcha pas de s'écrier avec horreur :

– Mais, où est le volume VIII ? Vous l'avez oublié sur les rayons de votre bibliothèque, mon ami. Ce n'est pas possible. Où est le VIII ?

– Je croyais que vous étiez au courant, monsieur Trousset. Le VIII a toujours manqué. Personne ne le possède. Nous ne faisons pas exception. Ni Dijon, ni Lyon, ni Paris ne possèdent le volume VIII. Sauf…

– Sauf ?

– Sauf peut-être la grande Catherine de Russie. L'*Encyclopédie* lui a été offerte par Diderot lui-même. Je doute par contre que l'entrée à sa bibliothèque soit accessible à qui que ce soit. Vous comprendrez que le tome VIII contient certaines révélations auxquelles aucun prêtre, aucun ingénieur, aucun philosophe n'a accès. Même le pape Pie XII ne pourrait pas mettre la main sur ce huitième volume. Il a disparu comme par enchantement. J'étais certain que vous le saviez. Il en va du tome VIII de l'*Encyclopédie* comme du saint Graal ou du Saint-Suaire.

– Avec beaucoup de francs, je suis certain…

– Je crois que l'argent, dans ce cas-ci, n'aura aucun pouvoir de persuasion. Le tome VIII n'a peut-être jamais été publié. Déjà que les deux premiers ont causé de telles vagues dans la belle société de l'époque que le roi et le pape ont ordonné que tous les exemplaires soient lacérés et brûlés par l'exécuteur de la haute justice et que quiconque aurait eu envie de les publier de nouveau ou d'en publier des extraits soit pendu. Ce sont les moines qui ont été chargés de la surveiller. Le pape disait que l'*Encyclopédie* portait un regard plutôt sévère sur la religion et sur le pouvoir de l'État. Les bonnes mœurs souffraient du regard réaliste de Diderot et de ses collaborateurs. Des visionnaires, je vous dis !

– Vous me les faites porter dans ma voiture, ordonna Trousset en tendant une sacoche de cuir gonflée de la somme requise. Je trouverai bien le volume VIII avant de retourner en poussière. Frère Hubert, vous vous rappelez que vous m'avez promis la discrétion. Personne ne doit savoir que je suis venu. Encore moins que je suis reparti avec vous savez quoi.

– Je vous ai tellement assuré de mon entière discrétion que je n'ai aucun jeune moine à proximité pour aller porter les volumes dans votre voiture. J'irai donc moi-même.

Le frère Hubert mit presque vingt minutes à arpenter les allées rocailleuses du prieuré, transportant deux volumes à la fois, ce qui parut bien peu à Trousset qui avait l'air d'un roi plutôt que d'un ingénieur civil. Ils se saluèrent, et le frère Hubert put réintégrer sa cellule, la bourse pleine et le rictus aux lèvres. Il referma la porte et c'est à ce moment précis qu'il perçut quelques froissements suivis du bruit d'une inspiration qui siffla à son oreille.

Le lendemain matin, quand enfin il fut l'heure des matines, le frère Bernard émit un cri étouffé : il venait de découvrir le frère Hubert dans sa petite chambre, baignant dans une mare de sang épaissi par les heures pesantes de la nuit, résolument raide et froid, une sacoche de cuir à ses côtés, vidée de ses écus. Les gendarmes conclurent à un vol, mais le frère Arsène, qui avait le talent d'un fin limier, lança la question qui lui brûlait les lèvres : « Mais que faisait donc le frère Hubert avec une sacoche qui eut transporté une si grosse somme ? Qu'avait-il offert en échange qui eut mérité qu'on le tue pour s'en emparer ? » Un des gendarmes stipula qu'il revenait aux religieux d'élucider cette affaire puisque personne n'avait été témoin et que « les moines ne vendent rien, à moins que le frère Hubert n'eut divulgué un secret d'une grande valeur ».

On enterra Rodolphe Duvivier dans le charnier du prieuré. Une petite croix blanche avec son nom écrit dessus. Pas de fleurs. La simplicité involontaire. C'était sans compter sur le père-rouleur-de-feuilles-de-tabac qui voulut en savoir davantage. Il embaucha le détective de son petit village, celui-là même qui avait découvert le nom de l'amant de sa Mariette après douze ans de recherches.

On mentionna l'affaire dans le *Petit Vézulien*. Un minuscule paragraphe. Étrangement, on n'en parla que dans ce petit canard bourguignon.

2

Attablé au Café Muscadet, le cœur au bord du dégoût, Adriano était arrivé une heure avant son rendez-vous avec Antonio Tadiello. Carmélie avait manifesté son désaccord. Frayer avec la pègre pouvait s'avérer dangereux pour lui et pour sa famille. Elle était affolée quand Adriano avait embrassé le front de ses fils comme si c'était la dernière fois.

– Je ne fraye pas avec la mafia, Carmélie! Je veux régler certains points, et seul Antonio Tadiello peut y répondre. Ils ont bien des défauts, mais les mafiosi ont la famille à cœur. Ils ne s'en prendraient jamais au neveu de leur chef, surtout si ce dernier a été assassiné par une bande adverse. Mon oncle est un héros pour eux. Ne t'en fais pas. J'y vais seulement pour entendre ce qu'ils ont à me dire. Après, je ne leur parlerai plus, c'est promis.

– Pourquoi as-tu ton air d'enterrement, alors?

Adriano ne répondit rien, resserra son col et s'engouffra dans l'air frisquet de ce matin d'automne.

•

Le Café Muscadet était passablement fréquenté, ce qui étonna Adriano sur le choix d'Antonio Tadiello. Des petites vieilles fripées, souvent anglophones, portant déjà – même si un petit gilet de cachemire aurait suffi à garder leurs épaules au chaud – un col de renard roux sur des manteaux de laine et même des gants doublés sur leurs longues mains aux doigts tordus. Adriano aimait les petites vieilles. Parce qu'elles lui faisaient penser à Antoniana dont les traits, autrefois si persistants, allaient en s'effaçant au fur et à mesure que les souvenirs passaient.

Le propriétaire grec, court et bien gras, nettoyait les tables dès qu'on les quittait.

– Vous attendez quelqu'un ? *Waiting for someone ?* demanda-t-il sèchement en serrant un chiffon sale entre ses doigts boudinés.

– J'attends quelqu'un, oui.

– Je vous apporte un café ?

– Oui.

La porte s'entrouvrit et laissa apparaître un homme au teint d'olive, les cheveux trempés dans la brillantine et tirés vers l'arrière. Adriano se raidit. Il y avait une quinzaine de clients qui sirotaient leur café ou leur thé, les yeux à demi-clos ou fixés devant eux comme si la rue Crescent, grouillante de piétons et de voitures, était elle-même un horizon. Très peu de couples d'amoureux ou d'amies. L'homme cherchait une table et ne balaya pas la salle du regard comme lorsqu'on cherche une personne à qui on a donné rendez-vous. Ce n'était pas Antonio Tadiello.

Adriano se mit à observer les lieux. Un vieux piano droit de marque Weber lui rappela l'époque où il avait travaillé pour le Juif qui tentait, durant la Crise, de récupérer ses loyers impayés en soulageant ses locataires, qui d'un tableau de maître, qui d'un piano. Adriano se rappela la pauvre femme de ce musicien qui tâchait de gagner sa vie en jouant du piano. S'il lui avait enlevé son instrument, le jeune homme serait sans doute mort de chagrin.

Au-dessus du piano, un tableau représentait une mer courroucée portant un paquebot se découpant sur un ciel réséda percé d'une lumière criarde. Sur une crédence mal entretenue : une plante au feuillage cramoisi, un lutrin ouvragé qui témoignait de petits récitals occasionnels pour interprète ne connaissant pas les paroles des chansons, le buste de Beethoven en plâtre de Paris. Sur le piano était posée une partition de l'*Arioso* de Bach, *cantate n° 156*. Il posa un regard inquiet sur le cadran d'une horloge. L'Italien était en retard.

Adriano commanda un autre café, une part de gâteau Reine-Élisabeth et de la crème glacée.

Une vieille Anglaise échappa un gant. Il le ramassa. Elle chuchota :

— *Thank you, young man !*

Cela fit plaisir à Adriano, même s'il venait d'avoir quarante-cinq ans en octobre. Un homme toussa, étouffé par son breuvage. Il eut le réflexe de se tapoter vigoureusement la poitrine jusqu'à ce que la toux semble contrôlée. L'homme à la table d'à côté lisait le journal et laissa échapper : « Maudit Duplessis à marde ! »

La porte s'ouvrit de nouveau. « C'est lui ! » se dit Adriano. L'homme se dirigea vers lui sans l'ombre d'un doute et s'excusa de son retard.

— Je savais que c'était toi, Adriano. Il n'y a que des vieux, ici. Tu es le seul… qui a les cheveux noirs. Tu ressembles beaucoup à ton oncle, tu sais.

Antonio avait l'air sympathique et n'affichait pas des yeux de caïd. Il aurait pu être un chanteur, un père de famille ou même un prêtre. L'homme serra la main d'Adriano puis s'assit devant lui en hélant cavalièrement le Grec pour commander à distance un espresso fort et très sucré. Il plia les bras sur la table comme lorsqu'on a un secret à dévoiler à son interlocuteur. Adriano vit qu'il portait une bague sertie de trois diamants à chacun de ses auriculaires.

— Je vais direct au but. Je veux le restaurant de ton oncle.

— Je n'ai rien à voir dans ça.

— Je t'arrête. STOP ! Adriano, Fabrizio a été mon ami. Il m'a dit qu'il allait céder son business à son neveu. Et tous ses biens. Il avait un autre neveu que toi, dis-moi donc ?

— Je… je ne crois pas. Je n'ai pas encore été convoqué chez son notaire.

– Y'a pas de notaire. *Non notaio ! Non avvocato !* Dans la mafia, les héritages appartiennent à l'épouse ou aux enfants et tout de suite après, aux membres du clan. *Capisce ?* Le clan Bazzarini, c'est nous : Alberto Calabria, Brenno Di Marzo, Clemente Farina, moi et quelques autres encore. Le restaurant *Da Fabrizio* de Montréal doit rester à nous. Enfin, à moi. Ton oncle me devait beaucoup d'argent.

– Pourquoi ? demanda Adriano.

– Pour, disons, des services que je lui ai rendus. De vrais services avec le prêtre, les cierges, l'encens et tout, si tu vois ce que je veux dire.

Antonio éclata d'un rire sonore qui roula comme le moteur d'une vieille Ford. Adriano sourit à peine. Plusieurs clients s'étaient retournés vers leur table. Le propriétaire sautilla jusqu'à eux pour savoir s'ils voulaient quelque chose d'autre. Antonio lui fit signe que lui et son ami Adriano ne voulaient plus être dérangés. Le Grec comprit et retourna derrière son zinc.

Adriano pensa à son oncle et se persuada qu'il avait parfois dû se retrouver avec des mécréants sans vraiment le souhaiter. Une sorte de victime. Il tenait comme preuve que Fabrizio faisait régler ses comptes par d'autres. Il avait cru qu'avec Antonio Tadiello, il en saurait davantage sur le quotidien de son oncle puisque ce dernier se vantait de l'avoir côtoyé de près. Il espérait en savoir plus sur ses bons coups, ses gestes de tendresse, peut-être. Mais tout ce qu'il tirait de cette rencontre, c'était d'apprendre que son oncle était le parrain de la mafia montréalaise et qu'il assassinait des gens par procuration. Où était donc le fils d'Antoniana et d'Emilio qui l'emmenait, lui, le *bambino* de sa sœur Marina, à la mer ? Où était celui qui mangeait avec avidité le *vitello tonnoto* servi avec des lasagnes fraîches et du vin du pays ? Le fils de Porto San Giorgio qui se battait pour la justice sociale ? Où était passé cet homme qu'il avait tant aimé ?

Gertrude était morte, elle aussi, à cause de lui. Adriano ne suivait plus le monologue de son interlocuteur tant il était occupé à songer aux seins de Gertrude, à ses cuisses de lait, à son sexe de coquillage et à son parfum *L'Heure Bleue* qu'elle vaporisait avec un air coquin au milieu de sa poitrine, « et un soupçon dans le nombril de mon petit Adriano ».

– Je ne sais pas, monsieur Tadiello. Il faut que quelqu'un me confirme que je suis l'héritier de mon oncle.

Antonio exhiba une lettre.

– Tu me cèdes le restaurant et je te donne la preuve que Fabrizio t'a tout légué. Ni lui ni Gertrude n'avait d'enfants. Tu es riche, Adriano Scognamiglio. Très riche !

– C'est de l'argent sale s'il a été gagné à force de crimes, de meurtres, de…

– Ah, voilà le *Santo Adriano* qui arrive ! L'argent n'est pas sale, il a été blanchi depuis longtemps.

Antonio se remit à rire. Le Grec lui jeta un œil sévère. Un couple se leva et quitta le restaurant en posant un dernier regard sur les deux Italiens. Adriano ne savait plus quoi ajouter. Il voulait en parler à Carmélie. Bien sûr, une telle somme d'argent les mettrait à l'abri des problèmes financiers, permettrait à leurs deux fils de recevoir une instruction solide et à toute sa famille de réaliser plusieurs de ses rêves. Mais peut-être aussi cela leur apporterait-il une foule d'ennuis. Avoir la mafia sur les talons n'était souhaitable à personne.

Il fixait la lettre que tenait toujours Antonio, les deux auriculaires illuminant presque les alentours du scintillement de leurs diamants. Puis la lui arracha.

– Donnez-moi jusqu'à jeudi. *Giovedi.* Je vous retrouve ici à trois heures. Alors, j'ouvrirai la lettre.

Il se leva et devant l'air ahuri d'Antonio, il reboutonna sa veste et quitta le Café Muscadet en tremblant.

« Si j'accepte, je serai un des leurs ! »

•

Les marcheurs étaient nombreux. Ils étaient pressés de se rendre à destination. Adriano traversa la rue et s'arrêta à un petit parc où une mère lisait, assise sur un banc, en donnant de temps à autre, et sans raison évidente, deux ou trois mouvements d'aller-retour au landau dans lequel dormait profondément un bébé. Il marchait lentement en froissant l'enveloppe qui attendait au fond de sa poche. Elle lui brûlait les doigts. Il s'excusa, s'assit à côté de la femme qui lui sourit timidement, extirpa la lettre que lui avait remise Antonio Tadiello, l'ouvrit et la huma par mauvaise habitude.

– Une lettre d'amour ? lui demanda presque effrontément la jeune femme avec un tel sourire qu'Adriano lui répondit :

– Oui, une lettre d'amour.

Je désire, par la présente lettre, qu'en cas de dispari-
tion subite ou de mort naturelle, tous mes avoirs soient
remis à mon neveu Adriano Scognamiglio, vivant au
Canada, comme étant mon seul héritier. Je souhaite que
mon homme de confiance Antonio Tadiello ou, dans le
cas où il lui serait impossible d'acquitter cette tâche pour
quelque raison que ce soit, Angelo Paccaduscio, mon fi-
dèle ami, remette les sommes dues à mon neveu ou à ses
propres héritiers. J'ai passé ma vie à le chercher et à tra-
vailler pour assurer un avenir aisé pour lui et pour sa
famille. Une somme de 100 000$ sera remise à Gertrude
Ladouceur Fabrizio pour assurer son bien-être à la
condition qu'elle ne se remarie pas. Je demande à mon
neveu Adriano Scognamiglio de pourvoir aux besoins
de ma femme si nécessaire.
Signé : Fabrizio Bazzarini

●

Lorsqu'Adriano entra dans la cuisine par l'entrée
du côté ruelle, Émile et Bruno étaient attablés pour
faire leurs devoirs tandis que Carmélie veillait patiemment à la cuisson d'une soupe qui fleurait les épices
soutenues de la cuisine d'Antoniana. Cette odeur de
tomates qui embaumait, ces poivrons aux effluves plus
tenaces encore, faisaient resurgir cette enfance ouatée
et résolument réconfortante qu'Adriano avait vécue à
Kamouraska. Il se disait, devenu adulte, que les enfants

qui revenaient de l'école et respiraient les bonnes odeurs du pain ou du basilic persistant, et entendaient les bruits du jour – le cliquetis des ustensiles sur les casseroles, le glissement du fer sur les vêtements humides ou les voix agitées de la radio – étaient beaucoup plus sereins que ceux qui entraient dans des logements vides et silencieux et que de cela dépendaient leur assurance et leur enthousiasme pour la vie. Il ne pouvait oublier l'odeur de la lavande que sa grand-mère effeuillait dans l'eau du lavage ni les herbes séchées saupoudrées dans la minestrone, encore moins la bonne senteur de girofle de sa bouche sous ses chauds baisers. Tout à coup, il se sentit rasséréné et il sut qu'il allait écouter les conseils de sa chère Carmélie dès qu'il lui aurait exposé l'angoisse qui lui tordait le diaphragme. Celle-ci rattrapa une mèche de cheveux qui allait immanquablement aller lui chatouiller le nez et la plaça derrière son oreille, puis elle se pencha au-dessus du cahier de Bruno.

– Tu as oublié d'emprunter chez le voisin, mon chéri, dit-elle en pointant la colonne de chiffres dans son cahier.

– Maman, je ne suis plus un bébé.

– Vraiment ? lança-t-elle en se moquant de son fils.

Adriano sourit. L'accent français de sa compagne faisait éclater les finales de ses mots. Comme si de la dernière syllabe dépendait le sens complet de sa pensée. Bruno, lui, fixa sa mère, réfléchit un moment en plissant les yeux et en mâchouillant l'efface de son crayon HB. Un quatre qui, grâce à la générosité de son voisin, devint un quatorze, rassura Carmélie sur le talent de son fils aîné.

Elle se tourna vers Adriano comme si elle venait tout juste de l'apercevoir, un peu indépendante puisqu'elle se méfiait de ce qu'il avait à lui dire après sa rencontre avec Antonio Tadiello.

– Tu veux de la soupe ?

– Non, je n'ai pas faim.

– C'est la recette de ta grand-mère, Adriano.

– J'en mangerai demain. Pour l'instant, j'ai l'estomac en bouillie.

Carmélie s'assura que les garçons ne s'intéressaient pas trop à leur conversation. Elle prit sa petite voix des lourds secrets et lui demanda :

– Qu'est-ce qu'il t'a raconté ?

– Il m'a remis une lettre. Je suis le seul héritier de mon oncle. Et j'ai l'impression d'être fait comme un rat. Carmélie, jamais l'argent ne m'aura autant bouleversé.

– Tu as passé ta vie à essayer d'en gagner, pourtant.

– Et maintenant que j'en aurais plein les poches, on dirait que je n'en veux plus.

– Qu'est-ce que tu veux dire ? Qu'est-ce que tu lui as dit ?

Carmélie n'en revenait pas. Elle se mit à s'agiter, à aller et venir dans la cuisine en fulminant. Émile s'inquiéta. Il fixait sa mère avec des larmes plein les yeux. Carmélie lui mit la main sur la tête et lui frotta les cheveux avec tendresse.

– Ça va aller, mon chéri. Papa vient de trouver un gros coffre plein de pièces en or !

– Est-ce qu'Émile et moi, on va avoir une bicyclette neuve ?

Adriano était interloqué. La tête entre les mains, il respirait avec difficulté, étreint par l'angoisse. Il se leva.

– Les garçons, allez dans vos chambres ! Il faut que je parle à maman.

– Mais, j'ai pas fini mes problèmes. Madame Taillefer va me coller une retenue.

– Apporte ton cahier dans ta chambre. Cette idée d'envahir la table de la cuisine ! Je vous ai acheté à chacun un beau pupitre pour faire vos devoirs et une belle lampe au col de cygne. Faites-y vos devoirs, bon sang !

Bruno se leva et, aussitôt, Émile le suivit. Ils gagnèrent leurs chambres avec dépit, se retournèrent à quelques reprises pour quêter l'assentiment de Carmélie.

Adriano vint s'asseoir tout près de sa femme et lui prit la main pour y poser un baiser avec tendresse.

– J'hérite d'une très grosse somme, Carmélie. Mon oncle n'a pas eu recours à un notaire comme dans le monde ordinaire. Tout cet argent provient du crime. Le prêt usuraire, la drogue, la protection, les services rendus, les meurtres commandés.

– Mon dieu, arrête Adriano ! Tu n'as aucune preuve de tout ça.

– C'est mon oncle qui me l'a dit. Et Paul Lefort qui connaît la mafia. Et je ne suis pas idiot, je lis les journaux.

Il prit une large inspiration, fixa le plafond puis lança d'un seul souffle :

– C'est mon oncle. C'est ma famille. C'est donc moi qui décide.

– Alors, pourquoi ne lui as-tu pas dit ça à lui ? Est-ce qu'il t'a dit combien ?

– Il a parlé de centaines de milliers.

– De centaines… de milliers ?

– Oui, et il y a aussi le restaurant de l'oncle Fabrizio. Tadiello a dit qu'il lui revient. Il peut bien l'avoir, quant à moi. J'ai déjà le mien.

– Pardon, Adriano Scognamiglio ! Ce restaurant n'est pas à toi. Les Souchet ont trimé dur pour monter ce commerce. Et mon père est mort brûlé pour avoir voulu le sauver. Tu as une grosse responsabilité dans le succès de *L'Artiste*, mais si l'on veut que nos fils soient instruits, qu'ils ne soient pas obligés de travailler six jours par semaine en transportant leur boîte à lunch et leur petite carte à poinçonner, qu'ils puissent visiter le monde, rencontrer des personnes fascinantes, que moi, ta femme, je puisse embaucher une aide ménagère et m'acheter de beaux tailleurs et de belles chaussures et même une voiture et que toi, Adriano, tu puisses peindre et ne pas toujours te demander si tu vas avoir assez d'argent pour acheter des tubes de peinture et des toiles de qualité pour un jour exposer dans de grandes galeries internationales, il faut que tu acceptes cet argent. Imagines-tu la belle vie que nous allons mener ? Et tes filles que tu pourras choyer comme des princesses ?

– C'est de l'argent sale ! Et peut-être que ce ne sont que de faux billets !

– Donnes-en la moitié aux bonnes œuvres. À l'église, au Musée, à ton école de dessin. Mais pour l'amour de ta grand-mère, elle qui aimait tant son fils

Fabrizio, accepte. Accepte pour tes filles, pour tes fils et pour moi.

– Tu te trompes, Carmélie! Ma grand-mère n'aurait jamais accepté de l'argent gagné de manière frauduleuse, même s'il avait été gagné par son propre fils! Tu oublies qu'elle a quitté l'Italie, qu'elle a abandonné tous ses souvenirs parce que son fils menait une vie d'anarchiste et que nous risquions de nous faire arrêter.

– Si tu as le goût de continuer à enseigner aux enfants pauvres, à faire des spaghettis pour une clientèle de plus en plus difficile, à vieillir avec des maux de dos, refuse-le. Va rencontrer Antonio Tadiello et dis-lui: «Moi, je ne veux pas de cet argent!» Il va dire: «Merci, Adriano, nous on va savoir quoi faire avec.» J'en ai assez. Assez de m'échiner à arrondir les fins de mois, à payer les factures des fournisseurs sans savoir s'ils accepteront de continuer à nous approvisionner. Sans savoir si je pourrai payer le chef et ses aides, chauffer encore ce restaurant en carton pâte, payer le loyer de monsieur Della Croche. Sans compter que je dois encore cent dollars au docteur Louis-Seize et que tu dois plus de six cents dollars à l'encadreur pour ta dernière exposition. Tu as vendu un seul tableau, tu sais. Un seul tableau! cria-t-elle en pleurant.

Adriano comprit d'un seul coup que Carmélie avait raison. Il devait accepter de devenir riche quelle que soit la manière avec laquelle cet argent avait été gagné. Il allait être généreux. Et se faire pardonner d'avoir été le neveu préféré d'un type qui avait détesté les hommes au point de les rouler sans remords. Il s'approcha de

Carmélie qui se mit à sangloter dans ses bras en le frappant de ses poings refermés. Adriano aperçut Bruno et Émile dans l'entrebâillement de la porte de leurs chambres qui, alertés par les cris de leur mère, pleuraient eux aussi en silence. Il se mit à rire.

– Allons, allons, papa est heureux de vous annoncer que nous allons nous acheter une belle grande maison, des bicyclettes pour tout le monde et même que nous irons en vacances en Italie !

Il se pencha vers Carmélie en riant comme un fou.

– J'ai oublié de te dire que Gertrude Ladouceur m'a tout laissé, elle aussi. Elle n'avait pas d'enfant. J'étais son neveu après avoir été son gigolo.

3

Adriano S.

Serai à Montréal le 10 courant STOP Te pêcherai au téléphone STOP Crécherai dans une maison de planques STOP La chanson commence STOP Armandin Lacourse.

— Qui est-ce ? demanda Carmélie en pliant les linges à essuyer la vaisselle.

— Mon ami des Beaux-Arts de Paris dont je t'ai déjà parlé. Il est très drôle. Tu vas l'aimer, s'empressa de la rassurer Adriano. Il a un tel talent ! On pourra le présenter aux collectionneurs de Montréal.

— Il ne dit pas s'il viendra tout seul. Il pourrait arriver avec femme et enfants.

— Ça m'étonnerait. J'ai eu de ses nouvelles il y a un an et il n'avait pas encore trouvé une femme à son goût. C'est un drôle de zig, tu sais. Je t'ai souvent imité sa parlure.

– C'est le type qui disait que Dyonnet avait des boules de gomme dans les zozos. Tu sais, je suis née en France et je les connais, ces expressions. Ma mère ne voulait pas que je joue avec des petites filles qui parlaient l'argot parisien. Il y avait Mariette, la fille de la femme de ménage. Sa mère l'emmenait parfois à la maison quand elle n'avait personne pour s'occuper d'elle. Maman trouvait toujours une raison pour nous envoyer, mes sœurs et moi, jouer au parc ou aller faire la vaisselle au restaurant. Avec mon père, on avait tellement de petites libertés. On aidait à faire la vaisselle, à nettoyer les chandelles, à plier les serviettes, à faire briller les ustensiles. Même Louison avait son petit chiffon pour faire reluire les cuillères. La fille de madame Bellanguer en profitait pour jouer avec les marionnettes de notre petit théâtre et Camille braillait toutes les larmes de son corps parce que Mariette avait sali la robe de sa marotte préférée. Nous détestions la fille de madame Bellanguer, pas besoin de te dire. Maman aurait mieux fait de nous garder à la maison pour jouer avec elle au risque de polluer nos oreilles de Souchet ! Je me rappelle que nous en apprenions de bien pires en entendant le sous-chef jurer d'horribles « câlice » et des « tabernacle » devant nous ! Et le livreur de chez McPherson qui arrivait souvent saoul dans la porte de l'arrière-boutique. Il s'appelait Philippe. Chaque fois qu'il nous apercevait, il nous demandait : « Faites-moi une phrase avec Philippe. » Pierrette lui répondait toujours : « Regarde l'oiseau sur le fil, hip, il va tomber ! » Puis, il riait en cascades. Papa disait : « Il rit comme une casserole ! » Toujours la même devinette. Toujours les mêmes rires. J'ai compris ce qu'était la vie en fréquentant la faune originale du restaurant de mes parents. Et j'ai complété mon éducation en me mariant avec toi. Et à entendre parler de ton Dyonnet qui avait des boules de gomme dans les zozos.

— Oui, Lacourse le trouvait sourdingue. Et des expressions drôles, Lacourse en a toute une flopée ! Ce qu'on a pu rire avec lui, à Paris ! Il arrive le lundi 10. Il faut lui préparer un coin pour s'installer jusqu'à ce qu'il dégote un logis bien à lui.

Carmélie s'approcha d'Adriano et se réfugia entre ses deux bras ouverts. Des taches de couleurs étaient éparpillées sur sa chemise de coton et elle sentit le frottement rude de son pantalon lui irriter les cuisses. Elle aimait son homme. Auprès de lui, paradoxalement, elle avait oublié l'affaire Fabrizio Bazzarini. Mais se rappelait fort bien l'épisode Gertrude Ladouceur.

— Elle faisait bien l'amour ?

— Qui ça ?

— Tu en as eu tellement que tu ne sais pas de quelle femme je parle ? s'insurgea Carmélie à la blague.

— Ah, tu veux parler de Gertrude ? J'ai tout oublié.

— Et Blanche ?

— Comme une cerise dans l'alcool.

Il se détacha de Carmélie pour mieux la fixer dans les yeux.

— Pourquoi me parles-tu de ces femmes, Carmélie ? C'est toi que j'aime.

– Parce que je veux m'assurer que tu es heureux avec moi.

– Mais je suis heureux avec toi. Ta mère le disait l'autre jour : tu es tombée sur le meilleur gars jamais né dans la Botte. Allons, il faut que j'aille conduire les garçons pour leur leçon d'escrime.

– Tu veux que je prépare la chambre du fond pour ton ami ? Tu crois qu'il restera longtemps ?

– Aucune idée. Mais je ne vais pas le mettre à la porte. Il aurait fait n'importe quoi pour moi. Il veut faire carrière au Canada. Il trouve que nous sommes plus évolués que les Européens. Je sais qu'il m'a souvent parlé des États-Unis, de Washington, de Boston, mais surtout de New York. Sa peinture serait plus appréciée là-bas, j'en suis certain. Il va peut-être trouver ça dur de vivre avec deux petits garçons très actifs et va vouloir trouver un appartement pour lui tout seul.

– Je ne sais pas où on logera les filles si jamais elles décident de venir encore cet été.

– On va déménager, mon amour. Je vais nous trouver une belle grande maison où l'on pourra tous habiter. Une maison d'au moins cinq chambres. Tu vas voir.

– Je ne douterai jamais de toi, Adriano.

4

*B*ien chère amie,

   Il fallait que je t'écrive, peu importe que tu aies accès aisément à ton courrier en provenance de Montréal ou que ton directeur d'école t'empêche de me lire. Je prends quand même ce risque car je dois te parler de la belle rencontre que j'ai faite en octobre, le 14, je crois. Une si belle rencontre que je crains qu'elle n'ait changé ma vie entière.

   Je suis passé devant la galerie Agnès-Lefort, rue Sherbrooke, et j'ai d'abord été happé par une encre assez remarquable. Je me rendais alors, à la demande de Carmélie, chez Ogilvy's pour lui acheter le châle de cachemire qu'elle veut depuis longtemps. Comme mes cours me réclament une présence assidue dans les environs de la Noël, j'ai pris un peu d'avance dans mes achats des Fêtes.

   L'encre, suspendue dans la vitrine, faisait office d'appât pour une bien belle exposition d'un certain Paul-

Émile Borduas dont les journaux ne parlent pas assez souvent selon mon humble avis. Je suis entré, tu le penses bien. Mes jambes étaient aussi hésitantes que celles d'un bambin à ses premières tentatives. Figure-toi que le peintre était présent au milieu d'une quarantaine de ses œuvres récentes, toutes réalisées l'an passé et cette année. Mais j'étais, moi, attiré par ses encres qui semblaient être l'éclaboussement des pleurs d'une jolie jeune fille avec les tons audacieux qui sont ceux de Borduas. Des bruns, des noirs, des beiges et du rouge sur un fond de sable. Que ressentais-je devant ce maelström organisé ? Au centre, je voyais un perroquet en plein vol, à droite, un éventail oriental, un papillon posé au centre d'une fleur, tout ce que l'imagination pouvait me dicter. Je savais que je pouvais aussi ne rien voir si je laissais mon regard flou se poser sur cet heureux ensemble. La vastitude de ce tableau m'impressionnait. Je n'avais plus du tout l'instinct de me comparer à lui. J'étais subjugué.

L'artiste m'a reconnu et s'est avancé vers moi en me tendant ses deux mains. Je l'avais brièvement aperçu lors des expositions de Fernand Leduc et de Madeleine Ferron-Hamelin. Je ne l'avais plus revu par la suite puisqu'il est déménagé à New York et y demeure toujours et qu'on ne parle pas souvent de lui dans les quotidiens montréalais. Borduas n'est pas très populaire à Montréal, et voilà que moi, j'ai eu la chance de voir ses dernières œuvres à la galerie Agnès-Lefort. Un état de grâce !

Ainsi que je te disais, Borduas m'a accueilli comme un ami, voire un collègue, et m'a fait faire la visite des lieux avec beaucoup d'enthousiasme. Peut-être as-tu vu sa photo dans les « gazettes », comme le disait ton père. Un gaillard solide, avec un visage franc, et sur son front, deux proéminences qui le font ressembler à Moïse dans les scènes religieuses des églises. Paul-Émile a exactement le même âge que toi et moi, étant né en 1905. C'est lui qui a fondé le mouvement des Automatistes que – et oui, je m'en confesse – j'ai tant critiqué. Lui en tête, Riopelle et Pellan en particulier, ont décidé d'appliquer la méthode contestable et pourtant aussi vieille que Noé, promulguée par nul autre que Leonardo da Vinci (je te l'ai dit que tout partait de l'Italie) et connue par tous les petits mouchards de la terre, qui consiste à fixer une draperie à motifs et à y percevoir des formes, voire des personnages impressionnants que l'artiste s'empressera de dessiner. C'est à peu près, ma chère Jeanne-Mance, les meilleures explications en ce qui concerne la peinture tachiste de Borduas et de ses camarades. Et que le Seigneur bénisse les galeristes qui croient en cette forme d'expression si contemporaine, telle madame Lefort, car je dois te dire que l'exposition En route de Paul-Émile Borduas a su transgresser les propres limites que je me suis imposées. Je te le répète : une magnifique exposition !

Je me suis rappelé un article dans La Patrie qui disait qu'il n'y avait rien de plus fantastique que le rêve et l'imagination des artistes surréalistes – c'est cet adjectif qui était employé – mais qu'une œuvre peut représenter, pour celui qui l'observe, une tout autre image que celle qu'a voulu proposer l'artiste, si toutefois il a voulu représenter quelque chose.

Depuis 1940 environ, les critiques ont toujours employé les mots « énigme », « obscur » ou « subconscient » pour décrire les tableaux de ce Borduas qu'immédiatement j'ai aimé tant il parle avec toute la poésie du monde. Tout autre personne aurait du mal à voir l'objet que proposent les titres de ses toiles, qu'il s'agisse d'une brassée de fleurs ou d'une étoile à cinq branches. J'ai compris que les journalistes, tel André Duhamel, ne sont pas des spécialistes de la peinture moderne. C'est pour cela que Borduas m'a dit spontanément : « Ce qui ne semble pas limpide aux Montréalais leur semble hermétique », et je suis certain qu'il parlait aussi du maudit Duhamel qui peut t'écraser une réputation, non pas parce qu'il est spécialiste en beaux-arts, mais à cause de son ignorance crasse ! Duhamel peut passer des mois à tenter d'expliquer si les formes noires sur fond blanc sont des trous ou des taches. Faut-il avoir du temps à perdre, merde !

À un moment, j'ai mis la main à quelques pouces de cette encre que j'aimais et j'ai annoncé que je désirais me l'approprier. Borduas était touché, visiblement. Je savais ce que ça signifiait : pas de châle en cachemire pour Carmélie. En plus, je n'étais pas certain qu'elle apprécierait, mais je le souhaitais très fort. J'ai payé 125$ pour cette œuvre, mais j'allais travailler plus fort. Le pire, c'est que j'en ai réservé une autre que je prendrai dans quelques mois et il a accepté. Tu vas rire, mais quand la poussière est retombée et que les gens ont fini par oublier l'assassinat de mon oncle Fabrizio et de Gertrude Ladouceur devant mon restaurant, L'Artiste est devenu *un endroit encore plus fréquenté. Les fins de semaine, le restaurant est rempli à pleine capacité et nous continuons à y présenter des jeunes peintres très talentueux. (Mais j'ai une grande nouvelle à t'annoncer, ce que je ferai après t'avoir raconté la suite de ma rencontre avec le peintre new-yorkais.)*

Nous avons beaucoup discuté, Borduas et moi, du fait qu'il n'y avait pas grand monde ce soir-là. Ça aurait pu s'arrêter là et cette rencontre aurait suffi à elle seule à me transporter. À la fermeture de la galerie, Paul-Émile m'a demandé si j'acceptais d'aller poursuivre nos échanges dans un bar du quartier italien. Je l'ai invité à mon restaurant et nous y sommes restés jusque très tard à discuter. Il restait deux jours avant qu'il ne quitte Montréal pour retourner à New York. Il avait faim, et je lui ai fait cuire des pastas au beurre et parmesan et j'ai ouvert une bouteille de Barbaresco 1932. Borduas et moi avons réglé le sort des artistes du Canada, ma chère Jeanne-Mance, des plus jeunes comme des plus vieux. Nous avons fait des comparaisons avec les peintres américains. Nous avons banni les décorateurs d'églises, les dessinateurs de balustres, les architectes sur toile et les vieux académiciens de l'École des Beaux-Arts aussi bien ici qu'à Paris. Il parlait de Pollock et de Kline et braillait sur l'inconscience des Montréalais qui n'avaient rien compris et il portait des toasts à la liberté qui le rendait si heureux. Je lui parlais, moi, des effets magiques de l'eau sur le papier, des pigments qui s'y jettent sans en mesurer les conséquences et tout à coup, là, devant nos pastas au beurre et au parmesan, nous nous sommes mis d'accord parce qu'un jour, lui et moi, étions sortis de l'esclavage de l'Église et du confort qui régissaient les arts il n'y a pas si longtemps encore.

Tu te demandais toujours pourquoi j'étais si heureux assis sur le banc face à notre mer de Kamouraska, ce fleuve devenu océan dans ma tête de Rital immigré. C'était à cause de la liberté des vagues, du vent, des cormorans dans la sévère vastitude du ciel. J'étais le fleuve. Et je voulais rester libre, ma chère amie, me fracasser sur les rochers ou encore me laisser couler lentement entre deux rives d'herbes sauvages.

Les tableaux de Borduas, c'étaient ces algues-là, ces oiseaux-là, ces vagues-là et cette écume à leur crête qui inventait, au fur et à mesure de leur mouvement, des formes, des visages aimés, des bouts de paysages. Ce soir-là d'octobre 1954, Jeanne-Mance, ton ami Adriano a compris pourquoi il était présent à ce monde. Et a voulu partager avec toi.

Le reste de ce que j'ai à te dire est très difficile même s'il représente pour ma femme, mes enfants et moi, le triomphe de toute une existence : mardi prochain, quand le soleil se lèvera sur ton petit jardin italien à côté de ta maison, ton ami Adriano sera millionnaire. Je sais que tu te doutes pas mal pourquoi. Je n'ai pas vendu tous mes tableaux, nous n'avons pas vendu le restaurant. C'est mon oncle Fabrizio qui m'a laissé tout ce qu'il possédait. Et je ne dirai pas combien il m'a été difficile d'accepter que son bras droit, un certain Antonio Tadiello, m'annonce que j'étais le seul héritier de ce fils chéri de ma grand-mère Antoniana et aussi le seul héritier de sa nouvelle femme, Gertrude Ladouceur, de qui j'ai fait le portrait à Kamouraska un jour et dont je ne te parlerai plus pour ne pas éveiller tes mauvais souvenirs. Crois-moi que ça m'a pris des heures avant de me résoudre à accepter les fruits de cet arbre tordu qu'était mon oncle Fabrizio ! Mais si je n'avais pas accepté, ce sont ses sbires, ces charognards, qui en auraient profité, quoiqu'ils ne doivent pas être en reste. Lundi soir prochain, je pourrai acheter tous les tableaux que je veux, tous les châles de cachemire et de soie que je voudrai bien offrir à ma Carmélie. Nous avons reluqué une grande maison au bord du fleuve à Verdun et j'ai fait la promesse d'y emménager dès que l'argent sera en ma possession. Carmélie et moi avons aussi pensé qu'il serait bien de nous retirer du restaurant L'Artiste *au profit de Louison et de Pierrette pour davantage abuser de la vie. Mes filles disent qu'elles aimeraient poursuivre leurs études à l'université de Montréal. Étrangement, c'est Anna qui fréquente la faculté de médecine, et c'est plutôt Rose qui veut suivre tes pas dans l'enseignement. Elle attend la réponse d'un directeur qui lui a proposé de faire la classe dans une petite école d'Outremont en attendant de pouvoir se marier avec Pierrot Blouin qui assiste Paul Lefort dans les cuisines de* L'Artiste. *Mes filles sont des femmes, maintenant. Ma grand-mère serait heureuse de constater qu'elles vont vivre une existence libre comme elle a vécu la sienne, déterminée et indépendante à souhait. Et moi, si fier qu'elles n'aient pas suivi l'exemple de leur mère.*

La fortune qui me tombe du ciel (tu diras : de l'enfer) me sera d'un grand secours. Je veux peindre et ouvrir une galerie à Montréal. Et peut-être acheter une maison à Kamouraska pour y couler les beaux jours d'été. Sache que la plus grosse partie de mon héritage sera offerte aux bonnes œuvres. On ne peut pas changer du tout au tout en une seule journée sans en souffrir. Mes pensées t'accompagnent.

Adriano S.

P.S. : *Comment tu vas ? Fais-tu toujours la classe à tes petits monstri ?*

•

Adriano marchait d'un pas rapide. Il tenait un sac de cuir bourgogne avec une fermeture éclair sur le côté et deux attaches nouées sur le dessus. Antonio Tadiello avait refusé, au nom du clan, d'aller déposer lui-même tous ces billets à la Banque de Montréal. Il avait même affirmé que l'argent comptant n'allait éveiller aucun soupçon et avait promis au *nipote* de Fabrizio que ce n'était qu'une avance et qu'Adriano pourrait s'en remettre à lui *personalmente* pour toute demande additionnelle. Antonio avait dit en italien :

– Driano ! Tu peux m'appeler quand tu veux. Tu comprends ?

– J'aimerais mieux ne pas vous appeler. Je vais être correct comme ça, dit-il en montrant le sac de cuir. Merci, Antonio.

– Quand tu veux. Tu appelles à ce numéro et tu demandes Tony. Tu vas faire une belle vie. *No problema !*

Ton oncle serait fier de savoir que ta famille a tout ce qu'il lui faut. N'oublie pas de parler de ton oncle à tes fils. C'est Bruno et Émile, n'est-ce pas? Emilio comme ton grand-père, c'est bien, ça? Tu es un bon neveu, Adriano.

Adriano frissonna. La dernière chose qu'il voulait, c'était de mêler sa famille à la mafia. À cet instant même, il aurait voulu prendre l'argent et fuir à Kamouraska avec tous les siens et ne plus jamais entendre parler des amis de son oncle. Il comprit qu'un nouveau sentiment venait de s'installer: la méfiance. Cette sensation horrible qui ne l'avait jamais assailli.

Il marchait maintenant sur la rue Sainte-Catherine et fixait tous les gens qu'il croisait comme s'ils allaient tous sauter sur lui. Il décida de héler un taxi au coin de Crescent. Le chauffeur lui fit un large sourire en apercevant son client se cramponner à sa sacoche comme s'il craignait de se la faire voler. Il sentait son cœur battre très fort. La dernière fois qu'il avait ressenti une telle nervosité, c'était lorsqu'il avait aperçu pour la première fois André Duhamel entourer Anna et Rose de toutes ses attentions paternelles sous le regard consentant de Blanche. Il avait l'impression qu'il venait de perdre ce qu'il avait de plus précieux au monde: sa femme et ses deux petites filles.

Le chauffeur était du genre volubile. Il raconta avec une fierté à peine contenue que son fils aîné étudiait le droit, que ses deux filles étaient entrées chez les Sœurs du Saint-Nom-de-Jésus-et-de-Marie, et que les deux plus jeunes étaient atteints de dystrophie musculaire – allez comprendre quelque chose à ça, il n'y a pas de cette cochonnerie-là dans ma famille – et que sa femme était enceinte pour une dernière fois, promettait-il. Près de la vitre, une photo identifiait le chauffeur qui s'appelait Gérald Latraverse, numéro 145. Taxis Hemlock. Cela rassura Adriano. À la fin de la course, il tira la glissière de sa sacoche et en sortit un billet de cinquante dollars pour régler la somme de trois dollars cinquante. Gérald Latraverse était éberlué.

– Je n'ai pas assez de change, mon bon ami. Je viens de commencer ma run.

– Ça va aller. Gardez la monnaie. Je pense que vous méritez ça, non ? Bonne journée.

Le chauffeur demeura médusé et fixa le billet de cinquante dollars avant de poser le regard sur ce drôle de moineau qui avait extirpé un gros billet d'une sacoche comme ça se fait dans les films de gangsters. Adriano espérait qu'il n'existe pas de faux billets de cinquante dollars.

Carmélie était au restaurant. Les garçons, chez leur grand-mère, selon un petit mot qu'elle avait laissé sur la table de la cuisine. Adriano vida le contenu de sa sacoche sur le grand lit. Des liasses de cinquante dollars, attachées avec des élastiques, bien tassées comme les pages d'un roman. Il n'y avait pas des millions. Adriano compta quarante-trois liasses de cinquante billets. Il inscrivit les chiffres sur un calepin. Cent sept mille cinq cents dollars. Et Antonio avait dit qu'il y en aurait encore beaucoup. Jamais n'avait-il vu autant d'argent d'un seul coup. Mais comment allait-il utiliser autant de grosses coupures sans se faire remarquer ? Il fallait qu'il trouve un lieu sûr pour transformer ces gros billets en petites coupures.

Les tableaux et les objets d'art allaient, une fois de plus, venir à son secours.

●

Armandin Lacourse sortit de l'avion, entreprit de descendre le grand escalier le menant en terre canadienne, la main en visière le protégeant du soleil de cette fin d'après-midi. Adriano avait emmené toute la famille à l'aéroport de Dorval. Quand il l'aperçut, Armandin se précipita vers son ami avec l'enthousiasme d'un enfant.

– Tu fais une drôle de trombine, Adriano ! On dirait que tu m'aperçois pour la première fois ! Ah, mais il y a toute la smalah ! Vous, vous devez être Carmélie, la chouquette, enfin, la femme de mon ami Adriano. Et ici, ce sont vos deux mouchards. Tiens, t'as les chasses de ta mère, le petit. Et toi, t'as les clignotants qui lancent des flammes, comme ton père, dis donc ! Belle famille, Adriano.

Carmélie le salua en riant devant autant d'originalité. Adriano n'avait pas exagéré. Armandin Lacourse allait redonner à leur existence une tout autre dynamique. Les garçons étaient conquis. Armandin leur offrit à chacun une boîte à aquarelle et un pinceau et ils s'embarquèrent dans la nouvelle Chevrolet de la famille Scognamiglio comme des perruches dans une cage.

Lorsqu'ils furent arrivés à la maison, Carmélie montra sa chambre à monsieur Lacourse qui n'arrêtait pas de s'extasier devant la vastitude des lieux, le soleil qui traversait les nombreuses fenêtres et l'intérêt que représentaient les nombreux tableaux accrochés aux murs. Il maudissait son petit appartement dans le fond d'une impasse à Paris et l'ombragé qui n'apparaissait pas que sur les tableaux des jeunes peintres contemporains.

– On dirait des emballeurs de refroidis, des embaumeurs, quoi! Avec les barbelouzes que leur imposent les direlos des Beaux-Arts, pas moyen de fermenter du couvercle, de réfléchir à leurs créations. Ils ont tôt fait de se faire la malle et, comme moi, de venir tenter leur chance dans un pays moins gaspillé par les idées noires. Je risque de me casser le tromblonard, mais au moins, je suis pas resté chez moi à me les casser! Faut que tu me présentes aux directeurs de galeries. J'ai apporté deux douzaines de toiles roulées dans mes bagages. Pas de talbins en poche, mais du vouloir jusqu'à réussir. J'ai bazardé une peinture sur l'avion, mon Adriano. À une dame qui s'était collé toute sa ferblanterie sur l'estomac. Des vraies pierres, tu sais. Et de l'or plein de carats. J'ai déroulé mes toiles, elle en a choisi une comme ça, sans trop réfléchir. Elle a allongé deux billets. Pas de feuille de réception. Je veux dire, pas de facture. Ça va me permettre de payer ma part de la torlotte. Je mange pas tant que ça, mais je peux pas m'empêcher de boire mon pinard à tous les soirs. Tiens, v'là un billet pour commencer.

– Laisse, Armandin ! Je peux bien te recevoir chez moi de la même manière que tu m'as reçu chez toi. C'est kif-kif ! Tu pourras enseigner avec moi en plus de m'aider à réorganiser mon atelier et à préparer nos expositions. Y'a aussi le restaurant de ma belle-famille qui a souvent besoin d'un éplucheur de pommes de terre.

– Tu pourras m'aider à construire des maisons avec mes Minibrix et à nettoyer ma chambre, déclara Émile, tout sourire.

Carmélie était maintenant convaincue qu'Armandin Lacourse allait égayer leur vie qui amorçait une nouvelle étape. Elle voyait aussi le bonheur nouveau d'Adriano. Il avait de l'argent, et toute la pression qui avait alourdi son existence depuis qu'elle le connaissait allait se dissiper. Aucun doute là-dessus : elle adorait la manière de parler de leur invité et s'amusait ferme en sa présence.

Elle invita toute la bande à manger à *L'Artiste*. Là, il y avait du « pinard ».

5

Armandin Lacourse fêta donc son premier Noël au Canada et vécut sa première tempête de neige le 30 décembre. Il se sentait aussi fringant qu'un jeune poulain, courant sur le trottoir et avalant des flocons tombés sur sa langue offerte, riant aux éclats. Il avait fait de Bruno et Émile ses plus fidèles alliés et était devenu un membre de la famille après seulement une semaine de cohabitation. Il aidait Carmélie aux tâches ménagères et les garçons à ranger leurs jouets après avoir partagé avec eux de nombreuses heures de construction, de dessin et de Monopoly. Le soir, il assistait Adriano dans ses cours de peinture et préparait avec lui une exposition au restaurant *L'Artiste.* Cette fois, les journaux annoncèrent l'exposition d'Adriano bien avant la soirée de vernissage. Il faut dire qu'il avait pris soin d'embaucher une sorte d'attaché de presse qui avait l'avantage de disposer d'une longue liste d'amis et de connaissances. Il s'appelait Rodrigue Molyneux et était un ami personnel du peintre Alfred Pellan, lequel avait eu jadis son atelier sur la rue Jeanne-Mance, à deux portes de chez lui. Molyneux disait que Pellan utilisait des coloris bruyants qui criaient à tue-tête, ce qui faisait sourire Adriano qui avait pour Pellan une admiration réservée. Inspiré par les bêtes, le célèbre peintre québécois installé à Paris depuis 1936 ne faisait aucune concession, et le mystère de sa création provenait sans doute de la version plutôt magique rattachée à son enfance, orphelin de mère qu'il était depuis l'âge de trois ans. Quand Adriano songeait à cela, il remerciait le Seigneur d'avoir épargné Rose et Anna du désenchantement et de leur avoir permis de connaître aussi leur grand-mère qui les avait sauvées toutes les deux – sa propre fille également – du gouffre dans lequel elles auraient pu s'échouer.

Il songea également à Blanche. La dernière fois qu'il avait parlé à Anna, elle lui avait dit que sa mère était partie à Paris avec une espèce de mécène juif beaucoup plus âgée qu'elle, Joffrey Young. Il éprouva un sentiment de confort, débarrassé des remords qu'il ressentait en pensant à la vie triste de Blanche, comme s'il était, lui, responsable de son échec. Adriano sentit tout à coup le besoin irrésistible de voir ses filles. Il pensa furtivement à la bande de Cristoforo Majorana qui avait assassiné son oncle, et eut peur pour ses filles. Existait dorénavant, entre les amis de son oncle Fabrizio et lui, un lien d'affaires dont il aurait bien aimé se débarrasser. Adriano était considéré sans doute comme un membre de la bande d'Antonio Tadiello, la bande ennemie de celle de Majorana. Maintenant qu'il avait accepté de parcourir le sentier économique laissé par son oncle, il devait protéger tous les gens qu'il aimait. Cela venait de lui sauter à la figure comme une vision hideuse. Qu'il le veuille ou non, Adriano était un mafioso par hérédité. Il mit la main dans sa poche, toucha le papier rugueux d'un billet de cinquante dollars et la ressortit avec un certain dégoût. Mais que pouvait-il faire ? S'il avait refusé, il savait que les sbires de l'oncle Fabrizio allaient s'en servir pour détruire la paix autour de lui.

– Adriano, que dis-tu de cette peinture ? Moi, ça me donne le goût de youyouter. As-tu vu ça ? Ça ne donne pas dans les roudoudous, crois-moi !

– C'est de qui ?

– Un certain Lemieux.

– Quoi ? Jean-Paul Lemieux ? Mais c'est un grand peintre. Je sais qui il est. Des tons de gris, des sujets perdus sur des grands ciels fauves. Les collectionneurs adorent.

– Je sais bien. Mais je trouve ça très américain.

– Parle de Lemieux à Charles Doyon. Tu vas te faire engueuler si tu lui dis que tu n'aimes pas. Il va te traiter de maudit parigot ! Lemieux a formé plus de peintres que tu n'en verras jamais de toute ta vie.

– Pas besoin de péter dans la soie, Adriano. J'arrive de France avec mes goûts, mes expériences. À quarante piges, je n'ai pas non plus de sciure dans le tronc, je ne suis pas borné, comme vous dites ici. Alors, on la fait, cette exposition ?

Ce soir-là, deux magnifiques jeunes filles se présentèrent au restaurant. Bruno et Émile accoururent se jeter à leur cou. Adriano souriait. Armandin était sous le choc. Il ne comprit pas tout de suite qu'il s'agissait des deux filles de son ami, celles dont Adriano lui avait parlé sans relâche quand il était à Paris.

Anna avait vingt-deux ans. Elle portait des vêtements à la fine pointe de la mode et ressemblait trait pour trait à sa mère, tandis que Rose avait les cheveux noirs et les yeux perçants de son arrière-grand-mère Antoniana. Adriano éprouva un long frisson en songeant à son enfance et à cette robe verte, cintrée à la taille, que portait sa grand-mère dans son cercueil de chêne. Elles portaient toutes deux des chapeaux à large rebord, et celui d'Anna était agrémenté d'une aile de plumes noires comme en portait Zizi Jeanmaire sur les photos du *Paris Match* qui célébrait la jeune danseuse. Elles savaient se tenir, les filles d'Adriano. De jolies demoiselles. Armandin n'aurait jamais osé parler d'elles en ces termes béotiens qu'il utilisait davantage pour faire rire ses hôtes. Il faut bien avouer que le peintre parisien n'était pas toujours compris par les Montréalais qu'il rencontrait dans la rue, certains se demandant même quelle langue il parlait.

– De très belles filles, Adriano. Vous, mademoiselle Anna, aimez-vous la peinture également ? Mes viocs… euh… mes parents n'aimaient pas les gens qui perdaient leur temps à barbouiller sur des bouts de papier. Ils aimaient mieux zyeuter le goulot d'une bouteille de… vin que de perdre trois minutes à… regarder une toile de maître. On habitait Paris, et jamais ma mère n'est allée au Louvre. Et pourtant, elle a levé les pieds à 86 berges ! Je veux dire, morte à 86 ans.

Rose et Anna éclatèrent de rire. Adriano les avait bien averties que son invité allait les amuser avec son langage coloré. Armandin ajouta :

– Ces demoiselles sont mariées ou attendaient-elles qu'un gentil Français débarque pour les séduire ?

Rose allait lui parler de son Pierrot et Anna lui avouer qu'elle n'était nullement pressée de dégoter le prince charmant qu'Adriano intervint brusquement, comme si son ami avait l'intention de lui enlever ses filles.

– Anna aura bientôt vingt-deux ans et Rose, dix-neuf. Elles sont encore jeunes.

•

Les semaines passaient, et Armandin s'incrustait. Il n'avait pas mis beaucoup de temps à fréquenter Camille Souchet, à frayer avec le chef Lefort, à imposer ses recettes de crêpes au rhum et à l'orange, et à devenir la coqueluche du restaurant *L'Artiste.* Les clients y venaient en grand nombre seulement pour l'entendre parler et aussi pour voir son exposition.

Adriano avait accroché dix tableaux d'Armandin Lacourse et vingt-et-un des siens. L'exposition portait le nom de *Éblouissement,* et André Duhamel fit un long article extrêmement positif sur Lacourse, et Adriano prétendit que c'était pour lui damer le pion qu'il l'avait fait. Le journaliste avait toujours gardé pour Adriano une sorte de rancœur sèche et profitait de sa puissance éditoriale pour lui faire payer ce qu'il appelait de la gouaillerie. L'occasion était belle de taper sur le clou en comparant l'œuvre des deux amis qui s'étaient connus «*sur les bords de la Seine alors qu'ils n'avaient pas un rond et qu'ils devaient quêter pour manger, le propre des artistes canadiens-français qui veulent à tout prix s'expatrier pour que l'on apprécie ensuite leurs talents au Canada. Adriano S. (il persiste et signe de cette seule consonne un patronyme ardu à prononcer) n'aura pas encore amélioré son style mièvre et ses tons de bleus sur horizons mouillés tandis qu'Armandin Lacourse, récemment expatrié de Paris, s'exécute sur de larges canevas usant des replis de la pâte, comme on avait dit de Borduas. De grandes surfaces empâtées de blanc crémeux où s'inscrivent de larges traits noirs comme on les retrouverait sur le clavier d'un piano : les notes d'ébène venant troubler la tranquillité des notes d'ivoire. Lacourse n'a rien à envier à Borduas ou à Pellan qui sont nos seuls représentants de la peinture canadienne à l'étranger. Ce peintre parisien s'exprime avec l'aisance d'un joueur de hockey sur la glace du Forum en décrivant de grandes arabesques sur la surface déchirée. Parfois, il installe un personnage mythique que l'on reconnaît par un chapeau ou d'étranges chaussures, par ses mouvements gracieux se rapportant à la danse, ou par ses chats occupés à se lécher la patte. Un mélange audacieux de modernisme et de personnages théâtraux qui amènent le spectateur à rêver. Il y a davantage dans l'œuvre d'Armandin Lacourse que dans les tableaux d'Adriano S. dans lesquels ont ne voit aucun changement. Le Français ne pourrait-il pas avoir une certaine influence sur l'Italien? C'est à souhaiter. L'exposition se terminera le dimanche 13 février au restaurant* L'Artiste, *rue Danton.*»

Adriano était fier pour son ami. Lacourse vendit huit de ses dix tableaux et offrit cent dollars à la famille Scognamiglio pour l'hébergement et tout ce qui s'en suivait. Avec ce qui lui restait, il eut l'idée de chercher un logis, mais Adriano intervint en ayant une petite pensée pour son propriétaire, Luigi Della Croce.

— Je crois avoir trouvé une grande maison sur le boulevard LaSalle pour y loger toute ma marmaille, mes filles et mes garçons. J'emmène Carmélie cet après-midi pour la visiter. Tu n'aimerais pas continuer à habiter ici, dans ce logement que tu trouves si ensoleillé et si spacieux?

— Ici? Ben, ouais. J'suis bidard, ici. Mais tu dois faire vinaigre, parce que moi, je peux plus continuer à dépendre de toi et de ta Carmélie, Driano, j'aime tes deux moutards, mais si ça continue, je vais fermenter du couvercle. J'ai besoin de me trouver une lolote, de l'entraîner dans mon paddock sans craindre de faire trop de bouzin. Je veux plus vous déranger, tu vois. Alors, prendre ton nichoir et l'habiter tout seul, je veux bien.

— Donne-nous encore un mois au plus tard. Ça devrait être réglé. La maison qu'on va voir ce soir, elle serait libre juste le temps d'aller chez le notaire.

Adriano pensa qu'il allait payer rubis sur l'ongle. Déménager et tout meubler en neuf.

– Si tu veux, je te laisse les meubles. Nous… euh… Carmélie et moi, nous allons nous en acheter des nouveaux. C'est 54 $ par mois et Della Croche te déneige l'escalier et le perron. Quand tu seras décidé, tu iras le voir. C'est un bon zig.

Adriano se mit à rire. Il aimait bien son ami Lacourse et se revoyait quand il était lui-même arrivé à Montréal et que Jérémie Toutant l'avait pris en charge avec tant de chaleur. Il se dit qu'il valait la peine de rendre la pareille à son ami Armandin. L'argent que lui avait laissé son oncle allait retourner dans les poches de tous ces pauvres bougres que Fabrizio Bazzarini avait volés.

Il s'installa dans la cuisine où Carmélie préparait le souper. Assis à la table, il ouvrit *La Patrie*. On y parlait longuement que des employés de l'immigration venaient d'être arrêtés pour avoir accepté des montants substantiels de la part de trois Montréalais d'origine italienne afin d'accélérer et de faciliter l'arrivée de ressortissants italiens. Un nom lui sauta aux yeux : Gustavio Petrecca. Il se rappela. Petrecca était un ami de son oncle. Son bras droit, en fait. Et le beau-frère d'Antonio Tadiello, son gérant de banque en quelque sorte. Et ce Petrecca avait acheté deux grands tableaux lors de la dernière exposition au restaurant *L'Artiste.* Cette nouvelle le mit dans tous ses états. Après seulement un mois, alors qu'il avait accepté l'argent de son héritage, les difficultés se présentaient. Ainsi Petrecca faisait la contrebande de places enviables pour des compatriotes. Il soudoyait des agents d'immigration pour qu'ils acceptent de faire entrer illégalement des Italiens. Il lut aussi les noms de Pascale D'Errice et de Pietro Iadeluca. Des noms qui ne lui étaient pas inconnus. Il songea à tout le mal que s'était donné sa grand-mère pour se créer une belle vie sans histoires à Kamouraska. Il songea à son honnêteté. Il ne lui serait jamais venu à l'idée de débourser pour accélérer son entrée au Canada. Il imagina son oncle Fabrizio payer un gros «pourboire» pour entrer au Canada alors que sa réputation de mafieux le précédait depuis des lustres en Sicile et à Naples.

— Qu'est-ce qui t'intéresse autant, mon chéri ? Encore une mauvaise critique de Duhamel ? dit Carmélie en riant.

— Non, des amis de mon oncle qui viennent d'être arrêtés pour trafic d'influence.

Il referma brusquement le journal, se détournant de ces nouvelles qui le rendaient nerveux. Il se hâta d'ajouter :

— Tu es prête ? Il faut être à la maison vers six heures. Le propriétaire nous attend. J'ai tellement hâte de te faire visiter cette maison.

— Tu ne veux pas emmener les garçons ?

— Pas tout de suite. Je ne voudrais pas qu'ils soient déçus si jamais elle ne nous convenait pas. On leur montrera plus tard. Armandin va s'occuper d'eux.

La maison du boulevard LaSalle était telle qu'ils en avaient toujours rêvé. En briques rouges, une large galerie surmontée de deux colonnes corinthiennes sculptées de feuilles d'acanthe, une porte de bois massif avec un œil-de-bœuf orné d'un vitrail. Le toit à deux croupes avait été refait à neuf et l'escalier fraîchement repeint. Le propriétaire s'appelait Louis-Joseph Laporte. Il devait avoir quatre-vingts ans mais avait le pied sûr et le visage franc. Il invita Carmélie et Adriano à entrer tout en leur expliquant que sa femme était décédée le mois précédent après une longue agonie. Il se signa rapidement tout en franchissant l'arche de la salle de séjour qui se présentait à leur gauche. Carmélie sourit d'excitation en remarquant la grandeur de la pièce, décorée avec goût. Mais dans sa tête, elle enleva les draperies lourdes et foncées et les remplaça par des rideaux translucides qui laissaient entrer la lumière. Adriano, quant à lui, observait les moulures en denti-cules et les rosettes ouvragées qui soutenaient le pla-fond. Juste à voir le salon, son idée était déjà faite. Carmélie et Adriano évitaient de trop s'extasier de peur que monsieur Laporte s'enorgueillisse au point de hausser le prix de sa maison. Adriano avait bien pré-venu Carmélie d'endiguer ses éclats d'enthousiasme. Ce qu'elle fit. Ils pénétrèrent ensuite dans la chambre principale, la seule du rez-de-chaussée. Spacieuse, blanche, triste, elle exhalait les puanteurs de la mala-die. Carmélie eut pour cette pièce, elle aussi très enso-leillée, de grandes ambitions. Toujours silencieuse, elle choisissait et plaçait tous les meubles qu'elle et Adriano allaient acheter avec l'héritage de l'oncle Fabrizio. Un long corridor menait à la vaste cuisine. Des tuiles bleues, *«importées d'Italie»*, leur annonça monsieur Laporte, donnaient à cette pièce un air méditerranéen, ce qui enchanta Adriano. Cuisinière au gaz, réfrigérateur de facture récente, des armoires en grand nombre dont quelques-unes étaient armées de portes vitrées laissant entrevoir la vaisselle en porcelaine ou les verres de cristal, ainsi qu'un vaisselier de pin qui avait été bâti à même le mur, allaient continuer à servir les futurs propriétaires. Plusieurs fenêtres donnaient sur la cour. Carmélie admira le jardin et put imaginer les arbres en fleurs et toutes celles encore en dormance. Elle savait que Bruno et Émile pourraient y courir et même aller faire des balades à bicyclette sans qu'elle ne se fasse du mauvais sang pour eux. C'était un quartier tranquille même si le boulevard LaSalle était une artère habituellement très passante. Son idée était faite, mais elle attendit de voir les deux salles de bains, une au rez-de-chaussée et l'autre à l'étage. L'escalier et sa rampe de chêne verni avaient la forme du chiffre sept. Chaque marche était patinée et creusait au milieu, signe de l'usure du temps et chacune craqua sur le passage des visiteurs. Monsieur Laporte les suivait en souriant devant l'air enthousiaste de Carmélie qui ne parvenait pas à demeurer coite devant tant de splendeurs. Les quatre chambres étaient peintes et ornées de papier peint à petites fleurs, chacune d'une couleur distincte.

– Ma femme les nommait selon leur couleur. La chambre rose, la chambre verte, la bleue et la jaune. C'était plus facile pour nous. Quand les enfants étaient petits, on appelait les chambres du prénom de chacun. Quand ils sont partis, Emma a préféré les décorer pour pouvoir les nommer par leur couleur. Sinon, ça lui faisait trop mal. Nos enfants, vous savez, ils ne sont pas partis comme d'autres partent pour se marier ou pour entrer au Grand Séminaire. Nos enfants sont morts les uns après les autres. Claude a été tué durant la Grande Guerre, Pierre et Guy sont morts dans un accident d'automobile à Saint-Canut, et Brigitte est morte de la poliomyélite. C'est pour ça que ma femme est tombée malade. Privée de ses enfants, elle s'est laissée mourir. Ah, c'est bien triste tout ça. Moi, je vais aller dans un hospice à Cartierville. Il faut que vous aimiez cette maison, sinon je vais perdre ma place. Pis un vieux qui perd sa place ne va plus à la chasse, comme on dirait.

– On va aller s'en parler, ma femme et moi, et je vous rappelle lundi au plus tard.

– Pas besoin, Adriano. Nous allons la prendre, monsieur Laporte.

– Pour vrai ? Ah, je suis content. Très content.

Adriano fut surpris par la décision rapide de Carmélie. Le prix n'avait pas encore été fixé et il craignait que monsieur Laporte en profite pour exagérer.

– J'en demande 50 000 $, pas une cenne de plus, pas une cenne de moins. La maison d'à côté s'est vendue 58 000 $, et il n'a pas fait refaire la toiture et la salle de bains est en ruines. Moi, j'ai un beau jardin, en plus. Ainsi qu'un petit cellier et une cave froide. C'est pratique, un cellier, surtout pour les Italiens qui aiment le vin. Cinquante mille, c'est pas cher pour une belle maison comme la mienne.

Adriano et monsieur Laporte se serrèrent la main pour sceller l'entente.

– Je suis prêt à partir à la fin du mois prochain. J'ai un notaire, si vous en voulez un bon. Ça vous va ? Vous allez être heureux, ici.

•

Ils avaient un mois pour ramasser leurs effets. L'exposition tenait beaucoup de place dans la vie de toute la famille. Deux autres journaux avaient établi que *Éblouissement* était une très belle exposition et nombreux étaient les badauds qui s'y intéressèrent.

Carmélie avait établi un horaire de garde. Adriano et Anna formaient une équipe pour les soirs pairs – moments où Adriano n'enseignait pas – et elle-même s'était jumelée à Armandin qu'elle trouvait tout à fait divertissant, arguant avoir tellement besoin de rigoler. Les fins de semaine, ils étaient tous les quatre de garde alors que *L'Artiste* était davantage fréquenté. Les lundis, c'était fermé.

Un jeudi soir, alors qu'il avait vendu deux autres tableaux, un de Lacourse et un des siens, Adriano décida de fermer plus tôt parce qu'Anna avait mal à la tête et que les derniers clients venaient de quitter la salle à manger. Il prit un œillet sur une des tables pour l'offrir à Carmélie. Anna embrassa son père et quitta elle aussi pour retourner chez sa grand-mère Dubuc alors que parfois, elle se rendait chez son père pour discuter et prendre un dernier café italien.

Adriano entra et n'entendit rien. Il se rendit dans la chambre du fond pour saluer Armandin, mais ne le vit pas. Des froufroutements, des pas rapides lui firent immédiatement craindre le pire : Armandin et Carmélie se trouvaient dans la chambre principale. Il accourut, ouvrit la porte à la volée et aperçut Carmélie, blanche comme un cierge de Pâques, en train d'essayer de se vêtir de sa robe de chambre en toute hâte. Armandin, sans chemise, achevait de boutonner son pantalon. Adriano fut incapable de parler. En un seul instant, toute sa vie se déroula à une telle vitesse que seules les images se poursuivaient sur le film de sa vie : les couinements du marchand et de la femme du docteur, les gloussements érotiques de Gertrude Ladouceur, les halètements jouissifs de Blanche, le souffle court de monsieur Dubuc, le courant paresseux de la Seine, les pas lourds de la concierge de Notre-Dame-de-Paris, les mots lents et précis d'Edmond Dyonnet sur lesquels Adriano termina son intolérable réflexion. Il avait des haut-le-cœur. C'est Carmélie qui parla la première :

– Je peux t'expliquer, Adriano.

– Y'a rien à expliquer.

Et avant même qu'Armandin Lacourse n'ouvre la bouche pour prononcer une autre de ses expressions délirantes, Adriano ne prit même pas la peine de se rendre au fond de la chambre pour y récupérer le fameux sac de cuir que lui avait remis Antonio Tadiello, il ne se précipita pas pour embrasser ses fils, il oublia même de respirer et se retrouva, quelques si courts instants plus tard, dans sa voiture neuve. Il démarra alors que Carmélie courait sur le trottoir, ne se souciant pas du jugement des voisins, comme une des vierges folles de la Bible, sans chaussures sur la rugosité du béton glacé. Il ne neigeait pas ce soir-là sur la rue Danton. Adriano eut une toute petite pensée pour Louis-Joseph Laporte, le propriétaire de la jolie maison du boulevard LaSalle. Il eut pitié de lui qui allait devoir attendre pour s'engouffrer à l'hospice. Il se rendit à une boîte téléphonique. Composa le numéro de Jeanne-Mance Guiroux à Kamouraska. Il était neuf heures et demie. Et une autre vie venait de commencer.

6

— M ais, dis-moi dans le saint monde ce que tu fais ici, Adriano?

Jeanne-Mance était interloquée. Se tenait devant elle le jeune Adriano tel qu'il s'y était trouvé quand son lapin Léonard avait été tué par le chien des voisins. Tel qu'il était quand il l'avait surprise en se pointant dans la fenêtre de sa classe. Elle comprit qu'il s'était passé quelque chose de très grave.

– Ne t'en fais pas. Ils m'ont donné une autre partie de mon héritage. Je ne serai pas à ta merci, Jeanne-Mance.

– Entre, on gèle dehors. Ils ont annoncé un gros mois de janvier. Les pelures des oignons sont épaisses, cette année. Entre. Maurice est parti au bureau de l'Instruction publique pis les enfants sont à la patinoire de l'école. Eugénie est chez· sa petite cousine Tanguay pour quelques jours. De toute façon, j'ai le droit de recevoir un ami d'enfance. Mais, tu parles pas, qu'est-ce qui se passe, Adriano ? Ta femme ? Tes enfants ? Voyons, dis quelque chose !

– Faudrait que t'arrêtes de parler d'abord.

Il s'assit à la table de la cuisine qui fleurait la viande rôtie et l'ail.

Jeanne-Mance n'avait pas vieilli d'une ride. Ses cheveux attachés en un chignon indiscipliné lui rappelaient leurs jeunes années où porter ainsi les cheveux était l'apanage des vieilles filles alors que pour aller affronter les vents forts du bord du fleuve, la jeune fille les portait sans attache, libres sur ses épaules. Quand elle parlait, une mèche venait toujours se coincer entre ses lèvres et il fallait qu'elle la libère inlassablement. Elle portait une blouse échancrée et une jupe serrée, à mi-jambe, qui faisait ressortir ses fesses qui se faisaient un peu plus rebondies que dans les souvenirs d'Adriano. À cinquante ans, il trouvait qu'elle était encore belle et tous les deux pouvaient faire mentir les années.

Il lui raconta.

– Cet homme que j'ai accueilli chez moi m'a volé ma femme, Jeanne-Mance. Avant ça, il nous a tous emberlificotés avec son langage comique, ses expressions d'une vieille France qui nous avait fait, Edmond Dyonnet et moi, l'aimer comme un frère.

Il fit une pause, posa les yeux dans ceux de Jeanne-Mance.

– En fait, quand j'y pense, quelqu'un m'a toujours volé la femme que j'aimais. Armandin Lacourse n'a suivi que le chemin emprunté par les autres : André Duhamel, Maurice Tanguay…

– … Maurice ne t'a rien volé, Adriano. J'ai été amoureuse de toi toute ma vie et jamais ne l'as-tu compris. Quand tu t'es décidé, j'étais déjà fiancée. Tu as toujours été aveugle, en fait, tu as toujours refusé de voir. Je pense que tu as toujours cru que les femmes allaient t'abandonner comme ta mère. T'avais tellement peur que tu préférais toi-même briser les liens avant qu'il ne soit trop tard. Moi, je ne t'ai pas abandonné, j'ai seulement refusé d'avoir mal. Je te connaissais trop, comme on connaît trop un poulain qu'on a mis au monde, dressé, nourri, étrillé, conduit. Avec Blanche, t'as pas été capable de te battre contre l'alcool et c'est lui qui a gagné. Avec Carmélie, tu ne t'es pas battu pour conserver ce qui t'appartenait. D'après ce que tu m'as dit, tu les as surpris et t'es parti. Voyons, mon ami, tu as toujours eu plus de courage que ça. On ne jette pas tout au feu parce qu'il y a une petite poussière dans l'engrenage !

Il se mit à crier.

– Qu'est-ce que tu connais de ça, Jeanne-Mance Guiroux ! Tu es mariée avec ton inspecteur d'école depuis toutes ces années et tu n'as rien vécu de difficile.

– Qu'est-ce que t'en sais ?

Il se calma et la regarda avec un léger sourire. Il attendait la suite.

– Maurice a eu plein de femmes dans sa vie. Des institutrices qu'il avait connues avant d'être nommé directeur à Kamouraska. Il partait durant les vacances pour le Ministère et donnait des formations. La première fois, j'ai trouvé, non pas du rouge à lèvres sur son col de chemise comme dans les films français, non. J'ai trouvé une facture de chambre d'hôtel de Québec. Il a tout nié, essayant de me faire croire que cette facture provenait de chez le nettoyeur, que monsieur Chang avait dû la placer là par inadvertance. Je l'ai forcé à la quitter. La deuxième fois, elle a eu le front de lui téléphoner ici, comme si elle se préoccupait de quelqu'un qui lui appartenait. J'ai su qui elle était, alors, mon cher Adriano, j'ai mis mes bottes de peau de cheval, mon manteau de laine et je suis allée la voir directement chez elle et je l'ai menacée. J'ai exigé qu'elle le laisse tranquille et je lui ai juré que j'allais lui faire perdre son job au bureau de poste. La troisième enseignait ici à l'école en cinquième année. Quand je l'ai su, je suis allée à la réunion des commissaires et je l'ai accusée d'avoir utilisé ses charmes pour salir l'âme de mon petit Jean-Paul. C'était à peine l'an passé. Ils l'ont congédiée. Maurice n'a jamais avoué qu'il savait que ça venait de moi. Je sais ce qu'il a pu faire avec ces femmes, l'argent qu'il a dépensé pour leur offrir des fanfreluches et des parfums, cet argent qui nous était essentiel pour faire soigner notre petite Eugénie qui a attrapé une méningite. Je lui ai pardonné et j'ai décidé qu'il était à moi. Rien qu'à moi. Quand on tient à quelque chose, Adriano Scognamiglio, on se débat. On ne laisse pas le premier venu nous l'arracher.

Adriano écoutait Jeanne-Mance, mais ne comprenait pas le message qu'elle tentait de lui passer. Les yeux maintenant rivés à une icône accrochée au mur de la cuisine, il se mit à pleurer.

– Jamais je ne me suis aperçu qu'il se passait quelque chose entre eux. Une petite flamme sans doute, comme le pilote d'une cuisinière. Une flamme latente, prête à tout allumer quand on la sollicite, mais que personne n'aperçoit. Naïf que j'étais. Je lui ai prêté mon atelier, je lui ai donné des canevas, je lui ai tout raconté au sujet de Carmélie : qu'elle aimait les massages dans les cheveux, qu'elle aimait que je lui chante des *ninnananna* avant de s'endormir, qu'elle détestait la mauvaise haleine et qu'avant de l'embrasser, je mâchouillais un clou de girofle que je volais dans la cuisine du restaurant. Je n'ai pas compris que je lui préparais la route, et que je céderais ma place à ce maudit artiste. *Maledetto !*

– Tu l'aimes encore, ta Carmélie ? Réfléchis avant de me répondre. Mets de côté ton sacré orgueil de Rital !

– Je sais que je veux revenir à Kamouraska.

– Qu'est-ce qui t'empêche de déménager toute ta famille à Kamouraska ? Et d'oublier l'orage ? Et d'apprendre à tes enfants à aller se confier à la mer et à respirer comme tu disais son *odore salato ?* Y'a rien de mieux que de sentir les effluves salés du Saint-Laurent et de comprendre ses humeurs qui sont différentes à chaque jour que le bon Dieu amène. Ça nettoie de toutes les avaries. C'est toi qui as toujours dit ça. Le fleuve n'est pas le même qu'à Montréal, j'imagine. Si tu pars pour de bon, Carmélie et Armandin-truc, ils vont vivre une belle vie sans toi, en se moquant bien de ce que tu ressens. Alors que si tu retournes…

– Tu crois que madame Soucy loue encore des chambres ?

– Oui.

– Alors, j'y vais. Je repartirai mercredi.

– Je suis très contente, Adriano. Il faut se battre pour conserver ses petits bonheurs. Demain, je serai à notre fameux rendez-vous devant la mer. Tu verras de quel bon conseil elle sera pour toi.

Jeanne-Mance embrassa sagement son ami Adriano que la vie n'avait pas ménagé ces dernières années. Elle n'aurait pas eu peur de voir apparaître Maurice puisque tout avait été dit entre elle et lui. Elle avait montré ses crocs devant ses infidélités et il avait choisi de demeurer avec elle. Il fallait qu'Adriano, l'homme qu'elle aimait le plus après son mari et son fils, se batte pour sa Carmélie. «Mon dieu que les hommes sont fragiles, parfois.»

●

Le lendemain, Jeanne-Mance se rendit à la barrière où ils allaient s'asseoir jadis, sur le banc de bois, pour discuter tout en suivant les mouvements des vagues et les humeurs du ciel. Adriano, lui, passa par le cimetière où gisait sa grand-mère, le regard tourné vers le fleuve. Les Roy, les Desjardins, les Bouchette, le père et le fils Taché, et même Achille Saint-Louis, assassiné par l'amant de sa femme, tous devaient entendre la voix chantante d'Antoniana Bazzarini, morte si jeune. Jeanne-Mance allait repartir quand Adriano arriva, au pas de course, s'excusant de son retard. Il lui tira une mèche de cheveux, celle qui allait vraisemblablement se coincer entre ses lèvres, et elle se mit à rire. Ils avaient de nouveau quinze ans. Les années qui les séparaient de leur jeunesse venaient de s'estomper. Du bout de sa chaussure, elle fit rouler un caillou et tenta de le projeter le plus loin possible. Lui, arrachait les touffes d'herbe salée et en coinça un brin entre ses lèvres avant de le placer entre ses deux pouces pour en faire un sifflet. Il écrasa une fourmi et elle le disputa avec ses éternels «Tu aimerais ça, toi…?» Ils riaient sans se soucier que des élèves de l'école pourraient mal interpréter leur présence sur le *banc des foins*, comme ils avaient baptisé ce vieux siège cent fois réparé par la municipalité. Deux vieux amis de cinquante ans, ballotés par la vie et qui ne firent jamais quoi que ce soit pour unir leurs destinées. Encore une fois, Jeanne-Mance lui échappait et dans sa tête, Adriano l'entendit encore répéter: il faut se battre pour ce qu'on aime. S'il s'était battu, vingt-cinq ans auparavant, Jeanne-Mance et lui seraient peut-être mariés. Ils s'entendaient tellement bien. Deux âmes sœurs qui avaient choisi de vivre éloignées.

●

Quand il entra dans le logement, le mercredi soir, Adriano fut accueilli par Bruno et Émile qui ne tarissaient pas d'enthousiasme.

– Où t'étais, p'pa? demanda Émile.

– Je suis allé voir ma grand-mère à Kamouraska.

– Mais elle est morte, ta grand-mère, lança Bruno.

– Je sais bien, mais j'arrive à lui parler.

– Comme à un fantôme?

– Pareil.

Les garçons s'engouffrèrent dans le salon pour jouer au Minibrix en bavardant joyeusement. Carmélie sortit de la salle de bains, les cheveux enroulés dans une serviette blanche, fragile dans son peignoir de coton. Elle ne parut pas surprise de voir Adriano qui ferma les yeux en respirant les effluves de ce maudit parfum qui lui rappelait aussi bien sa mère que cette Gertrude Ladouceur qui lui avait appris les rudiments de l'amour. *L'Heure Bleue* de Guerlain venait lui chatouiller les narines et lui faire perdre la tête. Il aurait bien aimé la prendre immédiatement, là, sur le couvre-lit de chenille beige, comme jadis, et lui réciter un poème italien qui avait le don de la séduire par les sons mouillés et musicaux que lui conférait la langue de sa famille. Il aurait bien aimé qu'Armandin Lacourse ne soit jamais arrivé de Paris avec l'intention de lui prendre ce qu'il avait de plus précieux. Il ne dit que:

– Il est parti?

Carmélie se mit à pleurer tout doucement. Adriano ne sut pas si elle pensait à Lacourse ou si elle se lamentait sur leur pauvre vie conjugale qui s'étiolait.

– C'était… c'était un accident, Adriano.

– Un accident ? Tu crois qu'il n'avait pas pensé à ça tous les soirs, qu'il n'avait pas tout préparé depuis le jour où il est arrivé ici ? Il te regardait comme un chien de chasse regarde une oie blanche. Les lèvres tremblantes, la salive plein la gueule, les pattes sur la ligne de départ, le cœur battant à cent dix à la minute !

– L'oie blanche, mon chéri, n'avait aucune intention de se laisser bouffer, qu'est-ce que tu crois ? Elle a seulement cru qu'il voulait jouer avec elle. Armandin est parti le soir même. Il est allé chercher son dernier tableau au restaurant. Il a dit : «Adriano n'a pas besoin de me rendre ce qu'il me doit. Il a assez donné, je crois, pour toutes les embrouilles que je lui ai causées.» Il a embrassé les garçons et il est parti.

– Il t'a dit où ?

– Non. Il ne m'a pas dit où, et j'espère que c'est très loin. Je te le dis, Adriano, je regrette tellement. Il me faisait rire, et j'avais besoin de ça, ces temps-ci. Les garçons ne savent rien. Ils n'ont même pas demandé pourquoi tu n'étais plus là. J'étais certaine que tu étais allé à Kamouraska. Il y a seulement Paul au restaurant qui a dit qu'il espérait que tu arriverais avant la tempête de neige. Il se doutait lui aussi que tu étais allé guérir tes blessures dans le pays de ton enfance. Quand Armandin l'a vu au restaurant, il lui a juste dit qu'il avait fait une grosse bêtise et qu'il devait s'en aller avant que tu ne reviennes. Paul a tout compris. Il m'a dit que tu allais me pardonner. C'est tout ce qu'il a dit.

Les garçons trouvèrent Adriano et Carmélie dans les bras l'un de l'autre, assis sur le canapé du salon, enroulés comme deux clématites.

– Qu'est-ce qu'on mange, maman ?

– J'y vais. On mange des *pastas*. C'est papa qui va les faire.

– Oui, papa va faire les *pastas* ! Adriano il italiano !

Ils n'en parlèrent plus. Plus question non plus d'Armandin Lacourse. Au souper, cependant, Émile demanda où l'artiste était passé. Carmélie sut que ses fils allaient regretter la fougue et les nombreux fous rires qui montaient de leurs soirées passées en compagnie de l'artiste parisien.

– Il est retourné chez lui. Son… ses enfants avaient hâte de le voir, eux aussi, mentit Adriano.

– Il n'avait pas d'enfants, il nous l'a dit. Il n'avait que nous. C'est toi qui l'as fait partir, papa !

– Pourquoi je l'aurais fait partir, dis-moi ?

– Parce qu'il était un meilleur peintre que toi. C'est ça qui est arrivé, dit Bruno.

Adriano réfléchit à la simplicité de l'explication de son fils. Il regarda Carmélie et se mit à rire.

– Tu as parfaitement raison, Bruno. Armandin Lacourse était un bien meilleur peintre que moi. Alors, au lieu de se chicaner avec moi, il a préféré partir. C'est toujours ce qu'il faut faire quand on n'est pas le bienvenu quelque part. Tu comprends ? Alors, il est parti.

«Le bonheur, c'est comme un mouton à cinq pattes. On a beau le chercher, on ne le trouve jamais!», qu'il disait. Il ne l'a pas trouvé ici. Alors, il va être sur le trimard jusqu'au printemps.

Les garçons et Carmélie riaient. Le rideau s'était refermé sur une triste scène de leur vie. Une scène qui était apparue sans raison au cœur d'un petit bonheur bien tranquille.

•

Les *pastas* étaient délicieuses. La vie allait reprendre. Adriano se rendit à *L'Artiste* pour accueillir les amateurs d'art. Quand il traversa la porte de l'entrée, il aperçut un homme qui observait un de ses grands tableaux représentant un voilier dont le grand mât se perdait dans une explosion de rouge noyé dans un ciel bleu azur. Adriano reconnut Antonio Tadiello au moment où ce dernier cherchait l'artiste pour lui signifier qu'il désirait acheter cette œuvre pour son nouveau restaurant *Da Antonio*.

– *Buonasera*, Adriano! Je vais prendre celui-ci. Il me rappelle mes jeunes années à Naples. Ce navire, c'est moi. Exactement moi, sur la mer *en furia*! Combien?

– Le prix est juste ici, sur le carton. Quatre cents dollars.

– C'est cher.

– Mais c'est le prix.

– Ça va, ça va! Voici tes quatre cents dollars et voici une autre avance sur ce que ton oncle t'a laissé.

Tadiello lui remit une autre sacoche remplie de billets. Encore une fois, Adriano allait devoir créer des occasions de déposer cet argent dans son compte à la Banque de Montréal et risquer de se faire remarquer. Que de soucis ! Il en donnait à Carmélie autant qu'elle en voulait et conservait le reste dans une boîte de métal qu'il plaçait dans le faux tiroir d'une commode de bois.

Un soir, Carmélie avoua qu'elle voulait laisser la direction du restaurant à ses sœurs Pierrette et Camille, qui avaient démontré un grand intérêt. Adriano était d'accord. Et comme leur mère Madelon et Paul Lefort continuaient à vivre le grand amour, les filles avaient insisté pour que ces deux-là se marient le soir de la Noël 1955. Voyant que personne n'allait prendre le logis de Luigi Della Croce, Carmélie voulut continuer à l'habiter encore quelques mois avant de déménager dans la maison du boulevard LaSalle.

Adriano se rendit dans la chambre du fond pour s'assurer que plus rien ne subsistait de la présence d'Armandin Lacourse. Il ouvrit les tiroirs des deux commodes, puis les portes de l'armoire jaune, souleva les tentures, fureta dans le placard où Lacourse avait laissé un peignoir rouge que lui avait offert la famille lors de son premier Noël au Québec. Ne sachant plus où regarder, il souleva distraitement le matelas. À sa grande surprise, il aperçut une enveloppe de papier brun qui portait un bouton cartonné autour duquel un fil avait été étroitement enroulé. Aucune inscription sur l'enveloppe. Il s'assit sur le rebord du lit et entreprit d'en examiner le contenu.

Sur une autre enveloppe, blanche et plus étroite, était inscrit le nom d'Armandin Lacourse d'une graphie longue, pleine et sans fioritures. Étrange. La date était postérieure au retour de Dyonnet à Montréal. Dans cette enveloppe se trouvait un message, plutôt étrange, aux yeux d'Adriano. Il vit rapidement qu'il était question de la fameuse *Encyclopédie* de Diderot, celle-là même qui avait justement habité la pensée de son vieux professeur pendant des décennies. Il se souvint qu'Armandin avait dit : « Gardés par les moines, les écrits du père Diderot ! » La lettre ne portait aucune signature mais le sceau de la poste indiquait Vézoul en France. Adriano se mit à parcourir la missive, sur deux pages froissées, excité par sa découverte.

Monsieur Armandin Lacourse,

*Votre cousin Jeannot Lacourse, graveur souvent engagé par notre communauté de Vézoul, m'a poliment exhorté de vous écrire pour vous dire que nous nous sommes vu confier deux exemplaires de l'*Encyclopédie *du dictionnaire raisonné des sciences, des arts et des métiers de Denis Diderot et de son collègue d'Alembert qui, comme vous le savez, a été imprimé à plusieurs centaines d'exemplaires et disséminé partout dans le monde. Vous comprendrez que la somme qui permettrait à une personne de se porter acquéreur de cette œuvre magistrale serait assez importante. Le tome VIII ayant disparu de manière étrange chez la plupart de ceux qui possèdent l'*Encyclopédie, *nous connaissons la valeur actuelle de celle qui les contient tous. J'exhorte votre discrétion la* *plus entière quant à cette divulgation et je prie la Vierge Marie de vous accorder sa protection. Chez nous, un jeune moine a été retrouvé sans vie après avoir vendu l'une des deux copies imprimées des 34 livres de cette œuvre remarquable que le Saint-Père le pape Clément XIII a condamnée jadis. Un des collaborateurs de Diderot avait d'ailleurs écrit : «La Cour ordonne que tous ces livres seront lacérés et brûlés par l'exécuteur de la haute justice, et fait défense à toutes personnes de composer, approuver, imprimer, distribuer aucuns livres ou écrits contre la religion, l'État et les bonnes mœurs à peine d'être punis suivant la rigueur des ordonnances.» Vous comprendrez que n'eut été de notre fondateur, qui ne s'est rien laissé imposer par les menaces d'une autre époque, les moines de l'abbaye Marie-des-Anges n'auraient pas été et ne seraient plus les gardiens de cette œuvre magistrale. Comme Jeannot Lacourse juste avant de mourir m'a démontré hors de tout doute que votre famille découle de par sa généalogie de Denis Diderot lui-même, j'ai consenti à vous faire part de ma décision. J'attends donc de vos nouvelles.*

La lettre n'était pas signée.

Adriano sentit sa tension monter. Il pensa à Edmond Dyonnet et à son désir tenace de se procurer l'*Encyclopédie* – qui plus est, une série incluant le tome VIII. Il comprit l'énorme jalousie au centre de cette relation qui comptait Lacourse, Dyonnet et lui-même, l'aquarelliste italien. Lacourse, celui qui était toujours le premier à vouloir servir Edmond, le premier à le complimenter, était aussi celui qui s'empressait à affirmer que monsieur Dyonnet était son meilleur ami. Adriano n'avait jamais vraiment compris cette attitude qui lui apparut, cette fois, d'une grande évidence. Que contenait donc ce tome VIII ? Pourquoi vouer tant d'attachement à une encyclopédie d'un autre siècle ?

•

C'est au téléphone que Madelon Souchet apprit à son gendre que Jérémie Toutant était décédé durant la nuit, d'une rupture d'anévrisme à l'aorte. Jérémie avait 84 ans. Un journaliste du *Devoir*, venu au restaurant, avait demandé le numéro d'Adriano, mais sa belle-mère avait cru bon de ne pas le lui donner. Paul Lefort, connaissant les relations plutôt refroidies d'Adriano avec son ancien galeriste, avait suggéré que Madelon Souchet le lui annonce elle-même.

Adriano était quand même peiné d'apprendre cette nouvelle, même s'il considérait que Toutant avait atteint un âge où le corps commence à se déglinguer. Il se mit à réfléchir à sa propre mort. Elle lui apparut lointaine même s'il était plus âgé que Carmélie. La mort, en autant qu'elle ne soit pas précédée de douleurs atroces, ne lui faisait pas peur. Un soir, il avait même fait promettre à Carmélie de le faire inhumer à côté de sa grand-mère Antoniana, au cimetière de Kamouraska, là où durant toute l'éternité il pourrait entendre la mer.

Le lendemain soir, Carmélie et Adriano se rendirent à la maison funéraire pour saluer une dernière fois Jérémie Toutant. À leur grande surprise, une horde de journalistes, certains accompagnés d'un photographe, se tenaient devant les portes afin de happer tout ce qui grouillait de peintres connus et moins connus. Micro tendu, ils recueillaient tous les témoignages concernant cet homme qui avait fait connaître des œuvres importantes au public montréalais, accueillant les peintres modernes parmi les plus conformistes, organisant de fastueux vernissages, créant des contacts lucratifs entre les créateurs et la faune grouillante d'intéressés et de curieux. L'un d'eux, Hubert Soulières, le plus implacable des critiques d'art, s'avança et ainsi, empêcha Adriano de monter la seule marche qui menait au hall d'entrée.

– Vous avez bien connu Jérémie Toutant, monsieur Scognamiglio. C'est lui qui vous a mis sur la carte, vous et votre première femme, Blanche Dubuc, non ? Il est allé vous chercher dans votre petit patelin dans le Bas-du-Fleuve. Seriez-vous aussi connu s'il n'était pas allé se promener par là, dites-moi ?

Carmélie ne laissa pas à son mari le loisir de répondre à des questions aussi stupides. Elle s'avança et nullement impressionnée par la caméra, elle passa devant Adriano :

– Nous avons beaucoup de respect pour monsieur Toutant, mais ce n'est quand même pas lui qui a peint les tableaux de mon mari. S'il n'était pas allé le chercher dans son petit patelin du Bas-du-Fleuve, comme vous dites, mon mari se serait fait connaître autrement. N'oubliez pas que les artistes donnent 40 % de leur gagne-pain aux galeristes qui les exposent. Et pas d'artistes, pas de galeries ! Jérémie Toutant a fait une belle vie parce qu'il a exposé de bons artistes, un point c'est tout. Nous voulons offrir nos condoléances à sa famille. Et nos enfants, Anna, Rose, Bruno et Émile se joignent à nous deux. D'autres questions ?

Adriano éprouva un long frisson. Carmélie avait parlé de leurs quatre enfants. Hubert Soulières demeura pantois durant deux longues minutes, fit un pas pour reculer, puis posa effrontément le micro sous le nez d'Adriano.

– Et vous, monsieur Scognamiglio ? lui demanda-t-il en jetant un œil sévère en direction de Carmélie.

– Madame a dit exactement ce que je pense.

Le lendemain, les quotidiens parlèrent longuement de la femme du peintre Adriano S. comme s'il s'agissait d'un phénomène, elle qui avait pris la défense de son mari au petit écran. Un journaliste audacieux parla même de ces épouses d'artistes peintres qui agissent souvent comme des gérants de chanteurs populaires. À la télévision, Michèle Tisseyre fit même une remarque à ce sujet, avouant qu'il fallait résolument que les femmes prennent davantage leur place et quittent leur affreux rôle de potiches, ce qui fit bien rire son co-animateur. La « madame » qui avait répondu au journaliste Soulières devant les caméras de Radio-Canada s'était allié des admiratrices, pas seulement parmi les « potiches » qui fréquentaient les musées et les galeries d'art, mais aussi chez les ménagères. Carmélie était très heureuse, sa mère et ses sœurs encore davantage. Heureuse d'avoir remis le journaliste à sa place, mais aussi que son amoureux lui ait pardonné ses embardées infidèles avec Armandin. Cependant, lorsqu'il leur arriva de partager quelques moments intimes, quelque chose avait changé du côté d'Adriano. Il n'arrivait pas à oublier les images tenaces qui hantaient sa mémoire chaque fois que Carmélie se montrait soumise à ses attentions. Parfois, il riait encore en se rappelant qu'Armandin Lacourse lui avait déjà demandé « *s'il faisait l'amour à la papa, une fois au tapanard avec sa Carmélie* ». À la blague, le Parisien s'était offert pour prendre la relève en cas d'incapacité de son ami. Adriano aurait tellement dû se méfier.

Quelque chose avait effectivement changé. Adriano avait beau avoir l'esprit libre et ressentir un amour sincère et profond pour sa femme, il sut dès lors qu'ils ne pourraient plus être aussi intimes qu'ils l'avaient été : un intrus indélogeable s'était invité.

Il imaginait Paul Lefort le brasser, l'encourager avec énergie. Il avait passé beaucoup de temps à remettre Blanche Dubuc sur les rails, allant même jusqu'à rencontrer son beau-père un soir pour qu'il comprenne le désespoir de sa fille. Cela n'avait rien changé : Blanche avait quand même décidé de vivre avec André Duhamel. Les femmes de sa vie n'avaient jamais apprécié son immense tolérance. Elles avaient toujours abusé de cette qualité qui le définissait. *Adriano, il est gentil. Adriano, il pardonne tout.* Cette fois, Adriano n'arrivait plus à remonter du fond de la mer.

7

Il n'avait pas peint depuis presque trois mois. Assis dans la quiétude de son atelier baigné dans un rare silence – son atelier accueillait souvent jusqu'à vingt élèves volubiles – il s'installa à une grande table maculée de traits de pigments, y posa une feuille de papier de force maximale à grains raboteux, puis il remplit son godet d'eau claire. Il pressa sur sa plaque à multiples petites cavités, une demi-douzaine de tubes de ses couleurs préférées du moment. Il mouilla ensuite le papier avec un gros pinceau imbibé d'eau fraîche en l'appliquant dans tous les sens pour saturer la feuille. Et attendit.

Il ouvrit le journal et tomba sur une lettre d'un quelconque courrier du cœur. Son regard s'accrocha.

«Mon mari, ayant été victime d'un accident de travail, a dû aller s'installer temporairement dans un centre éloigné de l'endroit où nous demeurons et que rendu là, il s'est épris d'une jeune serveuse attachée à l'établissement où il devait prendre ses repas.»

Il sauta tout un paragraphe pour plutôt s'attarder à ce passage :

«Par la suite, il m'a fallu déployer une dose énorme de courage lorsque, sur une lettre du médecin m'annonçant que mon mari était atteint d'une dépression nerveuse et que ma présence devenait nécessaire à ses côtés, j'ai dû prendre le chemin où il était hospitalisé... même si je devais pour cela imposer silence à mes sentiments et à mon amour-propre.»

Adriano se mit à rire. Cette dame ne devait certes pas exister et cette lettre du courrier du cœur d'une certaine Annie devait avoir été rédigée par Annie elle-même tant le style était pompeux. Il relut : «Imposer silence à mes sentiments et à mon amour-propre.» Cette phrase se mit à zigzaguer dans sa tête. Il avait pardonné à Carmélie parce qu'il y avait leurs fils et le restaurant, et les amis et la vie. Mais son amour-propre, lui, était loin d'être guéri. Il palpa la surface de sa feuille mouillée. Elle était prête à recevoir la couleur.

À l'aide d'un stylet, il commença par graver dans le papier mouillé les lignes d'un corps dont les courbes évoquaient celles de Gertrude. Ses hanches généreuses, son sexe à peine évoqué, ses longues jambes effilées, ses pieds de porcelaine. Il rit. Est-ce que le fait de penser à Gertrude et de la dessiner relevait d'une infidélité consciente ? Est-ce de l'infidélité quand la maîtresse n'est confinée qu'à la seule pensée du créateur ? Il se rendit compte que d'évoquer Gertrude Ladouceur lui faisait du bien. Normal puisqu'il était devenu le seul héritier de Fabrizio et qu'avant son oncle, il avait profité des bonnes grâces de Gertrude. Il attrapa un pinceau à poils de chèvre et le trempa dans le noir afin de dessiner le contour d'une chevelure éparse, aussi éparpillée que les filaments d'une méduse. Raphaël, Michel-Ange, Botticelli.

Les pigments suivaient les minuscules rus créés par la rugosité du papier et s'allongeaient à leur gré. L'eau devenait conductrice de formes et de lignes étirées vers la lumière. L'aquarelle devenait l'unique langue d'un artiste blessé. Puis il déposa le bleu, le rouge, l'ocre et le jaune qui, lui, créait un trou d'une luminosité contrastante. Les ombres, les creux, les bosses, les courbes, les petites radicelles de couleurs animaient maintenant ce tableau qu'Adriano appela *Le pardon.*

Oublier, non. Mais pardonner, assurément. Pardonner en se permettant une embardée du côté des folles pensées libidineuses, des sueurs sexuelles, des couinements de jouissance d'une femme qui lui avait tout appris. Était-ce de l'infidélité ?

Il retoucha son tableau puisque l'aquarelle ne permet pas cette liberté que consent l'utilisation de l'huile. Il estompa à l'aide d'une petite éponge. Ajouta quelques lignes franches. Le pardon venait de naître enfin. Personne ne le saurait jamais.

Lettre à ma grand-mère

Je pense souvent à ce que tu me disais : pour oublier une bêtise, fais-en tout plein d'autres. Je n'ai pas fait d'autres bêtises, la seule ayant peut-être d'avoir pardonné à ma Carmélie de m'avoir trompé avec mon bon ami Armandin Lacourse. C'est ce type que j'ai rencontré à Paris et avec qui j'ai fait les cent coups. Une espèce de Fabrizio, je dirais : sûr de lui, condescendant tout plein, beau gosse, très drôle et surtout un peu étourdi. Il n'a sûrement pas réfléchi avant de prendre ma Carmélie dans notre chambre pendant que dans la leur, Bruno et Émile dormaient à poings fermés. Je t'entends me dire que je n'avais qu'à être à la maison pour veiller à mon feu dans le poêle. J'avais parfaitement confiance en Lacourse. À cause de son humour bon enfant, de son éternelle gaieté, de sa fidélité envers moi. À cause de mon sens de l'hospitalité. Tu le sais, toi, nonna, *à quel point c'est important d'être reconnaissant de l'hospitalité qu'on nous offre. C'est la chose essentielle que je retiens de toi : ta reconnaissance envers ceux qui t'ont fait du bien. Même si tu étais la plupart du temps implacable. Au moins, tu étais constante. Je n'avais jamais à me demander comment tu réagirais devant telle ou telle situation.* Spietata.

J'ai réalisé une aquarelle que j'ai titrée Le pardon. *J'en suis très fier. Je pourrai la présenter lors d'une exposition solo que je veux proposer à la galerie Lefort (aucun lien de parenté avec Paul), là où Borduas et Pellan ont exposé. À leur suite, je me sentirai un peintre important,* nonna, *comme tu as toujours souhaité que je le sois à compter du jour où j'ai démontré mes dispositions à devenir un artiste peintre. Dès demain, je commencerai une série de plus petites aquarelles que j'ai l'intention d'apporter en France, parce que je suis obligé de m'y rendre. Je te raconterai quand ce sera clair dans ma tête. Disons que monsieur Lacourse (traditore) a oublié un document dans cette chambre que je lui ai prêtée, lettre que j'ai parcourue et qui l'informe que la fameuse* Encyclopédie *de Denis Diderot, si chère à mon ami Edmond Dyonnet – et surtout le tome VIII – se trouve à Vézoul, en France, dans un monastère. Une lettre anonyme invite Lacourse, vague parent de Diderot lui-même de par sa mère, à se procurer un des deux exemplaires de l'œuvre du philosophe à fort prix. Je te sais assez intelligente pour comprendre la suite des choses sans que j'aie à te l'exposer. Pour l'instant, je peins, je pense aussi à mes relations fragiles avec ma Carmélie et pourquoi pas, avec toutes les femmes de ma vie.*

Je n'ai pas cessé de penser à l'entrelacement des relations infidèles de la femme du docteur Blais avec Gilbert Sauvé dont j'ai été témoin quand nous habitions à Kamouraska. Je ne croyais jamais qu'un jour, cela m'arriverait. Et toi? Oui, toi, tu le savais. Mais tu as préféré ne jamais m'en parler, n'est-ce pas? Tu t'es dit que si je ne savais pas que ça existe, tous ces couples qui s'entremêlent, cela ne m'arriverait jamais. Chère nonna*!*

La mort de Jérémie Toutant m'a étonnamment laissé pantois. Un autre qui ne m'a pas été fidèle. L'amitié est une denrée rare. Aussi rare que ton basilic rose, celui que tu as réclamé à toutes tes connaissances qui voyageaient à travers l'Europe. Mais c'est lui qui m'a découvert. Qui m'a soutenu, hébergé, encouragé et qui a fait de moi et de Bianca deux artistes prometteurs. Surtout Bianca. Tu vois, on doit tout à un galeriste et, un jour, cela prend fin instantanément. Comme pour Carmélie, je lui ai pardonné, mais je n'ai pas oublié. Jérémie avait 84 ans. Comme j'aurais aimé que tu te rendes à cet âge respectable. Imagines-tu combien nous aurions abattu de projets, comme tu aurais vécu heureuse entourée de ma famille ? Carmélie t'aurait adorée. Elle ne m'aurait jamais trompé si tu avais été là. Car avec ton œil d'aquila, jamais elle n'aurait osé faire du mal à ton petit-fils.

Je dois arrêter ma lettre ici, ça frappe à la porte de mon atelier.

Adriano

•

L'homme ne savait pas si, le reconnaissant pour l'avoir rencontré furtivement après l'assassinat de son oncle, il devait le saluer ou l'apostropher cavalièrement comme il avait l'habitude de le faire avec la racaille. Il porta l'index au rebord de son stetson et lui lança, en lisant son formulaire :

– Monsieur Scognami… mi… glio. Vous allez devoir nous suivre. Si vous vous opposez, mes collègues devront vous mettre les menottes. Tout ce que vous pourriez déclarer…

Adriano se doutait bien qu'il ne faudrait pas beaucoup de temps avant de passer pour un mafieux, que les policiers devaient les surveiller, Tadiello et lui. Ils devaient croire que Fabrizio Bazzarini lui avait aussi légué son goût pour les magouilles.

– Je vais vous suivre, ne serait-ce que pour vous prouver que je ne suis coupable de rien, dit Adriano.

– Oui, il faudra le prouver.

Le poste de police était à une dizaine de minutes, boulevard Saint-Laurent.

Une jeune recrue se tenait derrière un comptoir et parlait au téléphone. Un calendrier illustré d'armes à feu n'affichait pas le bon mois. Un des policiers devait avoir une admiration certaine pour les Manuhrin MR-73. Un tableau – une mauvaise réplique d'une nature morte – était accroché sur un mur gris et ne contribuait nullement à égayer les lieux. Le jeune policier cessa de parler et posa sur Adriano un regard curieux.

Rodolphe Guérin s'assit derrière un pupitre sur lequel il jeta un dossier épais comme les crêpes aux bleuets d'Antoniana. Il invita fermement Adriano à prendre place. Celui-ci resta debout.

– C'est comme vous voulez.

L'entretien dura environ une heure au cours de laquelle l'inspecteur posa un chapelet de questions au sujet des allers et retours d'Adriano et il insista sur son voyage éclair à Kamouraska. Comment diable l'inspecteur savait-il tout cela ? En effet, la police était sur ses talons. Il répondit du mieux qu'il pouvait.

– Auriez-vous un peu d'argent sur vous, monsieur Scog…

Adriano s'empressa de sortir les quelques billets qui traînaient au fond de son portefeuille. Deux billets de vingt dollars et trois de cinquante. Il les tendit à l'inspecteur Guérin.

– Vous permettez ? demanda le policier.

Il ouvrit le dossier et exhiba une liste de numéros.

– Ouais… le HM526725 et le 24.

– Ah, les billets de vingt piasses, monsieur l'inspecteur, je les ai eus à la Banque de Montréal, pas plus tard qu'hier, mentit Adriano.

– Je ne parle pas des billets de vingt. Les billets de cinquante sont faux.

– Mais qui aurait l'idée de faire des faux billets de cinquante ? Personne ne les utilise par les temps qui courent, monsieur l'inspecteur.

– Vous, vous les utilisez, monsieur Scog…

– Sco-gna-mi-glio ! insista Adriano.

– Vous les utilisez parce que c'est la pègre qui vous les fournit. Nous en avons trouvé dix qui portent tous des numéros qui se suivent. Ceux que vous avez aujourd'hui font partie de cette série. Regardez.

– Je ne les ai pas utilisés, monsieur l'inspecteur.

– Eaton, Omer DeSerres, la ferronnerie Savard. Cinq cents piasses dépensées le…

– Impossible, je n'y suis jamais allé.

– Votre charmante épouse, peut-être.

– Elle n'est pas sortie depuis… euh… depuis mon retour de Kamouraska. Trop occupée par le restaurant, l'école, les devoirs, la promotion de ma prochaine exposition.

– Les vendeuses ont été interrogées. Elles ont parlé d'un homme de votre grandeur avec un accent différent du nôtre. Italien ou français, elles ont dit qu'elles ne pouvaient pas faire la différence. Les deux, quant à moi, ne sont pas des accents comme le nôtre.

— Il a acheté des pinceaux, de la peinture à l'huile, intervint un jeune policier qui surveillait la scène.

Adriano n'arrivait pas à y croire. Il ne mentait pas. Il n'était pas allé dans ces commerces qu'avait énumérés l'inspecteur Guérin.

— C'est tout de même assez troublant que vos billets aient des numéros qui se suivent.

— Ils sont frais sortis de la banque, c'est sûrement pour ça.

— Pas du tout! Le papier est froissé. Écoutez, je vous laisse partir, mais vous devriez nous rapporter les billets de cinquante que vous avez à la maison. Un avis a été lancé à toutes les succursales bancaires du Québec. Dès que les numéros vont ressembler à ceux-ci, on va vous épingler. Votre oncle brassait de bien sales affaires, monsieur Sco…

— Appelez-moi monsieur S, ça va vous éviter de vous casser la tête.

L'inspecteur Guérin saisit un stylo et inscrivit «Affaire S» sur le dessus de la chemise. Il y déposa les trois billets de cinquante dollars et la liste des numéros des billets remis par les commerçants.

— Vous pouvez y aller. Mais demeurez à notre disposition, monsieur S.

Adriano se leva, abasourdi, et se dirigea vers la porte, escorté par un des jeunes policiers. Juste avant de sortir, il entendit l'inspecteur Guérin chuchoter:

– Une preuve que j'ai raison? Qui à part vous se verrait délesté de 150$ sans dire un mot?

•

Adriano s'approcha d'un taxi garé le long du boulevard, s'assura qu'il était libre, ouvrit la portière arrière, s'y installa et donna son adresse. D'un petit transistor posé sur la banquette avant émanait la voix mielleuse de Perry Como. Adriano se laissait conduire tout en s'inquiétant de la folle tournure des événements. Cet inspecteur ne le détestait pas et semblait même démontrer une certaine compréhension pour cet innocent héritier d'un mafioso qui n'avait rien à voir avec la bande de Bonanno, magnat de la drogue, ou Vincenzo Cotroni, propriétaire du Faisan Doré qui, lui, inquiétait davantage les enquêteurs montréalais en raison de l'énorme capital de sympathie qu'éprouvait la population envers ces artistes adulés qui s'y produisaient : les Jacques Normand, Pierre Roche ou Charles Aznavour. L'enquête de Pacifique Plante sur la pègre montréalaise avait stimulé les troupes et jamais la police de Montréal n'avait-elle été aussi vigilante. L'inspecteur Guérin avait été nommé pour se mettre le nez dans les affaires des plus petites organisations, lui qui s'était toujours montré plus fouine que bien d'autres.

Monta soudainement en lui une rage aussi puissante que l'obus sortant du canon. Il la sentit grimper, prendre de la force. Il prononça un nom à mi-voix :

– Armandin Lacourse!

Arrivé chez lui, il courut extraire la précieuse boîte de sa cachette et compta les billets de cinquante dollars. Il en manquait quarante-trois. Pendant qu'il était à Kamouraska pour guérir ses plaies, Armandin Lacourse couchait avec Carmélie en plus de soulager Adriano de plus de deux mille dollars.

Carmélie l'attendait dans la cuisine.

– Où étais-tu passé? J'ai appelé trois fois à ton atelier.

Adriano lui expliqua du mieux qu'il put.

– Ça veut dire qu'on ne pourra pas utiliser cet argent à moins de devenir des gangsters nous aussi? On ne pourra pas acheter la maison ni quoi que ce soit d'autre? Imagines-tu, Adriano?

– Je crois que si on les mélange, les numéros ne vont plus se suivre. Et la police ne pourra plus les re-tracer.

– Il faudrait les dépenser à des endroits différents. Aller dans une autre province.

– Ou les déposer un petit peu à la fois.

Il se mit à réfléchir. Renoncer. Remettre l'argent à la police et *renunciare.* Se débarrasser de la bande de Tadiello. Se distancier des magouilles mafieuses aux-quelles il finirait immanquablement par être associé.

– Carmélie, je ne peux plus accepter cet argent. J'ai juste besoin de changer les derniers billets de cinquante, un à la fois, et vous allez m'aider, toi et les enfants. Personne ne se méfiera d'un petit garçon venu acheter un joli bouquet de fleurs pour sa maman avec l'argent qu'il a économisé.

– Quoi ? Qu'est-ce que tu me dis là ? Utiliser les enfants pour faire le sale boulot de ton oncle ?

– On va changer les gros billets qui restent, juste assez pour que je puisse acheter l'*Encyclopédie* de Diderot parce que j'ai promis à monsieur Dyonnet. Je l'ai trouvée. Et jamais tu ne devineras où. Sous le matelas de ton… Armandin, mon amour.

Carmélie demeura sans voix. Le film de ses souvenirs tournait dans sa tête et elle éprouva de profonds remords, réalisant les conséquences découlant de ces récents événements. Elle avait, bien sûr, consenti aux pressions d'Armandin, mais en même temps, elle avait l'impression qu'il l'avait poussée à tromper Adriano. Pour mettre de la couleur dans son existence beige. Elle se souvint que son amant avait prononcé à quelques reprises pendant les secousses libidineuses qui ne durent jamais très longtemps : « Est-ce qu'il a autant de vigousse que moi, ton Driano ? » Elle avait ri. Elle le fit encore en y repensant. Elle se sentait comme une petite fille qui n'avait que joué un tour à son papa. Elle était repentante et elle voulait qu'Adriano oublie toute cette affaire qui représentait un petit trou dans la vaste voilure de leur embarcation. C'est ainsi que Carmélie voyait sa grande aventure avec Adriano Scognamiglio : un navire traversant les vagues violentes et les vents forts qui rendaient la traversée encore plus excitante.

– Regarde-moi, Adriano ! Il n'est absolument pas question que nos fils soient mêlés à cette affaire. Il y a des faux billets de temps à autre, mais il y a aussi des beaux billets avec la tête de Wilfrid Laurier dessus et avec lesquels on peut profiter de la générosité de ton oncle sans craindre quoi que ce soit. On va noter les numéros de série et on va les mélanger aux autres. Il n'y a pas un magasin chic qui ferait des histoires à une femme distinguée, vêtue d'un costume créé par Émilia Trudel et chaussée de belles chaussures italiennes.

– Toi ?

– Oui, moi. Je ne risque rien. Ton inspecteur, c'est toi qu'il soupçonne. Il cherche à prouver que tu as hérité de la direction de la mafia montréalaise. Il ne connaît rien aux liens familiaux, à tout ce que tu m'as raconté de ton enfance à Porto San Giorgio. Bien des personnes croient que les mafieux n'ont pas de cœur. Au contraire, pour leur famille, ils sont des vraies nounous. Je m'occupe de cet argent. Et nous l'aurons, notre maison, mon chéri. Et il y aura une grosse clôture en fer forgé pour nous protéger des inspecteurs de police un peu trop curieux.

Elle se transforma en chatte, bondit sur Adriano et se mit à ronronner. La vie n'allait pas être aussi difficile qu'il le prétendait. Et ils allaient, grâce à elle, pouvoir profiter pleinement de tout cet argent.

•

La vendeuse chez Ogilvy's minaudait, roucoulait, ajoutait une pince ici et un ourlet là avec toute la dextérité de ses doigts fins, félicitait Carmélie pour son allure fière et ses hanches « juste assez larges mais pas trop », ses longues jambes bien formées et la congratulait d'être un exemple pour ces femmes montréalaises qui, elles, s'habillaient au sous-sol de chez Eaton, « toutes pareilles dans des guenilles à cinq cennes ». La dame sèche avait pourtant un rire gras, ce qui fit réaliser à Carmélie qu'elle n'était pas à sa place chez Ogilvy's, parmi cette faune pailletée et bavarde de femmes distinguées. Quand elle régla la note, elle paya avec des billets de 50 $ tirés de la série infernale de l'oncle Fabrizio. La dame, d'abord étonnée par les grosses coupures, les tint en éventail entre ses mains froissées puis, sortant de son hébétement, les plaça dans son tiroir-caisse et remit la monnaie à sa cliente avec un large sourire. Carmélie repartit, chargée d'une enveloppe de toile avec glissière, d'une boîte dans laquelle avaient été pliés deux chemisiers de soie et une écharpe assortie et d'une boîte plus petite contenant une paire de chaussures comme seuls les Italiens savaient en confectionner. Ainsi, elle serait richement vêtue pour le lancement d'Adriano à la galerie Agnès-Lefort. Comme la vie de femme riche lui plaisait !

•

Sortilegio – c'était la première fois qu'Adriano S. donnait un nom italien à une exposition – débuta vers cinq heures de l'après-midi. Carmélie avait mis ses talents au service de son Adriano et tira astucieusement quelques ficelles en allant frapper à certaines portes derrière lesquelles se tenaient des personnes reconnues pour avoir une influence notable auprès du conseil municipal. Jean Drapeau, maire depuis l'année précédente, promit de se rendre en personne au vernissage, se disant qu'il allait ainsi faire plaisir à la communauté italienne de sa ville. Trois de ses échevins acceptèrent eux aussi d'aller se pavaner dans une galerie qui était sous la loupe des journaux montréalais depuis maintenant un mois.

La galerie Agnès-Lefort devenait le lieu de rassemblement de tout le gratin montréalais. Même André Duhamel reçut une invitation à s'y rendre, ce qu'il fit avec la plus mauvaise foi du monde. Il n'attendait que cette occasion pour assassiner Adriano S. Le critique du *Devoir* était lui aussi convié et, se rappelant la fougue de madame Scognamiglio, se pointa avec son photographe, un énorme type chauve qui avait tout de même la réputation de prendre de très belles photos qui rendaient justice aux œuvres croquées sur le vif. Adriano allait et venait, voyant au confort de ses invités, espérant voir Anna et Rose entrer dans toute leur splendeur. Anna entra seule.

– Allô, p'pa ! Rose veut que je te dise qu'elle a du travail à faire et que son chum est parti à Trois-Rivières pour voir sa grand-mère qui risque de trépasser d'un moment à l'autre.

Adriano savait qu'Anna mentait. Elle avait hérité de sa mère un léger mordillement de la lèvre inférieure qui se manifestait lorsqu'elle devait mentir pour dissiper les doutes d'un interlocuteur.

– C'est beau, p'pa ! T'as vraiment des beaux tableaux. Où sont les garçons ?

– Madame Souchet les garde. Ils ont des devoirs à faire et ils sont un peu tannés de venir à mes expositions. Je les comprends.

– Émile, lui, aimerait venir pour manger les petits canapés. Ça coûte cher, le vin, les petits sandwiches et les petits fours, ça nous coûte chaque fois une aquarelle, ajouta Carmélie en riant.

La rumeur grossissait. Une voiture noire se pointa enfin et s'arrêta devant la porte de la galerie d'art. En sortit Jean Drapeau flanqué de deux gardes du corps à la figure au passé composé qui vinrent se placer derrière le maire. Les gens se turent et, le reconnaissant, se précipitèrent pour au moins avoir la chance de voir de près le maire de Montréal. Allait-il acheter un tableau ? Allait-on le voir dans le journal du lendemain et aurait-on la chance d'être placé juste à ses côtés sur « le beau portrait » ?

Adriano se tenait à l'arrière de la galerie, près de son aquarelle justement intitulée *Le point d'honneur*. Il se mit à penser à son oncle et ses sbires quand ils entraient quelque part. Il se dit qu'il n'y avait pas tant de différence entre le premier officier municipal et le chef de la pègre quand on y regardait de près. Même veston sombre croisé sur une chemise blanche et cravate assortie. Mêmes gardes du corps pour assurer sa sécurité contre les malfaisants qui voudraient lui porter un coup fatal. Mêmes lunettes noires et moustache taillée. Même pouvoir sur le destin des citoyens, sur la police ou sur les fonctionnaires. Même hâte de repartir dans sa voiture blindée pour aller retirer ses chaussures patinées et boire un scotch sur glace avec sa petite épouse proprette. Quoique Gertrude Ladouceur, songea Adriano, n'avait pas la réputation de se vêtir sobrement pour éviter de faire jaser. Elle portait des froufrous et des falbalas, des jupes courtes qui découpaient son postérieur rebondi, des chemisiers entrouverts qui faisaient saliver les plus pervers. Madame Drapeau n'accompagnant pas son mari, Adriano ne put établir la comparaison. Le maire de Montréal devait parfois, lui aussi, recevoir les égards de douzaines de constructeurs ou faiseurs de routes qui voulaient s'assurer de lucratifs contrats. L'oncle Fabrizio faisait tuer des gens, lui, avait affirmé Rodolphe Guérin. Monsieur Bazzarini aimait surtout les paris. Tous.

Adriano se souvint que lorsqu'il était petit, son oncle adorait parier sur tout et sur rien. Il organisait mille et une courses avec des animaux. «Combien tu paries que mon escargot va se rendre plus vite que le tien, Driano!» Une autre fois, il avait même gagé sur deux pauvres tortues qui n'avaient nullement l'intention de se prêter au jeu. Mais il leur avait saupoudré du sel sous la queue et les avait posées par terre en riant. «Laquelle va arriver la première à la feuille de laitue?» Tous ces souvenirs montèrent dans son esprit comme autant de preuves que son oncle n'avait jamais été un enfant de chœur. S'il l'avait été, il aurait assurément parié sur le temps que le curé aurait pris pour se saouler au vin de messe avant d'arriver au *Ite missa est.*

Il savait bien que la différence entre les bandits et les politiciens est aussi mince qu'une feuille d'aquarelle, mais jamais il n'aurait exprimé pareille évidence devant ses fils. Valait mieux qu'ils aient confiance. C'est toujours mieux d'avoir confiance en ceux qui nous gouvernent.

Le maire était la cible de cent flashes, de cent regards énamourés, bien que son physique n'ait rien d'un Adonis à se faire pâmer les dames. Mais monsieur le maire devant un tableau d'Adriano S., c'était bon pour la suite des choses, pensait Carmélie. Le photographe du *Devoir* s'activait derrière son Kodak. Elle était ravie.

Ce soir-là, elle n'eut pas besoin de parler à la place de son mari. Adriano répondit à toutes les questions que lui posèrent les journalistes. André Duhamel s'avança à son tour, sans carnet de notes, sans microphone. Il était resté figé au moins dix minutes devant une aquarelle représentant un paysage de pleine forêt, sur laquelle tous les arbres avaient subi l'assaut de l'eau et grattaient le ciel mauve de leurs longues branches fines au-dessus d'un lac sans reflets. Une lune réséda se dessinait, toute ronde et faite de lignes en circonvolution jusqu'à ce que la dernière ait disparu dans le halo qui séparait le ciel de la cime des peupliers. Le critique ne pouvait s'arracher de ce tableau tellement il l'ensorcelait. Il sortit son calepin, écrivit le titre et quelques brefs commentaires, s'informa du prix et disparut parmi la foule des invités qui caquetaient. Adriano se lança à sa suite pour l'interpeler.

– Bonsoir, cher Duhamel. Je suppose que tu vas descendre mon exposition dans ton journal de demain.

– Jamais je n'oserais, Adriano. J'aime trop tes filles pour leur faire de la peine.

– Ah, ne t'en fais pas. Mes filles ont la liberté d'aimer ou de ne pas aimer les aquarelles de leur père. D'ailleurs, Rose n'a pas pu venir. J'ai bien l'impression qu'elle ne se meurt pas d'amour pour mon travail.

– J'ai vu Anna. Elle est de plus en plus jolie. Elle te ressemble, d'ailleurs.

– Elle ressemble plutôt à sa mère.

– Tu es toujours sur la défensive, à ce que je vois. Ne peux-tu pas imaginer que parmi tes nombreuses aquarelles, et je les ai toutes vues, je sois tombé sous le charme, cette fois ? Je l'aime beaucoup parce qu'il y a une espèce de langueur dans ton geste. Une liberté qui va beaucoup plus loin que la simple ligne maîtrisée. Il y a une passion inassouvie. C'est ce que je vais écrire dans mon journal. Tu ne crois pas qu'il est temps qu'on se rabiboche, toi et moi ? En souvenir de Blanche Dubuc ?

– Tu l'as revue ?

Adriano n'en revenait pas. Il venait de rencontrer le respect. Et aussi, les regrets. Les regrets d'un ennemi qui avait sciemment ralenti sa carrière. Et qui allait s'amender.

•

Carmélie ne savait plus où donner de la tête. Le vin commençait à manquer au même rythme qu'entraient les invités. Elle se dit que lorsqu'il y a quelques trucs à manger, il y a fort à parier que la liste des invités présents s'allonge. Elle avait convié, parmi les notables, deux directeurs d'institutions financières, le directeur du Collège de Montréal, Raymond Dupuis qui était nul autre que le président de Dupuis et Frères, et plusieurs autres. Ça bourdonnait comme dans un cerisier en fleurs et les poignées de mains se distribuaient sans relâche. Carmélie était fière d'elle et fixait son cher Adriano avec un regard débordant d'amour.

Tout à coup, un homme se présenta et la salua. Elle crut dénoter un accent italien semblable à celui qu'elle avait reconnu chez Adriano la première fois qu'elle l'avait rencontré au restaurant des Souchet. Il était petit, portait des verres fumés et des cheveux gominés qui le faisaient ressembler à une fourmi. Elle eut un pincement au cœur, se rappelant l'assassinat de l'oncle Fabrizio.

– Vous m'avez envoyé une invitation. On m'a dit que vous étiez Carmélie Scognamiglio. Je voulais vous remercier. Je découvre aujourd'hui un artiste merveilleux qui apporte un air de fraîcheur dans le monde des galeries d'art.

– Vous êtes un amateur d'art ? Peut-être même un collectionneur ? Vous savez, mon mari est voué à une grande renommée mond...

– Je suis... euh... j'étais un ami de son oncle Fabrizio. Il m'avait parlé de son neveu qu'il cherchait à Montréal.

C'est moi qui l'ai retrouvé et qui les a mis en contact. Je suis Francesco Lombardi.

Carmélie se souvint que cet homme était le directeur de la Banque de Montréal située dans le quartier italien. Elle était loin d'imaginer qu'un ami de l'oncle Fabrizio puisse occuper une telle fonction au sein de la communauté montréalaise. Elle se retint de tout commentaire de peur de créer un froid entre Adriano et Francesco Lombardi.

— Je sais que vous avez certains problèmes de liquidité, disons-le ainsi. J'ai parmi mes bons clients un certain Antonio Tadiello qui connaît votre mari.

Lombardi lui remit une carte professionnelle à la calligraphie étonnamment sobre. Il y avait le nom de François Lombardi. Il avait sûrement modifié son prénom pour mieux s'intégrer au milieu des financiers québécois. Elle émit un petit rire gêné.

— Carmélie, venez me rencontrer à la banque avec, disons, le fameux sac. Je vous ouvrirai un compte et nous déposerons tous vos avoirs qui se disperseront de tous les côtés et vous pourrez mieux profiter de la vie. Venez seule, ma chère madame. Il y a un inspecteur de police qui suit votre mari. Je voudrais nous éviter à tous les trois, et à vos merveilleux petits garçons, des problèmes fâcheux.

Carmélie voulut répliquer, dire à François Lombardi que son mari ne lui pardonnerait jamais, qu'elle craignait que l'inspecteur de police ne la suive elle aussi, qu'elle avait trouvé un moyen de s'en sortir. Mais elle ne put désavouer la sollicitude que lui démontrait le directeur Lombardi. Elle se convainquit que les problèmes d'Adriano s'estomperaient dès qu'elle aurait répondu à l'invitation de cet homme. Et puis, pour Carmélie, il n'y avait pas de coïncidences, mais des réponses du destin. Elle aurait souhaité manifester quelque hésitation afin de démontrer son sens de l'honneur, mais se rappela ce que le mot honneur signifiait pour certains Italiens. Elle stoppa sa monture.

Monsieur Lombardi sortit de la poche de sa veste son chéquier personnel et sa plume noire.

— Je vais prendre la grande à côté de la colonne. Cette aquarelle me rappelle tellement la Sicile. Mon enfance. Mes rêves sont remplis de ces images. Je sais que vous savez ce que ça représente pour un immigré de revoir des images qui lui rappellent si intensément sa jeunesse. Je peux l'apporter maintenant?

Carmélie était interloquée. L'aquarelle *Disapitato* (Inhabité) était la plus dispendieuse de toute l'exposition, et elle avait aperçu le maire Drapeau se poster devant à plus d'une reprise. Elle savait qu'elle serait vendue avant la fin de la soirée.

— D'habitude, on attend la fin de l'exposition, monsieur Lombardi, mais je vais demander à un ami de la décrocher pour vous et de la porter dans votre voiture, si ça vous convient.

Voyant que ses doigts s'activaient déjà pour remplir le chèque, elle murmura :

— Ce sera cinq cent cinquante. Vous pourriez écrire cinq cents, ce sera correct.

– Vous m'avez dit cinq cent cinquante. J'écris cinq cent cinquante. Les bons comptes font les bons amis. *Grazie mille!*

Lombardi lui tendit le chèque et Carmélie chercha du regard son mari qui allait être ravi par cette vente. Au bout de quelques minutes, quand les visiteurs virent deux hommes décrocher la plus grande aquarelle, on entendit plusieurs soupirs de déception, mais au même instant, trois hommes s'avancèrent et demandèrent qu'on identifie leur tableau préféré comme étant vendu. Un des hommes qui accompagnaient le maire Drapeau vint à son tour informer madame Scognamiglio que leur patron voulait l'aquarelle tant convoitée par André Duhamel, laquelle servirait à orner le mur de son cabinet à l'hôtel de ville. Carmélie jubilait. Tout se déroulait si bien. Elle songea à son rendez-vous à la Banque de Montréal et à la maison qu'elle et Adriano allaient acheter à Verdun. Et elle sut que le bonheur existait encore.

●

Vers six heures et demie, alors que quelques invités commençaient à quitter la galerie Agnès-Lefort, Adriano vit entrer une femme enveloppée d'un manteau gris et portant des verres fumés comme ceux de Sophia Loren dans son plus récent film. Elle arborait un sourire électrisant, si bien que tous les regards se dirigèrent vers elle. Adriano ne la reconnut pas, mais Anna se détacha du groupe au sein duquel elle avait trouvé des interlocuteurs de qualité pour se précipiter vers la nouvelle arrivée.

– Maman! Qu'est-ce que tu fais ici? Je te croyais en Europe ou à New York.

Adriano blêmit. Carmélie ne savait pas quelle attitude adopter. André Duhamel sourit malgré la surprise et fit quelques pas vers Blanche Dubuc, mais celle-ci venait d'avancer vers Adriano. Presque timide, elle le salua puis l'embrassa sur la joue.

– Mon dieu! Quelle belle exposition, lança-t-elle en virevoltant. Tu as tellement changé! Tes couleurs se sont précisées et tu as laissé plus de liberté à l'eau et au papier. Quelle complicité! Je suis heureuse d'être venue.

– Comment tu as su?

– Je suis à Montréal depuis deux mois et *La Patrie* ne parle que de ton exposition, ajouta-t-elle en lorgnant du côté d'André Duhamel. On pourra dire que tu as vaincu Goliath, chuchota-t-elle à l'oreille d'Adriano.

Puis elle se mit à rire.

Même si Blanche avait beaucoup vieilli, que ses yeux et ses joues s'étaient creusés, que ses mains étaient devenues maigres au point que personne n'aurait pu imaginer qu'elles aient déjà pu mâter la pierre, que sa démarche était celle d'une vieillarde, le sourire de Bianca S. était demeuré aussi touchant et contagieux. Elle ressemblait en effet à une vedette un peu fanée que tous respectaient.

André Duhamel s'approcha et au moment où tous auraient cru à une attitude de perdant, il dit:

– Bianca, j'ai choisi une aquarelle d'Adriano. Je la placerai au-dessus de mon lit. Qu'en penses-tu ?

Comme le Christ entre les deux larrons, Blanche arborait une contenance exemplaire, ne portant aucune attention ni à l'un ni à l'autre. Cependant, elle était venue voir l'exposition d'Adriano sans penser qu'elle y rencontrerait André. L'attachement de Duhamel pour Blanche était indiscutable et visible à l'œil nu pour quiconque savait regarder. Blanche entreprit la visite de la galerie Agnès-Lefort au bras de sa fille Anna, aussi surprise que son père. Anna s'empressa de dire à Duhamel que le tableau qu'il aimait avait été acheté par le maire de Montréal.

– Ça va, j'ai finalement choisi *Les arbres noirs.*

Le journaliste du *Devoir* exigea que son gros photographe prenne des photos de cet instant inopiné, écrivant déjà, dans sa tête, l'article qu'il allait consacrer à Adriano S. Il tenta de se faufiler entre l'essaim serré des amateurs d'art et les friands de sandwiches sans croûtes pour poser ses questions à Bianca S., aussi connue que son célèbre mari, dont la plus pertinente à ses yeux : «Comment vous sentez-vous de revoir le père de vos filles, votre ex-mari ? » Carmélie ne put s'empêcher d'intervenir. Elle tassa deux ou trois personnes et s'accrocha au microphone du journaliste, risquant presque de renverser son petit magnétophone :

– Elle l'a abandonné et c'est moi qui m'en suis occupée. Adriano et moi avons deux fils ensemble. Non, mais…

Blanche se mit à rire, ce qui détendit l'atmosphère et les invités. Le maire et ses gardes du corps quittèrent rapidement et la galerie commença à se vider. Ne restèrent plus que la famille d'Adriano et Blanche qui ne décollait pas, discutant avec Anna et faisant une dernière tournée des tableaux. Elle compta treize points rouges, donc : treize œuvres vendues.

– Non, non, non ! Tu ne peux pas en vendre treize, Driano ! C'est un nombre malchanceux. Je vais prendre celle-ci, ça t'en fera quatorze.

– Tu es sûre ? Il… il est cher, maman, lui dit Anna.

– Mes finances ne regardent personne. Je veux celle-ci. Et je l'apporte tout de suite. Mon… mon mari veut repartir pour Chicago demain après-midi.

Adriano se sentit trahi une fois encore. Il avait toujours été trahi par les femmes de sa vie en commençant par sa mère. Il aurait bien aimé comprendre pourquoi. Il aurait aussi souhaité pouvoir être seul avec Blanche avec laquelle il n'y avait jamais eu de véritables explications. Elle avait toujours eu le don de s'entourer de plein de gens quand un drame survenait, de façon à ne jamais être obligée de fournir les raisons de ses comportements. Était-elle enfin heureuse ? Avait-elle cessé de boire ? Qui était son mari ? Était-il lui aussi un artiste qui vivait d'illusions et était-il doté d'un imaginaire débridé ? Était-elle enfin parvenue à parler couramment en anglais ? Toutes ces questions demeurèrent sans réponses puisque quelques instants plus tard, Blanche Dubuc sortait aussi élégamment qu'elle était entrée, suivie d'un garçon qui portait le tableau qu'elle avait acquitté avec un chèque. Le cœur d'Adriano s'emballa. Il soupira. Elle repartait le lendemain. Mais elle signait encore *Bianca S.*

Le lendemain, *Le Devoir* titrait, dans le cahier qui consacrait quelques pages aux arts montréalais : *Exposition Adriano S : L'épouse du peintre Scognamiglio en remet !*

8

Ma chère Jeanne-Mance,

Mon exposition a été un grand succès cette fois encore. J'ai vendu quatorze de mes vingt-et-une aquarelles et deux autres que j'avais rapportées à mon atelier. Dans ce dernier cas, je n'ai aucune redevance à remettre à la galerie d'art, ce qui est bien. Tu sais – tu l'as toujours su – l'argent n'est pas aussi important pour moi si je le compare au bonheur immense de savoir que quelqu'un a accroché dans son salon un de mes tableaux. Les artistes doivent tous être comme moi: vouloir être aimés. Les œuvres que j'arrive à produire sont la parfaite représentation de ce que je suis réellement et le fait de vendre une aquarelle fait que je me sens résolument aimé. Il doit en être de même pour les écrivains, les musiciens et les chorégraphes. Dès que leur œuvre est admirée, c'est eux qu'on admire. C'est pourquoi les artistes ont un si vif besoin de créer. Je me désole quand je songe à ceux qui ne vendent aucun tableau lors d'une exposition. Moi, je suis chanceux en quelque sorte.

Concernant mon héritage, figure-toi que ma Carmélie avait invité à l'exposition, sans le savoir, un directeur de banque d'origine sicilienne qui lui a gentiment offert de lui ouvrir un compte afin que l'on y dépose tout l'argent (douteux), et en grosses coupures, que me laisse mon oncle. Ainsi, ni vu ni connu. Nous avons tout déposé à la Banque de Montréal. Ne compte pas sur moi pour divulguer le nom de ce directeur. Si les murs ont des oreilles, les lettres ont sûrement des yeux !

J'espère que tu te portes bien et ta famille aussi. Mes fils réussissent bien à l'école, et Carmélie a fini par arrêter de se sentir coupable d'avoir eu un béguin pour mon ami Lacourse dont je n'entends plus parler. Autant je l'ai détesté quand j'ai découvert l'affaire Souchet/Lacourse, autant j'aurais envie de le revoir comme j'ai revu Blanche à mon exposition. J'entretiens quelque sentiment pour elle encore et je crois que je l'ai toujours aimée. J'aime Carmélie aussi, mais pas de la même manière. Il persiste une cicatrice douloureuse dans notre relation. Comme j'ai écouté tes bons conseils, j'ai tenté de passer par-dessus la plaie profonde qui est restée sensible après le départ de Lacourse. J'aimais ce type qui est un excellent artiste peintre, mais aussi, il me faisait tellement rire. Et, comme toi et moi, reliés par les nombreux fous rires qui ont secoué les murs de nos maisons, je partageais avec Armandin une relation de rires et une amitié des plus candides.

On dirait que je suis fait de pierre. Les femmes se succèdent dans ma vie, s'attardent un peu, hésitent, reviennent, puis me quittent. Ma mère, ma grand-mère qu'une mort particulièrement rapide m'a enlevée, Gertrude Ladouceur de qui je ne pouvais rien attendre, Blanche que l'alcool a pervertie et rendue sèche et vieille, Carmélie qui, je le sais, finira par me quitter quand elle en aura assez, et toi. Toi, mon amie (puisque tu exiges que je te nomme ainsi) qui demeures si loin de moi.

Je peins, j'enseigne, et je vis.

D'ici quelques jours, ma famille déménagera dans cette magnifique maison que nous avons prévu acheter. Maintenant que l'argent de mon oncle est déposé à la banque et que je ne risque plus de me faire arrêter pour possession de faux, je pourrai offrir à Bruno et Émile un lieu plus adapté à leurs besoins. Bruno pourra être inscrit au Collège de Montréal qui est sous la férule des Sulpiciens et peut-être ainsi accéder à une belle profession. Émile pourra aussi suivre son frère dans quelques années. Mon oncle aurait été tellement fier de savoir qu'il allait aider mes fils à s'instruire. Si lui-même l'avait été davantage, je suis certain qu'il ne serait pas devenu un malfattore. Et grand-mère, donc!

J'ai retrouvé, grâce à la malhonnêteté d'Armandin Lacourse, un document lui confirmant que ce sont les moines de l'abbaye de Vézoul en France qui ont en leur possession la série complète de la fameuse Encyclopédie de Diderot et d'Alembert qu'Edmond Dyonnet, mon grand bienfaiteur et ami, voulait acquérir. J'ai juré cette fois-là, quand je tenais la fameuse lettre trouvée sous le matelas, de me procurer l'œuvre de 1755, rédigée sous les yeux accusateurs du pape Clément XIII. Combien de *fois a-t-il tenté d'empêcher Diderot et ses collaborateurs de publier leur* Encyclopédie. *Je pense qu'elle contenait trop d'informations pour un peuple qui était tenu dans la noirceur, sous la houlette d'un prélat nommé par ses pairs et imposé à la société catholique. Au Québec, quelqu'un avait dit : l'instruction brise les liens dans les familles. Trop de connaissances empêche le pouvoir de tenir un peuple sous la domination. Qu'en penses-tu, Jeanne-Mance ? L'instruction ouvre-t-elle le regard et garantit-elle la lumière et le bonheur ?*

*Je compte me rendre en France et je tenterai d'acheter l'*Encyclopédie *en souhaitant que ce ne soit pas une fausse comme parfois le sont certains tableaux de maîtres.*

Ton ami Adriano

Adriano déposa sa plume, inséra sa lettre dans une enveloppe et l'adressa. Il songeait à Jeanne-Mance qui bientôt serait en train de la lire, souriant parfois, s'épanchant sur des propos plus tristes, réfléchissant très certainement.

•

Le déménagement se passa sans encombres. Le camion des déménageurs ne mit que deux heures à se remplir et une heure de plus à se décharger. Les livres et les multiples tableaux, emballés avec diligence par Carmélie et ses sœurs, furent les derniers à être transportés. Quelques plantes furent confiées à Madelon

Souchet pour qu'elle les conserve jusqu'à ce que tous les meubles soient installés à leur place respective. Bruno et Émile s'affairaient à aider leur père qui organisait le déménagement comme ses classes de peinture : avec ordre et minutie. Au soir tombé, Bruno et Émile dormaient chacun dans sa chambre, heureux de pouvoir circuler à bicyclette en passant par la ruelle si accueillante, si rassurante et en même temps remplie de tous les mystères. Ils allaient changer d'école, bien sûr. Notre-Dame-de-Lourdes était une belle école sise à deux pas de l'église du même nom et les enseignants semblaient jeunes et dynamiques. Carmélie avait rencontré le directeur quelques jours auparavant et elle avait une confiance aveugle en lui. Elle allait également laisser ses mauvais souvenirs sur la rue Danton, l'incendie du restaurant, la présence d'Armandin Lacourse, la surveillance anarchique de l'inspecteur Guérin, et recommencer dans la jolie maison qu'elle et Adriano avaient choisie. Adriano avait beaucoup changé. Il avait perdu une partie de son dynamisme, et son amour n'était plus aussi puissant qu'avant. Mais chaque fois qu'elle y pensait, elle arrivait à comprendre le désarroi de son Adriano. Il enseignait la peinture et le dessin, il mijotait une foule de projets, il s'occupait de ses fils, mais il y avait désormais un fossé entre elle et lui. Comme une branche cassée qui dépare un bouquet de jasmin.

9

L'invitation lui parvint par la poste, à l'adresse de son atelier.

J'aimerais bien vous rencontrer pour discuter un peu de notre penchant mutuel pour l'art. J'ai entendu parler de vous par Borduas qui m'a vanté la liberté de votre aquarelle et la capiteuse qualité du vin italien que vous lui avez servi à votre restaurant. J'expose à la galerie Dominion, rue Sherbrooke, en ce moment, de sorte que les journaux débordent pour une fois de mille commentaires au sujet de mon œuvre. J'aimerais en discuter avec vous. Choisissez le jour et l'heure qui vous conviennent.
Jean P. Dallaire

Adriano avait beaucoup entendu parler du peintre Dallaire qui avait, selon lui, révolutionné la peinture canadienne. Victime de son époque, peintre incompris, son tableau *Le Peintre maudit* avait suscité des commentaires résolument opposés de la part des critiques Ostiguy et Gladu, le premier affirmant que Dallaire pouvait faire mieux, et Gladu, que cet autoportrait représentait une nouvelle étape dans l'œuvre d'un peintre sensible. Le genre de commentaires qu'appréciaient les peintres et Adriano ne faisait pas exception.

Adriano se rendit avec Bruno et Émile à la galerie Dominion et fut très impressionné. Dallaire n'était pas présent parmi le petit groupe des visiteurs.

– Regarde, papa ! Le monsieur, il a un oiseau sur la tête ! chuchota Émile.

– C'est pas pour vrai, c'est de l'art moderne, répliqua Bruno. Tu aimes ça, toi, papa ?

– Je trouve ça… merveilleux. Dallaire laisse de la liberté à son imagination. Comme les enfants.

Bruno réfléchit un instant et dit :

– Tu crois que je pourrais dessiner du Dallaire, moi ? Je pense que je serais capable si je m'y mettais. Des personnages croches, des drôles d'animaux, des personnes qui volent dans les airs, Émile et moi, on pourrait devenir des artistes et faire beaucoup d'argent.

– Il n'y a que Dallaire pour peindre du Dallaire, vous savez. Comme il n'y a que moi pour peindre mes aquarelles. Et les artistes ne font pas beaucoup d'argent, tu sais.

– Mais toi, tu es un meilleur artiste parce que tu as tout plein d'argent.

Adriano sourit. Ses fils ignoraient la provenance réelle de l'argent qui lui coulait entre les doigts quand l'un demandait un nouveau sac d'école, un poste de radio à transistors ou une montre de grande personne et que l'autre souhaitait aller dans une colonie de vacances comme son copain.

Il avait hâte de rencontrer Dallaire et de discuter avec lui de ses tableaux. Il s'avança et se posta devant l'œuvre intitulée *Anouk*, peinte l'année précédente. Comme sur *Le Peintre maudit*, Adriano reconnut l'utilisation du rouge cadmium, du bleu de cobalt et de l'outremer, le violet de cobalt et le vert émeraude. Et bien sûr, le noir d'os, si précieux à Dallaire. C'étaient aussi ses tons préférés. Quand il s'approcha, Bruno se cacha les yeux devant la poitrine nue de la fameuse Anouk dont les seins aux mamelons dressés lui apparurent comme une illustration gênante. Il fixa alors les yeux bleus de la dame afin de porter son attention sur autre chose. Les seins des filles commençaient à le titiller et cela fit sourire Adriano. Le garçon, investi de la mission de protéger son petit frère, lui dit :

– Tu vois, Émile, *Anouk*, elle porte un anneau dans l'oreille tout comme tante Camille.

– Ce n'est pas ça que tu regardais, lui répondit Émile.

– Oui, qu'est-ce que tu crois que je regardais, grand nono ?

– Les tétons.

Les garçons se mirent à rire.

– On appelle ça les seins ou la poitrine, fiston. Où t'as pris le mot téton, dis-moi ? Ta maman ne dit jamais ça. Ni moi d'ailleurs.

– C'est Paul. Il chantait l'autre jour : « Elle avait de tout petits tétons que je tâtais à tâtons tonton tontaine... » chanta Émile.

– En art, on appelle ça une poitrine.

– Pourquoi elle a retiré sa robe, alors ?

– C'est monsieur Dallaire qui lui a enlevé sa robe, n'est-ce pas, papa ? demanda Bruno. Il a le droit, car c'est un artiste.

Adriano se souvint des modèles nus dont Edmond Dyonnet leur demandait de dessiner uniquement le visage. Pour les distraire de l'embêtement que leur inspirait la nudité. Le jeune homme nu assis devant la classe avait eu de bonnes notes à son examen et les jeunes peintres n'avaient pas reconnu la satisfaction dans son visage tant la nudité du modèle les distrayait. Dyonnet avait saisi l'occasion de leur faire travailler cet aspect en proposant à ses élèves d'oublier la nudité.

Adriano et ses fils visitèrent l'exposition de Jean-Philippe Dallaire durant deux heures puis quittèrent, heureux de leur découverte. Adriano rapportait tant d'idées, tant de techniques audacieuses, tant de thèmes inexplorés jusqu'ici et il était ravi que ce soit Dallaire qui ait demandé à le rencontrer. Dans la *Revue des Arts*, il avait lu que Dallaire allait venir s'installer définitivement à Montréal après avoir séjourné rue des Arcs, à Vence.

L'art de Dallaire consistait en de véritables mises en scène alors qu'Adriano se contentait d'accorder, à la couleur se révélant au contact de l'eau, une liberté qui avait plus de puissance que le déliant de la peinture à l'huile. Une chose était certaine, Dallaire avait été influencé par l'art italien, ce qui le rapprochait de celui d'Adriano S. Deux mêmes visions, deux Ritals dans l'âme.

Adriano répondit à l'invitation de Dallaire. Il le convia, le mardi suivant, au restaurant *L'Artiste,* et demanda à Paul de préparer un repas selon la tradition italienne et de déboucher un vieux Barbaresco.

Dallaire n'était pas grand et sa démarche le faisait ressembler à Charlie Chaplin. On disait de lui qu'il était malingre et de santé fragile. Une fossette au menton lui conférait un air adolescent. Il ne portait pas son feutre cabossé, lequel avait tant contribué à lui forger une réputation de snob alors que Dallaire était toujours plus à l'aise avec les ouvriers qu'avec les plus argentés. Il avait du mal à se voir offrir des mets gratuits et du bon vin par quelqu'un qu'il avait lui-même contacté. Il s'était invité chez Adriano S., croyait-il, mais combien lui étaient précieux ces moments passés à discuter avec un être intelligent qui avait lui aussi quelque chose à raconter.

Ils discutèrent bien au-delà de la tombée de la nuit. Attablés l'un face à l'autre, ils buvaient leur vin à petites lampées, critiquaient les galeristes comme le public qu'ils jugeaient ignorant. Ils jasèrent des autres peintres en insistant sur Jean-Paul Lemieux et Benoît East qu'ils appréciaient tous les deux et qui avaient étudié à l'École des Beaux-Arts de Québec. Ils convinrent que Dallaire lui-même était celui qui avait une « écriture » très différente, étant sûrement le plus audacieux des peintres modernes.

– Je n'ai pas besoin que les peintres montréalais approuvent mes œuvres, je suis bien capable de créer un tableau sans me soucier de ce que les autres pensent, expliquait Dallaire. Je suis un individualiste indécrottable, tu sais. Au Caveau, on était des artistes de toutes les disciplines. J'aimais discuter avec les comédiens et les poètes. Je trouvais que leur création s'agençait parfaitement avec ma vision de la peinture. On partait durant les beaux jours, et avec Henri Masson, on allait hanter les campagnes de la région de Gatineau, car ce bougre de Masson avait une voiture et nous entraînait avec lui. Moi, j'habitais à Hull dans un capharnaüm que tu ne peux même pas imaginer. Je vivais parmi les toiles inachevées, des sculptures, des tonnes de livres, des guenilles suspendues un peu partout. Je n'ai jamais eu d'ordre, mais je lisais tous les jours dès que je me trouvais un siège dans mon bordel immonde. Un livre, c'était une entrée dans l'imaginaire.

– Moi, je n'ai jamais trouvé le temps de lire, dit Adriano. Je garde ça pour mes vieux jours.

– Y'a beaucoup de peintres qui fréquentent des poètes. Presque tous. Tu en connais, toi ?

– Edmond Dyonnet aimait bien Charles Gill. J'ai lu sa poésie et j'aimais bien. Moi, je n'en fréquente aucun, hélas. L'art n'a pas besoin d'être utile, tout comme la poésie. Comme les arbres, les montagnes, les maisons ou les personnages dont je me tiens loin, ils n'ont pas besoin de faire partie de mes tableaux. Toi, Jean, tu les as tout simplement interprétés après les avoir tellement dessinés.

– Je n'ai pas fait assez confiance aux hommes. Souvent, j'ai écrit le titre de mon tableau directement dessus. J'avais peur qu'ils le comprennent de travers. En inscrivant le titre, il n'y avait pas d'ambiguïté.

– Il ne me viendrait pas l'idée d'écrire le titre sur mon aquarelle.

– C'est parce que toi, Adriano, tu as choisi la liberté pour toi, comme pour les amateurs d'art. Au fond, c'est peut-être toi qui as raison. Devant un de tes tableaux, l'observateur attribue formes et couleurs à ses propres expériences, à ses souvenirs, à ses idéaux. Dans les tableaux des académiciens, il n'a pas le choix de voir une masure si c'est ce qu'a peint l'artiste. Ou des pommes, des raisins, un faisan mort – je trouve tellement ridicule les oiseaux morts dans les peintures alors que c'est très difficile d'en peindre un plein de vie quitte à le torturer dans ses courbes, ses lignes, ses couleurs – des fruits, donc, quand l'artiste peint une nature morte. Alors, le non-initié ne combat pas les préjugés qui lui sont imposés depuis qu'il est jeune. Il ne s'initie pas. Nous deux, comme Borduas ou Pellan, Riopelle et tous les autres, on refuse de se conformer. Nos interprétations de ce qui nous entoure partent de notre perception des choses. Toi, tu laisses l'eau mener ta barque, moi je laisse mon imaginaire théâtral modeler mon œuvre. Des personnages troués, habillés de mille tissus bariolés, pointillés, rayés. C'est mon théâtre intérieur que je dessine avec les teintes que j'aime. Tu ne penses pas, Adriano?

Il s'arrêta, prit une gorgée de vin, prit aussi le temps de le goûter avec bruit, puis ajouta:

– Et ça, c'est la récompense du génie ! Maudit qu'il est bon, ce vin italien. Comme j'ai bien fait de te demander cette rencontre. Tu es quelqu'un de très fréquentable, Scognamiglio !

– Il faut beaucoup recevoir pour pouvoir donner. Il faut avoir beaucoup vu pour rendre avec de la sensibilité, dit Adriano.

– Il faut avoir bien bu, tu veux dire.

Ils continuèrent ainsi à discuter du beau, de l'esthétisme, de l'initiation aux œuvres d'art, de la critique, des peintres contemporains – surtout d'Ignacio Zuloaga –, des mouvements qui encourageaient les chapelles de créateurs, du Front-Stalag 220 où Dallaire avait été incarcéré de 1940 à 1944, et de la naissance de son fils Michel avant qu'il ne puisse aller retrouver sa chère Marie-Thérèse dans le XVIe arrondissement après sa libération. Dallaire prit alors un air triste, les yeux larmoyants sur son visage étiré, pour raconter cette période marquante pour plusieurs artistes québécois entassés dans la Grande Caserne Saint-Denis. Puis, il se versait une bonne goulée de Barbaresco et souriait à nouveau. Adriano sentait qu'il vivait un moment mémorable en compagnie du plus grand artiste de son pays d'adoption. Un artiste entier de qui il allait sûrement apprendre davantage.

Dallaire avait connu les courants internationaux qui, même au Canada, avaient une portée décisive sur l'avenir de l'art. Il avait admiré les tableaux de Chagall, de Braque, de Léger et de Matisse et, bien sûr, avait côtoyé Alfred Pellan, rue de Grenelle, celui qui avait été jugé trop moderne pour se permettre d'enseigner à l'École des Beaux-Arts de Montréal par un certain Maillard. Tout cela lancé au cours de leurs conversations, les mena à la naissance de l'aube et à bien circonscrire le milieu des arts au pays. Adriano sut alors qu'il *avait des croûtes à manger,* et quand il lança cette boutade à son nouvel ami, ce dernier la trouva bien drôle dans les circonstances. De *croûtes*, ils en avaient baptisé un bon nombre parmi les tableaux de certains peintres émergents à Montréal.

Quand Paul Lefort entra au petit matin avec les fruits et les légumes glanés au marché Jean-Talon et qu'il aperçut Adriano et son invité en train de manger des crêpes au sirop d'érable, il se mit à rire. Il savait que les deux peintres s'étaient attablés la veille pour le souper. À leur voir l'allure – et une troisième bouteille entamée –, il sut qu'un nouvel épisode allait commencer pour son ami Driano. Juste à voir son air admiratif devant monsieur Dallaire.

10

Les élèves se pointaient toujours de vingt à trente minutes avant le début des cours, question de bavarder les uns avec les autres. Ce soir-là, deux nouveaux artistes en herbe allaient rencontrer leur professeur et leurs camarades pour la première fois. Adriano repassa en revue les chevalets, la surface patinée des tables de travail, les pinceaux et les godets, jeta un œil furtif sur l'éventail des illustrations qu'il allait leur proposer pour l'exercice prévu et termina en consultant le gros cadran noir.

L'enseignement – comme c'était aussi le lot de plusieurs de ses camarades peintres – lui était toujours aussi précieux. Transmettre, apprendre, enrichir. Adriano ne pouvait pas s'imaginer ne pas communiquer ses connaissances du métier de créateur à des plus jeunes. Bien sûr, ses groupes étaient surtout composés de femmes d'un milieu à l'aise, choisissant le dessin ou la peinture pour combler des temps vides ou pour décorer elles-mêmes leur salle de séjour dans le but d'épater leurs amis. Mais il arrivait parfois qu'un véritable artiste se détache du peloton, souvent sur la pointe des pieds, et donnait au pays une autre raison de s'enorgueillir. La plupart des étudiants n'avaient aucun talent particulier, si ce n'était que plusieurs d'entre eux se révélaient d'excellents pasticheurs. Le plus difficile était de les amener à la création de leur sujet ou, et surtout, de les décourager de signer leur nom au bas de leur copie d'un tableau de Michel-Ange ou de celui d'un Narcisse Poirier.

Quand leur œuvre était complètement hors norme ou qu'ils n'avaient pas suivi les consignes de leur professeur, ils déclaraient tout de go qu'ils venaient de Pablo Picasso ! S'ils avaient su que Picasson était l'un des plus grands académiciens qui fut, dessinant des portraits, imitant des peintres anciens qu'il reproduisait avec l'exactitude d'un architecte ! Et qu'il avait décidé d'adhérer au mouvement cubiste en décomposant la ligne, ils auraient été gênés d'évoquer l'œuvre moderne de ce peintre.

Vers six heures et demie, un jeune homme entra et s'inscrivit. Il s'appelait Gaétan Saint-Onge.

— Je veux devenir un artiste peintre et exposer dans le monde entier. On m'a dit que vous êtes le seul qui puisse m'apprendre.

— Il faudrait d'abord que j'expose moi-même dans le monde entier, vous ne pensez pas ? répondit Adriano en riant.

– On m'a dit que vous étiez un peintre connu. J'ai entièrement confiance. Voyez, j'ai apporté mes toiles, mes tubes…

– J'ai tout ça ici, vous ne le saviez pas?

Le jeune homme ne cacha pas sa déception et déposa son havresac sur une chaise, résigné qu'il était. Adriano procéda à son inscription puis posa devant lui – pour passer le temps – un catalogue de la plus récente exposition de Jean-Paul Lemieux.

– Wow! C'est spécial, tous ces tons sombres et cette impression de solitude.

Adriano songea à Armandin Lacourse qui n'avait pas apprécié les œuvres de Lemieux. Souvent entendait-il que tous les goûts étaient dans la nature, mais Adriano n'approuvait pas cette maxime, étant persuadé qu'une grande partie des Montréalais n'avaient pas cette capacité de comparer les œuvres entre elles, de les analyser et finalement de les apprécier. Parce qu'ils ne fréquentaient pas les salles d'exposition.

– Toutes les œuvres d'art sont spéciales, Gaétan. Moi, je suis ici pour que vous sachiez pourquoi elles le sont.

Une jeune femme à la carnation très pâle entra dans l'atelier, cherchant quelqu'un pour l'accueillir et la rassurer. Adriano songea aussitôt à Diderot qui disait que les peintres ne doivent pas utiliser le blanc mais le rouge et le bleu, teintes du sang, pour peindre le visage humain. «Mille peintres mourront sans avoir senti la chair», lui avait dit Edmond Dyonnet en citant le philosophe.

– Bonsoir, vous êtes Rachel Pinsonneault, sans doute.

– Oui, bonsoir, monsieur Scognamiglio. J'espérais ne pas être trop en avance. J'ai terminé mon travail il y a une demi-heure et je me suis précipitée aussitôt pour ne pas arriver en retard, et voilà que les autres, sauf monsieur, ne sont pas arrivés. Je vous paye maintenant ?

– Si vous voulez. Je vous demanderais de compléter ce formulaire. Vous pouvez à n'importe quel moment cesser les cours si vous m'en informez. Sinon – et ça va aussi pour vous, monsieur Saint-Onge – tous les cours manqués sans motif sérieux ne vous seront pas remboursés. C'est ainsi que ça fonctionne chez tous les peintres parmi mes amis qui enseignent.

– Ça me va. Je n'ai pas l'intention de manquer des leçons, répliqua Rachel Pinsonneault.

– Moi non plus, conclut Gaétan Saint-Onge.

– À huit heures et demie, je vous offre du café, du thé ou du Brio. C'est une boisson de *chinotto* qui est amère et que l'on boit partout en Italie. Très rafraîchissant ! leur expliqua Adriano. Ici, vous apprendrez à explorer à l'intérieur de vous pour ensuite révéler vos forces et vos faiblesses.

– Calvaire ! Mon psychiatre m'a dit la même affaire ! lança Gaétan en rigolant.

– C'est normal. La vie de l'artiste l'entraîne toujours de l'intérieur de lui-même jusque vers l'expression extérieure de ce qu'il est. Comme lors d'une visite chez le psychiatre. D'ailleurs, parmi les créateurs, il y a beaucoup de fous, mais peu de malades. Parce qu'ils poussent tout vers l'extérieur. Dehors, le méchant! comme disait mon ami… euh… un peintre que je connais qui était très drôle.

– Je sens que je vais m'amuser, dit Gaétan Saint-Onge.

– Moi aussi, ajouta Adriano avec cynisme.

Les quatre autres élèves se joignirent à Gaétan et à Rachel. Lorsqu'ils eurent fini de jacasser, Adriano commença. Il fit circuler les illustrations d'œuvres de Raphaël, de Bouguereau, de Monet, de Chagall et quelques autres: des personnages qui se trouvaient en conversation à deux ou à trois, une Vierge avec son fils, des chevaux ou des fiancés volants. Chaque élève choisissait la reproduction qu'il voulait. Rachel fut la première à faire son choix. Elle posa la main sur l'illustration de Marc Chagall et soupira comme une jeune mariée déçue.

– Mon fiancé est parti en Inde. Il m'a quittée le jour de ma fête. Alors, me voici dans mon rêve, dans le ciel bleu rempli de chimères. J'adore.

Adriano leur commanda le silence et expliqua ce qu'il désirait que dessinent ses étudiants.

– Comme exercice préparatoire, je ne vous demanderai pas de recopier cette peinture. Je vous demande d'imaginer, d'une part, la conversation intérieure ou le dialogue qu'entretiennent les personnages de votre image. Que dit le nouvel époux de madame Pinsonneault au moment où elle saisit le temps présent? Que se passe-t-il dans la tête de vos personnages au moment où vous les observez? Que raconte ou que pense cette jeune mariée de Chagall?

– Calvaire ! Moi j'ai pogné un berger et son chien.
Tu ne vas pas me demander de faire parler un chien ?
dit Gaétan.

Adriano décida de ne pas répondre.

– Vous avez trente minutes.

Les étudiants acquiescèrent à ce que leur demandait leur professeur, mais ne comprenaient pas la raison de ce drôle d'exercice qui tenait davantage de la
création littéraire que de la peinture. Ils se mirent rapidement au travail et inventèrent la conversation ou le
monologue qu'avaient probablement imaginé les peintres en dessinant.

Au bout de trente minutes, Adriano demanda à chacun d'entre eux de lire son travail à ses camarades.
Gaétan voulut commencer. Il se trouvait bien drôle en
faisant parler le chien du berger qui en avait marre de
garder les brebis pour une bouchée de pain. Son maître
lui opposa qu'il était bien chanceux d'avoir un emploi
alors qu'il y avait un fort chômage chez les chiens à
cette époque. Louise Hétu avait imaginé le tendre
monologue d'une mère à son bambin qu'elle tenait à
la hauteur de son visage. Madame Sansregret, un texte
court et sans intérêt entre Lazare et Jésus-Christ avec,
derrière eux, un apôtre qu'elle crut être saint Pierre.
Colette Richard fit parler deux pêcheurs qui souhai-
taient retourner aux Îles-de-la-Madeleine, là où elle-
même était née tandis que Hermine Leroux, une
ex-religieuse, relata la conversation joliment tournée
de deux jeunes filles enrubannées peintes par William
Bouguereau.

Avant de commencer à lire, Rachel insista pour dire qu'elle était «mademoiselle» Pinsonneault.

Selon sa fiche personnelle, la «demoiselle» avait 24 ans. Elle était de la blondeur des champs d'avoine sous un soleil ardent et de la grâce des *Trois danseuses* d'Edgar Degas et lorsqu'elle parlait, ses bras prenaient des poses d'un ravissement indéniable. Adriano fut surtout attiré par le bas de son dos, là où commencent les fesses qu'elle avait un peu rebondies. C'est sa posture, en fait, qui intriguait le professeur qui avait dessiné tant de corps de jeunes filles vêtues du costume de ballerine. Ses jambes étaient longues et effilées et sa poitrine était juste assez remarquable pour avoir l'envie d'entrouvrir le corsage de son chemisier et d'y planter le visage tout entier. Elle avait des yeux d'un bleu outremer, sa bouche était naturellement rose foncé, et ses dents très blanches et bien droites étaient celles d'une actrice de cinéma. Quand elle souriait, ce qui était assez rare – elle venait de dire que son fiancé l'avait quittée, ce qui expliquait sans doute sa morosité – un monde de lumière éclatait dans l'atelier d'Adriano S.! Il eut beau se hâter de songer à Bianca, à ses filles, à ses fils, à Carmélie, voilà que Rachel Pinsonneault les dominait tous. Il songea qu'il pourrait toujours lui dire qu'elle n'avait pas ce qu'il faut pour devenir une artiste, mais sa pensée se dirigea droit sur Gaétan Saint-Onge, sur Odile Sansregret et aussi sur Hermine Leroux, et il se dit qu'à ce compte-là, il devrait les congédier eux aussi. Il avala la moitié d'un verre d'eau, toussa à quelques reprises et dit:

– Rachel, nous vous écoutons, mon petit.

Rachel émit un petit rire nerveux. Adriano regretta. Mais Edmond Dyonnet avait l'habitude de dire «mon petit» aux jeunes filles qui suivaient ses cours, et il se convainquit qu'à presque cinquante-deux ans, il pouvait se permettre cette fantaisie. Et aussi que cela créerait entre lui et Rachel un léger fossé qui le protégerait de la faiblesse de l'artiste.

Elle plaça l'illustration *Les mariés de la tour Eiffel* bien à la vue de tout le monde, saisit sa feuille et commença enfin sa lecture.

« Toi, ma chère Bella. Je veux te dire que jamais je n'ai été aussi heureux que ce jour où nous avons décidé de nous marier. Je nous imagine, dans le halo d'une volupté naissante, toi, dans ta belle robe blanche et moi, dans mon habit de velours, nous envolant vers un monde si beau que nos yeux brûlent de nos rêves inavoués. Des personnages mythiques nous rappellent combien la folie est importante lorsque l'amour vient au monde. Toi, si douce, si belle, ô combien j'ai hâte de plonger ma langue dans ta bouche chaude – Rachel hésita puis reprit sa lecture *– de t'embrasser poitrine contre poitrine, ma main tenant la tienne. Mais voilà qu'arrive le violoniste cruel tenant son instrument à tête de taureau, venu d'un lieu immonde qui, soudain, de ses cornes noires, brise le miroir de notre bel avenir, ô ma belle amour ! Ça chahute dans ma tête, ça tremble dans mes bras, et mes jambes ne peuvent plus me porter vers notre destin. Je dois quitter ton regard pour toujours. Ne m'en veux pas. Paris aura été le seul témoin de la brisure. »*

Sa voix s'étrangla presque vers la fin de son texte. Chose inusitée: les autres étudiants se mirent à applaudir. Rachel rougit joliment et le cœur d'Adriano se mit à battre trop fort. Rachel connaissait le prénom de l'amoureuse de Chagall, Bella. Et sa culture la rendait si attirante!

– C'est une très belle analyse de la peinture de Chagall, Rachel. Vous voyez, c'est ça que je voulais: les mots qui se prononcent et qui expliquent la création de l'artiste.

– Oui, mais la jeune mariée, elle, n'a pas dit un mot. Vous aviez parlé d'un dialogue.

– Ou d'un monologue. La Vierge qui parle à son enfant, elle monologue.

– Il aurait pu répondre: gue gue gue, fit Gaétan.

– Gaétan, vous êtes incapable d'être sérieux! Maintenant, comme second exercice, vous allez choisir un extrait de trois pouces par cinq et vous allez l'agrandir et consacrer le reste du cours à le reproduire. N'importe quel extrait.

– Je peux bien choisir un boutte de ciel bleu audessus du chien. Ça va pas être long à reproduire, lança Gaétan Saint-Onge.

Les autres ne rirent pas. Adriano se posa mille questions sur les motifs qui avaient amené cet homme à vouloir suivre des cours en arts visuels si c'était pour demeurer aussi imbécile d'une fois à l'autre. Il espéra ardemment que Gaétan Saint-Onge ne revienne plus, qu'il se rende compte que ses camarades le trouvaient stupide et qu'ils étaient tous agacés par ses remarques adolescentes. Adriano pensa à Lacourse. Drôle, parfois agaçant, mais au moins, Armandin avait un grand talent pour la peinture et les magazines canadiens lui avaient plusieurs fois consacré des articles fabuleux.

Rachel Pinsonneault semblait elle aussi attirée par Adriano. Elle savait qu'il était marié et père de deux garçons et jamais n'oserait-elle tenter quoi que ce soit.

Elle se mit à l'ouvrage. Elle choisit un petit rectangle qui représentait en arrière-plan le dais nuptial sous lequel les mariés se promettent amour et fidélité. Bella et Chagall se mariant à Vitebsk. Dans l'agrandissement qu'elle avait choisi, elle fit les cheveux de Bella aussi blonds que les siens propres, son poignet portait le même bracelet qu'elle portait ce soir-là et elle dessina un bouquet de fleurs roses. Quant à Chagall, le marié, elle lui ajouta une moustache et le représenta sans chapeau. Tout dans l'attitude, la gestuelle, les teintes et les formes était ressemblant. Au bout du trente minutes, Adriano annonça la fin de l'exercice et invita chacun à présenter son dessin, comme le faisait jadis monsieur Dyonnet. « Dites-moi tout ! » disait-il à ses élèves.

Gaétan avait choisi le côté gauche du visage du vieux propriétaire du chien, et en dessina les traits avec précision, ce qui le racheta auprès de son professeur. Les autres semblaient ne pas avoir trop saisi l'importance de cet exercice. Adriano désirait leur faire comprendre à quel point l'intention, le contenu, l'âme et certains détails d'un tableau sont plus importants que son ensemble. En choisissant un petit détail d'une œuvre et en le reproduisant, les élèves devaient se rapporter aux lignes du dessin, aux coups du pinceau, aux vibrations des couleurs, aux jeux de l'ombre et de la lumière. Il croyait qu'avant de devenir un bon technicien, l'artiste devait d'abord ressentir. Pour cela, il devait analyser, décortiquer, démanteler, puis refaire.

Le cours terminé, Gaétan disparut à la vitesse de l'éclair, ce qui soulagea le reste de la classe. Odile Sansregret et Colette Richard discutèrent un peu avant de l'aider à nettoyer l'atelier, ranger les pinceaux, amasser les bouteilles de Brio et les tasses de café. Hermine Leroux se mit à parler de ses problèmes d'horaire tandis que Louise Hétu tenta une embardée du côté du cœur d'Adriano. Un peu ronde, toujours rieuse et diplômée de l'École normale Jacques-Cartier, elle était surtout à la recherche d'une âme sœur et ne pouvait s'empêcher de minauder lorsqu'elle s'adressait à un homme. Elle devait avoir au moins quarante ans.

Adriano espérait que Rachel ne parte pas tout de suite. Il aurait souhaité qu'elle reste un moment encore pour l'entretenir des côtés plus personnels de sa vie, et surtout des aspects secrets de sa vie sentimentale. La jeune femme terminait de ranger son matériel, attachait ses gants, remettait son cache-col et boutonnait sa veste. Il ne savait pas comment la retenir en présence de ses autres élèves. Il tenta l'indépendance et ferma les lampes de travail une à une, se disant après chacune que Rachel se déciderait de rester pour lui demander conseil, ou pour lui parler d'une exposition qu'elle avait vue. Au moment de fermer la dernière lampe, Rachel le salua et quitta en souhaitant les revoir tous la semaine suivante.

Adriano en fut peiné et, fouillant dans la pile de formu-
laires d'inscription, attrapa celui de Rachel Pinsonneault
et le plia pour l'enfouir au fond de sa poche. Les autres
dames quittèrent à leur tour dans un joyeux brouhaha,
remerciant Adriano.

Dans sa voiture, il se mit à rêver éveillé. Sans la
moindre culpabilité. Il se vit faire l'amour à Rachel
Pinsonneault, lui lisser les cheveux d'une main ferme,
lui retirer son chemisier, lui arracher ses sous-vêtements
et s'enfouir en elle comme un enfant retournerait au
creux de sa mère. C'était donc ça ! Rachel lui faisait penser à Marina. Son parfum lui rappelait *L'Heure Bleue*
de Guerlain, un nectar de roses très odorantes, un effluve
de vanille persistant qui le suivait depuis son enfance.
Il imaginait les conversations qu'il pourrait inventer
pour qu'elle le trouve intelligent. Il dressait la liste des
sorties qu'ils pourraient faire ensemble, des balades au
parc Lafontaine, de la tournée des bars chics de Montréal et des spectacles étourdissants auxquels ils assis-
teraient ensemble. Ce qui n'était plus important pour
sa femme l'était sûrement pour Rachel.

Quand il entra, Carmélie était déjà au lit. Elle avait
eu une journée harassante et les garçons avaient demandé
beaucoup de son énergie. Il remarqua qu'elle avait fabriqué de nouveaux rideaux pour la cuisine et qu'elle
avait commencé à confectionner les draperies du grand
salon. Sur la table, en attente d'approbation, elle avait
placé la liste des destinataires à qui elle voulait envoyer
des nouvelles d'Adriano S. par la poste à tous les deux
mois. Il la regarda dormir. Elle grogna dès qu'elle sentit

sa présence, puis se retourna pour continuer à ronfler. Il aperçut son peignoir d'un autre siècle, son chemisier de soie froissée, sa jupe de gabardine et ses bas de nylon retournés négligemment. Il se rendit de nouveau dans le salon, puis s'assit sous la lampe de zinc pour lire les dernières nouvelles des artistes peintres de Paris et de New York dans le magazine *L'Oeil* qui tenait compte de tous les nouveaux artistes et relatait les plus anciens. Il se mit à feuilleter la revue distraitement. L'image de Rachel Pinsonneault le hantait et, déjà, il avait hâte au prochain cours du jeudi pour la revoir. Il se mit à penser à Gertrude Ladouceur et la remercia chaudement pour l'avoir initié aux jeux de l'amour dans la pratique desquels il excellait. Cependant, il comprit aussi que pour les relations conjugales à la vie à la mort, il n'était pas très doué. On l'avait abandonné quand il était petit et plusieurs fois tout au long de sa vie. Il ne pouvait s'empêcher de rendre la pareille. L'infidélité, même si elle est pardonnée, représentera toujours une permission pour l'autre de rendre la pareille sans trop de remords.

Le lendemain matin, il crut que de se retrouver à la table avec Bruno et Émile, voir Carmélie rire de cette parcelle de toast tombée sur sa chemise, lui demander s'il voulait encore du café, lui frotter les cheveux en lui disant: *Maudit bel Italien, va!* et l'embrasser fougueusement en introduisant le bout de sa langue jusqu'à la confiture, qu'il rirait en lui pressant sa croupe encore ferme, *sa fesse de Souchet*, comme il avait l'habitude de lui dire. Il sourit en pensant à Rachel Pinsonneault, *picollo fringuello*. Un petit pinson qu'il aimerait bien capturer. Il s'aperçut qu'il pensait à la jeune fille avec encore plus d'acharnement.

– Qu'est-ce qui se passe, Adriano? T'as l'air tristounet, ce matin, lui demanda Carmélie. Y'a quelque chose qui n'a pas fonctionné hier soir à l'atelier, dis-moi?

– Non, ça va. Je me suis couché tard.

– Tu n'as pas faim? Tu as laissé tes toasts dans l'assiette. Et tu n'as pas touché à ton fromage.

Elle lui appliqua la paume sur le front.

– Ouh la la! Mais ça chauffe là-dedans, dis donc! Les garçons, votre papa, il est brûlant de fièvre. Il doit avoir attrapé la picotte volante! dit-elle pour détendre l'atmosphère.

Adriano repoussa sa main avec agacement. Carmélie comprit que la situation était pire qu'elle ne l'avait imaginé. Quelque chose s'était passé lors du cours de la veille. À moins que son artiste de mari ne soit entré dans son fameux processus de création au cours duquel il devait résolument avoir la paix. Elle avait toujours trouvé étrange qu'au lieu de se sentir bienheureux quand il préparait une nouvelle exposition ou qu'il devait remplir la commande d'un tableau particulier, Adriano – et c'était aussi le cas d'Armandin Lacourse – était marabout comme pas un. Elle fit lever ses fils, les envoya à l'évier pour se débarbouiller la figure et les mains, puis les conduisit à la porte pour qu'ils se rendent à l'école, à une dizaine de minutes de la maison. Du boulevard LaSalle à la rue Verdun. Juste le temps qu'il fallait pour respirer un peu d'air frais.

Elle revint ensuite s'asseoir en face d'Adriano après s'être versé un deuxième café, le fixa droit dans les yeux, l'air de dire : tu ne vas pas m'en passer une, ce matin. Il lui sourit bêtement. Elle mit la main sur celle de son mari et la pressa avec affection.

– Alors ? Qu'as-tu à me dire ?

– Rien du tout.

– Non, tu ne vas pas essayer de m'en conter ! Je te connais comme si je t'avais tricoté. Que se passe-t-il, Adriano ?

– Rien, je te dis.

– Et encore ?

– Je suis un peu inquiet de ma carrière, Carmélie. Il faut que je puisse déborder les frontières, me faire connaître à New York, à Paris, à Rome. Comme mes amis Borduas, Dallaire, Riopelle.

– Tes amis ! Je ne les connais pas, moi, tes amis. Tu manges une fois avec un artiste, et vous voilà des amis.

– Exactement. Avec Jean Dallaire, nous nous sommes raconté plus de trucs qu'un couple de vieux mariés. Tu sais, j'ai besoin de parler de mon art comme de mon âme.

– Je suis là, Driano.

– Non, ce n'est pas pareil. Toi, tu n'es pas une artiste. Tu n'as du phénomène de la création qu'une vague idée.

– Je m'occupe en tout cas de la faire connaître, cette « vague idée », à tous les Montréalais. Et tu ne t'en plains jamais.

– Carmélie, tu fais tout ce qui est important. Il y a toujours du monde à mes expositions, tu me représentes comme une agente efficace, mais parfois, j'ai besoin d'échanger. Décrire les idées qui éclatent en dedans comme un cri. Comment elles se rendent jusqu'à ma main pour devenir réelles, vivantes presque. C'est si bon de créer, Carmélie. Et avec d'autres artistes, qu'ils soient d'ici ou d'ailleurs, c'est merveilleux d'échanger. Des fois, ça me fait penser à Dieu.

– Toi, tu penses à Dieu ?

– Oui, je pense au Créateur. Comment a-t-il fait pour être tout seul, avec personne pour admirer son œuvre ? Personne pour lui dire : attention, tu fais trop de différences entre l'homme et la femme, ça va t'amener des critiques ! Personne d'autre pour créer la compétition que ça prend pour te surpasser. Personne d'autre pour stimuler tes recherches du plus beau encore que la dernière fois. Quand je pense à ça, je me dis que pour aller toujours plus loin, j'ai besoin de davantage que les Duhamel ou les Gladu de ce monde pour apprécier mes œuvres. J'ai besoin d'être avec les grands artistes du monde. D'autres aquarellistes qui, comme moi, ont besoin de l'eau pour exister. J'ai besoin de partir loin.

Carmélie se mit à pleurer comme une fontaine. Elle comprenait très bien ce qui venait de se passer. Une crise existentielle secouait son mari. Jamais Adriano n'avait été victime de ce genre de dépression avant ce matin-là. Il mijotait parfois quelques idées sombres, mais toujours il en sortait avec enthousiasme. Quand elle entendait parler certaines épouses d'artistes, rencontrées lors d'expositions, elle voyait des femmes admiratives à outrance, parlant de leur mari comme du plus grand peintre de l'ère moderne. Elle voyait des épouses abandonnées par des maris capricieux qui les traitaient comme des servantes. Les couples qui s'adonnaient bien étaient surtout ceux dont les deux étaient des artistes créateurs car, comme le disait Adriano, la compétition était sous-jacente.

– Eh bien, pars, Adriano ! Tu as tout l'argent nécessaire pour t'aider à vivre dans le grand monde. Va à New York retrouver tes amis, comme tu le disais. Je peux très bien m'arranger avec les garçons.

– Tu t'énerves pour rien, Carmélie. J'ai seulement besoin de réfléchir un peu.

– Va à Kamouraska te jeter dans les jupes de ta Jeanne-Mance ! Elle te comprend, elle !

– Je crois que c'est toi qui ne comprends pas. Tu ramènes tout à une question de jalousie.

– Je ne suis pas jalouse, Adriano. Je t'aime et je ne veux pas te partager avec quelqu'un d'autre, c'est tout. Que ce soit une maîtresse d'école du fin fond du Québec ou une maîtresse tout court !

Adriano s'affola. Comment Carmélie pouvait-elle s'imaginer autant une vérité qu'il avait tenté de lui cacher en la couvrant d'autres considérations ? Comment avait-elle pu deviner qu'il s'apprêtait à tomber dans les bras d'une autre femme, plus jeune et plus libre ?

– Et toi, Carmélie ? N'as-tu jamais réalisé que tu avais brisé ma vie dans les bras d'Armandin ?

– Tu m'avais pardonné.

– Pardonné, bien sûr. Oublié, jamais !

11

Rachel Pinsonneault ne mit que deux semaines de cours à l'atelier d'Adriano S. pour conclure à un cas sévère de passion mutuelle. Adriano était très excité et avait du mal à se contenir. Jamais n'avait-il connu une attirance aussi violente si ce n'était lors de son dépucelage par Gertrude Ladouceur alors qu'il sortait à peine de son adolescence candide à Kamouraska. La pulsion sexuelle momentanée avait alors été unique. Par la suite, il venait à bout de se contenir et la fougue qui lui avait fait perdre la tête n'était jamais revenue.

Sauf avec Rachel Pinsonneault.

Le troisième jeudi, elle trouva une raison pour rester à l'atelier après le départ des autres. Hermine Leroux se rendit compte de la naissance d'un sentiment étrange entre les deux et fit un petit geste avec son pouce qui en disait long sur ce qu'elle pressentait. Rachel sourit.

Quand les autres furent partis, elle s'approcha d'Adriano avec un petit carnet sur lequel elle avait inscrit des questions qu'elle voulait réellement lui poser. Mais lorsqu'elle s'approcha de lui, aussi furtivement qu'une jeune chatte, et dès que ses yeux fixèrent ceux de son professeur, elle entrouvrit les lèvres pour parler et elle n'en eut pas le temps : Adriano s'approcha d'elle, assez près pour ressentir son souffle parfumé sous ses narines et l'embrassa avec fougue. Elle le saisit par les épaules et le pressa contre elle. C'est encore elle qui fit les premiers pas vers l'arrière de la pièce, ferma la lumière de la table à dessins qui éclairait trop, puis se donna entièrement à cette relation toute neuve.

– Rachel, je ne pense qu'à cette soirée depuis trois semaines ! J'allais exploser. Je ne sais pas ce qui se passe, mais jamais plus je ne pourrai me passer de toi.

– C'est pareil pour moi. Toute la semaine, j'ai dessiné, j'ai dessiné ; je dessine tout ce que je vois pour oublier que je suis tombée en amour avec vous… toi. C'est comme si le diable était entré en moi et avait volé mon âme. J'ai pensé à toi, à ta famille, à ta réputation aussi. Mais rien n'y faisait. C'est une passion mortelle. Je t'aime, Adriano. Et si tu ne voulais pas de moi…

– Je te veux. Ça me hante, ça me fouette, ça me tue, Rachel. Je déteste ces cours parce que je ne veux pas des autres élèves qui m'empêchent d'être seul avec toi. Jamais je n'ai trouvé trois heures aussi longues de ma vie.

Il posa de nouveau ses lèvres sur les siennes et l'embrassa sur les paupières, sur le menton, sur les bras, en grognonnant légèrement et en respirant ses effluves naturels, en léchant sa peau, en la suppliant pour qu'elle le laisse aller au bout de sa passion. Rachel le laissa faire. Il la dévêtit sans qu'elle ne s'y oppose, préféra retirer elle-même son porte-jarretelles et ses bas de soie, et garda sa petite culotte en le prévenant qu'elle était pucelle. *Vergine.* Rachel avait conservé sa flamme intacte pour celui qui l'aimerait. Adriano n'en revenait pas. Rachel, le petit pinson, était vierge, mais semblait tout à fait prête pour tenter sa première expérience.

– Je veux aller chez moi, Adriano. Pas ici. Je veux que tu restes un certain temps avec moi jusqu'à ce que je m'endorme. C'est pas loin d'ici.

– Je connais ton adresse. J'ai pensé mille fois à aller sonner chez toi.

– Pourquoi tu n'es pas venu ? J'aurais été aux oiseaux !

– Je voulais attendre que ça vienne de toi. Comme ce soir.

Ils s'embrassèrent à bouche-que-veux-tu avant de ramasser leurs effets personnels et de quitter sans bruit, n'oubliant pas de se bécoter à chaque marche, de s'étreindre à chaque section du trottoir, de se tenir la main comme deux adolescents. Adriano voulait que la terre entière connaisse leur amour. Mais il songea à Carmélie. Carmélie qui avait deviné. Carmélie qui avait pleuré.

– Tu veux venir avec moi à New York ?
– Quand ça ?
– Demain. Au lever du soleil.

– Oui, oui. Je veux aller à New York avec toi.

Puis elle devint sérieuse.

– Que vas-tu dire à ta femme ? Et à tes petits garçons ?

– Je dois aller au bout de mon talent et de ma mission de peintre.

– Tu es certain que je fais partie de cette mission ?

– Absolument.

– Et tes cours ?

– Je vais fermer mon école. Ou plutôt la louer à un autre peintre pour qu'il enseigne à ma place. Attends que je pense à un peintre que je déteste. Après tout, il faudra qu'il endure Odile Sansregret et Gaétan Saint-Onge !

– Tu es sérieux tant que ça ?

– Tu me crois capable de mentir, Rachel ?

– Non. Je croyais seulement que tu profitais un peu de la situation.

Ils arrivèrent chez Rachel. Elle habitait une maison à deux étages en briques foncées avec un petit balcon sur lequel patientait une bicyclette bleue. Elle ouvrit et Adriano eut la surprise de sa vie : dans le corridor, à gauche, menant à la cuisine, une énorme sculpture en marbre accueillait les invités. Elle s'intitulait *Jeunes filles à la gerbe de roses* et était signée : Bianca S. Chez sa nouvelle amoureuse, Anna et Rose l'attendaient donc depuis des lustres.

Ils firent l'amour d'abord dans le salon, puis sur le lit de Rachel. Il y avait des œuvres d'art partout : des peintures, des aquarelles, des illustrations encadrées, des sculptures inuites et d'autres d'artistes montréalais. Tout avait été décoré avec goût. Rachel vivait sa première fois. Contrairement à ce qu'elle croyait, elle connut une volupté presque douloureuse, un goût prononcé pour une seconde fois, et participa à leurs échanges avec tant d'enthousiasme qu'elle craignit même qu'il la trouve expérimentée. Elle prenait certaines initiatives trouvées dans les livres sérieux d'Alfred Kinsey et ne se sentit aucunement coupable de participer à son initiation. Elle aimait ce qu'elle ressentait. Trouvait qu'Adriano ne précipitait pas les choses, qu'il lui laissait le temps, qu'il se préoccupait de la conduire au bout de son plaisir.

Rachel le laissa partir quand il décida qu'il fallait préparer sa sortie sans trop d'effusions et retourner à la maison.

•

Aux petites heures du matin, il aperçut un homme et son chien qui déambulaient sur le Boardwalk. Une lune pâle, délayée dans des nuages d'eau, se reflétait sur le fleuve Saint-Laurent. Il entra sans faire de bruit pour ne pas éveiller les garçons. Carmélie attendait dans la cuisine. Dans le corridor qui s'étirait de l'entrée à la sortie arrière, il y avait un petit espace où avait été installée la fournaise. Trois grosses valises y avaient été posées. Trois sentinelles de cuir qui avaient connu bien des voyagements allaient de nouveau accompagner Adriano Scognamiglio vers une nouvelle destinée. Carmélie n'avait pas le caractère d'une bagarreuse. Dès qu'elle avait senti que son mari n'avait jamais oublié qu'elle l'avait trompé, qu'elle avait compris que jamais plus rien ne serait comme avant, que leurs fils étaient assez grands pour cheminer sans leur père, qu'Adriano devait explorer le monde entier pour devenir un artiste peintre reconnu, elle abdiqua. Elle ne voulut pas le laisser entrer dans sa chambre ni dans celles de Bruno et Émile. Aussi avait-elle demandé à Pierrette de les prendre chez elle pour la nuit et avait-elle préparé les effets personnels d'Adriano afin de faciliter sa décision. Carmélie savait. Et aimait suffisamment l'artiste en son mari pour lui permettre d'aller se faire reconnaître dans le monde. Elle allait retourner au restaurant *L'Artiste* et le remettre sur les rails. Et ses sœurs lui seraient d'un grand support.

— J'ai préparé tes affaires. Tout ce que tu possèdes est bien rangé dans les valises. Tu sais, je ne peux pas t'en vouloir. Mais moi non plus, je n'oublierai jamais. Alors, fais vite et va-t-en. Ça fait trop mal. L'infidélité, c'est pire que la mort. Je comprends comment tu as pu te sentir quand tu as su pour Armandin. Je trouve dommage que tous les deux, nous ayons eu besoin de nous faire mal. Je vais garder la maison pour continuer à élever Bruno et Émile. Tu peux les voir quand tu veux. Mais puisque tu vas aller vivre loin de par le monde, tu n'auras pas le temps de venir les voir. Je vais leur parler de toi souvent et leur faire lire les articles écrits à ton sujet. C'est à toi désormais de les rendre fiers de leur papa.

Adriano se mit à pleurer, doucement, derrière l'éventail de sa main. Il aimait tous ses enfants, bien sûr, mais il y avait encore quelque chose de plus important : aller vers sa destinée. C'était plus fort que tout. Le petit Italien de Porto San Giorgio avait une mission et il devait la réussir.

– Merci, Carmélie.

•

Lettre à Jeanne-Mance

D'abord, je voudrais être certain que tu ne me jugeras pas, mon amie. Et si tu décidais de voyager jusqu'à Montréal, tu trouverais ton vieil ami Adriano plein d'amertume et pris dans le plus grand des paradoxes : l'amour fou d'un côté, la rupture déchirante de l'autre.

Tu sais combien j'ai aimé Carmélie pour te l'avoir affirmé si souvent. Sache que je l'ai quittée il y a quelques jours. Et si je ressens autant d'anxiété, c'est dû à sa trop grande sollicitude. Ô combien m'aime-t-elle pour m'offrir ma liberté sans cris ni larmoiements ! En réalité, je n'obtiens aucune liberté véritable puisque j'ai connu une jeune fille exceptionnelle lors du cours que je donne les jeudis soir depuis quelques années. Tu sais, toi, combien j'apprécie les personnes avec lesquelles je peux échanger sur tous les sujets et qui ne se trouvent jamais dans l'inconnu, qui savent modifier la trajectoire d'une discussion intéressante, qui peuvent évoquer des exemples pertinents, qui saisissent les mots d'esprit et qui, grâce à leur grande culture, arrivent à meubler des heures de conversation! Rachel Pinsonneault – quel joli nom, tu ne trouves pas? – est de celles-là. Si tu savais comme la vie l'a gratifiée d'une intelligence placide.

Elle est belle comme une madone et ses cheveux blonds donnent encore plus de lumière à son teint de lait. Je sais que tu as toujours prétendu que les artifices chez la femme la rendent vulgaire, mais Rachel, au contraire, a tellement d'autres atouts!

Alors, figure-toi qu'en seulement quelques minutes lors de son inscription à mon cours, elle m'a totalement ébloui.

Dans la vie, on peut faire toujours le même voyage, emprunter le même chemin, observer les mêmes arbres, les mêmes maisons et on y retourne sans cesse parce que ce paysage nous rassure. À la petite école, on tourne à droite et au vieux sapin, on descend la pente pour tourner à gauche. On peut s'y rendre les yeux fermés et se sentir tellement bienheureux à chaque fois. Tu comprends ce que je veux t'expliquer? La routine s'installe. Puis un jour, une seule fois, sans trop réfléchir, on décide – parce que c'est dimanche ou parce qu'on a aperçu une affichette – de tourner à gauche à la petite école. Personne ne s'oppose au fait de modifier tout à coup son itinéraire. Sera-t-on plus heureux? Aura-t-on l'impression de faire le bon choix? On est certain d'une chose: on sera heureux autrement.

Ma rencontre avec Rachel a été à la source d'un chemin bifurqué.

Elle a été le départ d'un autre bonheur qu'il ne faut absolument pas rater.

Auprès de Carmélie, je prenais toujours le même chemin et je voyais le même paysage jour après jour. C'est elle qui, une seule fois, a pris une autre route et a brisé la constance. Je n'ai jamais pu oublier. Tu ne vas pas me le reprocher.

Tu me diras peut-être que j'aurais dû penser à mes fils et que j'aurais dû rester avec Carmélie. Mais quelque chose m'a poussé à vivre cette nouvelle relation. Je suis amoureux fou. C'est la seule explication qui résume tout.

J'ai discuté longtemps avec Paul Lefort, qui est devenu mon beau-père après avoir épousé Madelon Souchet. Je lui ai demandé conseil. Après deux longues heures de brassage d'idées, il m'a bien sûr parlé de la douleur que ressentirait la famille, mais aussi que ma carrière était ce qu'il y a de plus important pour l'artiste peintre que je suis. C'est la raison qui a poussé ma nonna *à venir en Amérique et s'installer à Kamouraska et tout le reste que tu connais par cœur. C'était notre karma à elle et moi.*

La communauté italienne s'étend ici à Montréal comme une nappe d'huile d'olives avec ses effluves d'ail, d'origan et de basilic, ses arômes de tomates et ses pastas au beurre et au parmesan, le rire des femmes, leurs jupes fleuries et leurs chemisiers de dentelle et tu sais quoi, Jeanne-Mance, jamais ne me suis-je senti aussi distrait de la vie italienne. En fait, je m'en suis éloigné de par moi-même. Je suis un Canadien français. Je suis nul autre qu'Adrien S.

À cause de mon oncle Fabrizio. C'est de sa faute si on me soupçonne toujours de cultiver les mauvaises intentions. On n'est jamais responsable de l'hérédité qui nous est imposée. Toi, tu n'es pas une « maudite Française » parce que tes parents sont nés en France, n'est-ce pas ? Pas plus que Carmélie qui est descendante des Souchet de Bourgogne.

J'espère que tu me comprendras. Et que tu ne voudras pas me juger. Je suis demeuré le même que tu as connu, au fond. Mais cent fois plus heureux.

Ton ami Adrien S.

12

Rachel et Adriano discutèrent plusieurs fois de leur nouvelle relation et des répercussions qu'elle avait sur ses fils. Adriano était allé voir Bruno et Émile pour tenter de leur expliquer pourquoi il devait se rendre à New York et surtout pourquoi il devait vivre séparé d'eux et de leur mère.

— Ne nous raconte pas des sornettes, p'pa ! On le sait que tu aimes une autre femme. Maman nous l'a dit.

— Je dois aller montrer mes tableaux dans des galeries à travers le monde, sinon mon œuvre va toujours rester cloîtrée ici à Montréal. Personne ne verra mes œuvres dans les autres pays, Bruno. Et un peintre n'est véritablement un artiste que lorsqu'il est connu sur toute la planète.

— Tu changes de sujet, là ! Ça n'explique pas pourquoi tu es parti avec une autre dame, ajouta Émile.

Adriano resta interloqué. Que répondre à ses fils ?

– Vous deux, est-ce que ça vous arrive d'avoir le coup de foudre pour une nouvelle bicyclette ou des beaux patins Daoust ? Ou que vous devenez, tout à coup, ami avec un gars de votre classe que vous aviez à peine remarqué jusque-là ?

– Moi, papa, je suis devenu ami avec Coco Lafrance dans ma classe. Personne ne voulait être son ami et moi, oui. Le père Tessier m'a félicité pour ma grande charité chrétienne devant toute la classe au cours de catéchisme.

– Alors, tu vois ? Pour moi, c'est pareil, intervint Adriano.

– Ta nana, elle va faire en sorte que tu vas connaître une carrière mondiale, j'imagine ?

– Bruno ! Reste poli ! Tu n'as pas à traiter une… mon amie de *nana*. Qui t'a appris ce mot ? Sois poli, je reste ton père !

– Oui, mais tu nous abandonnes pour elle. Maman, elle…

Adriano aurait pu sauter sur l'occasion pour leur parler de tonton Armandin et de sa relation avec Carmélie, leur dire à quel point les femmes ne sont pas toujours des saintes et que sa souffrance à lui l'avait poussé dans les bras d'une autre *nana*. Après tous ces événements, Carmélie avait si bien manœuvré, lui avait laissé tellement de liberté, qu'il n'allait pas ajouter à la déception de ses fils. Il préféra se taire, ramassa sa veste, puis quitta la maison avant que Carmélie ne rentre du travail.

Au moment de sortir, une dame noire dans la soixantaine se préparait à mettre la main sur la poignée de la porte. Elle tenait le courrier du jour. Quand enfin Adriano ouvrit, elle était à demi surprise, sourit de toutes ses dents éclatantes et l'apostropha :

– Eh ! Mais vous devez être Adriano ! Tenez, il y a deux enveloppes pour vous, justement ! Je suis cinq minutes à l'avance, mais j'avais des ressorts dans les jambes, aujourd'hui.

Amusé plus que surpris, Adriano hésitait à laisser ses fils avec une inconnue. Devant son air hébété, la dame s'égosilla :

– Quelle figure vous faites ! Madame Souchet ne vous a pas parlé de moi ? Je suis Armande Prophète, la gardienne de vos deux petits coquins de fils ! Je viens trois fois par semaine après leur retour de l'école. Je leur fais faire leurs devoirs, je prépare le souper et celui de madame. Et je passe le balai et je fais l'époussetage. Il y a aussi les mannes dans les moustiquaires qu'il faut dégager. Vous savez, il y en a des milliers de mannes sur le bord du fleuve. Chez moi, c'est pareil, j'habite Crawford Park, et il y en a tellement que je pourrais glisser dessus jusqu'ici comme sur une patinoire !

Adriano sourit enfin. Armande Prophète avait immigré du Cap Haïtien quelques années auparavant et son fils Eddy était le pianiste du Sheraton Mont-Royal. Les personnes de couleur qui parlaient français étaient très peu nombreuses et la plupart avaient été engagées comme chauffeurs ou comme nounous. Armande

Prophète paraissait formidable et dévouée. Bruno et Émile devaient beaucoup l'aimer.

Adriano fut heureux. Une autre pierre venait de tomber de ses épaules. Carmélie avait décidé de réorganiser sa vie de mère abandonnée.

Il descendit les six marches de bois bleu et suivit le trottoir jusqu'à sa Chevrolet de l'année, la tête haute, en sifflotant.

•

Anna se rendit au restaurant où Adriano les avait convoquées, elle et sa sœur. Il savait bien que leur réaction ne serait pas empreinte de rage comme celle de ses fils.

Elle l'attendait depuis cinq minutes. Elle ressemblait à Blanche avec ses cheveux blonds, mais avait le teint d'olive de son père. Très vive, énergique et enthousiaste pour tout ce que la vie lui offrait, elle embrassa son père avec beaucoup de sentiment.

– Il faut que ce soit grave pour que tu nous convoques au beau milieu de la semaine. Écoute, Rose m'a demandé…

– … Elle travaille ce soir et Pierrot est allé voir sa grand-mère aux Trois-Rivières, termina Adriano avec cynisme.

– Oui, elle travaille toujours le soir. Et elle n'est plus avec Pierrot.

– Elle est avec qui ?

– Elle a rencontré un musicien à son travail, un beau grand blond. Ils ont eu un coup de foudre. Quand elle l'a dit à Pierrot, il a fait une grosse crise. La voisine a appelé la police. Ah! Que veux-tu! Quand un type est jaloux, ce n'est pas toujours commode.

– Donc, elle ne viendra pas. C'est pourtant très important.

– Tu peux tout me dire à moi, je vais lui répéter mot à mot, promis.

– Où est-ce qu'elle travaille? Je ne l'ai jamais su.

Anna fut saisie de panique. Elle avait promis. Elle respira un grand coup, puis se plaça face à son père, les yeux dans les yeux. Elle semblait savoir des choses inavouables.

– Commence, toi! Pourquoi voulais-tu nous voir ici au lieu de nous avoir donné rendez-vous à *L'Artiste*?

Adriano lui raconta sa rupture avec Carmélie à la suite de son aventure avec son ami Armandin Lacourse, mais ne se vanta pas de ses nouvelles amours nées d'un coup de foudre. Il choisit de justifier ses agissements en invoquant le besoin de faire carrière aux États-Unis et en Europe.

– Tu sais, j'ai toujours voulu exposer dans mon pays natal.

Anna ne le crut pas tout à fait. Elle connaissait bien son père. Elle avait vingt-cinq ans et, avec les années, elle comprenait les hommes. Elle n'avait pas de fiancé, mais avait connu plusieurs garçons qui auraient bien voulu l'épouser. En novembre, elle allait coiffer la

« bonnette » de Sainte-Catherine mais, malgré les quolibets de sa famille – et surtout maintenant qu'elle savait que son père n'arrivait pas à poursuivre une relation amoureuse –, elle n'allait plus s'inquiéter. Son unique préoccupation était la vie tumultueuse de Rose.

Anna écouta avec une extrême empathie le récit de son père en le ponctuant de quelques courts hochements. Quand il eut terminé, elle lui réitéra son amour avant d'avouer n'avoir jamais accepté que Carmélie remplace sa mère, quels qu'en soient les motifs. Puis elle commanda un troisième gin tonic qu'elle buvait toujours à la paille, les yeux rivés sur la bouche de son père. Elle était un peu éméchée, et cela se voyait par ses rires fréquents et souvent inappropriés.

Adriano comprit qu'Anna avait aussi hérité de l'alcoolisme de sa mère, mais tâcha de s'en dissuader.

– Maintenant, ma chérie, qu'as-tu à me dire au sujet de ta sœur ? Où travaille-t-elle, dis-moi ?

Anna leva les yeux. Elle avait promis de ne rien dire. Mais elle en avait assez de toujours mentir pour sauver sa sœur.

– Elle travaille dans un grill dans le Red Light.

– Un quoi ?

– Un cabaret.

– Et que fait-elle dans un cabaret ? Rose voulait être institutrice, puis médecin. Et la voilà qui travaille comme barmaid ?

Le ton montait. Adriano voyait des flashs inonder sa tête. Anna continuait à boire. Elle commanda un autre verre. Son père voulut l'en empêcher.

– Pas barmaid, p'pa. Rose, elle danse.

– Elle… elle danse ? Elle danse le flamenco ou…

– Elle danse nue dans un bar.

– Et tous les hommes la voient ainsi ?

– Tous les hommes, ouais. Elle gagne jusqu'à cent dollars par nuit. Elle n'est pas dans la misère, au moins. P'pa ! Arrête de t'en faire. Rose est une bonne fille. Elle aime ça, danser.

Il prit le temps d'inspirer profondément et dit :

– Dis-moi où !

– Je ne peux pas. J'ai promis. Toute ma vie, il n'y en avait que pour la petite Rose. André Duhamel ne voyait qu'elle. « Ma petite Rosie » qu'il l'appelait. Elle dansait toujours à la maison. Je suis sûre qu'elle dansait pour lui. Tu aurais dû lui voir les yeux, p'pa ! Il la dévorait. Il aimait la regarder. Quand elle avait treize ans, il lui demandait de danser et il la regardait comme un vieux porc. Moi, je te jure que j'étais inquiète pour elle. Maman avait recommencé à boire à cette époquelà. Il a dû dépasser les bornes parce qu'un soir, elle l'a mis à la porte. Fini le critique d'art ! La carrière de maman s'est éteinte à compter de ce jour. Il était… comme notre père. C'est à peine si Rose se rappelait de toi. Il s'est occupé de nous, il nous a acheté des cadeaux, des belles robes, il était fier de nous montrer à ses collègues de travail. Et il aimait maman. Mais il a fallu qu'il se comporte comme un maudit pervers.

– C'est Blanche qui t'a raconté ça ?

– Non, c'est Rose. C'est elle qui m'a tout avoué quand je lui ai reproché de danser nue pour les gros porcs qui se frottent le ventre sur les petites filles fragiles.

– Pourquoi tu ne m'as pas appelé, Anna ?

– Elle m'avait fait jurer que jamais je ne t'en parlerais. C'est ma sœur, p'pa !

Et Anna pleurait comme une fontaine, son rimmel créant une rigole le long de ses joues fardées. Adriano la revit quand elle avait trois ans et que son canari s'était écrasé dans le fond de sa cage lors d'un vol raté. Comme ils avaient été longs à apaiser, ces pleurs accompagnés de petits hoquets.

Il poussa le gin tonic et alla s'asseoir juste aux côtés de sa fille aînée, espérant la consoler. Les gens de la table voisine les regardaient s'étreindre, Anna en larmes et Adriano tentant de l'empêcher de pleurer.

Il commanda un café très fort et demeura silencieux durant tout le temps qu'il fallut à Anna pour reprendre contact avec la réalité.

Il se revit tenant la main d'Antoniana, quittant la maison de Porto San Giorgio, le cœur en compote de devoir quitter son enfance, son ami Marco Ferrovecchio, la jeune institutrice qu'ils observaient tous les deux sur la dernière branche de l'arbre tordu, la mer de tous les dimanches, la jolie Florentina que l'oncle Fabrizio n'avait jamais été capable d'aimer avec sincérité. Il se rappela combien il avait l'impression d'avoir été un enfant heureux, un petit garçon que l'on considérait souvent comme un grand, tellement on l'imaginait comprendre les adultes. Ainsi lui était-il permis de croire qu'il avait été un homme choyé puisqu'il avait aimé des femmes admirables. L'épine dans son pied était née des tractations malhonnêtes de son oncle et de l'héritage maudit qu'il lui avait légué sans lui avouer qu'il souhaitait qu'Adriano le remplace à la tête de sa bande de corsaires. Voilà que chaque fois que la pègre était coupable de diriger le jeu, la prostitution ou les fumeries d'opium, l'inspecteur Guérin allait le soupçonner, lui. Cela allait devenir intolérable.

Adriano saisit sa fille et la pressa contre lui avec tout l'amour du monde.

– Alors, voilà, Anna! Un papa et sa grande fille, voués à un grand désespoir. Je t'aime. Tu ne dois pas m'arrêter. Je dois continuer à avancer sans regarder derrière moi. Tu dois faire la même chose.

– Avancer et ne pas regarder derrière. Oui, tu as raison.

•

Adriano déposa Anna devant la maison où il avait vécu avec ses filles et Bianca sans se soucier des douleurs que lui causaient les souvenirs. Il se dit:

– Je vais te trouver, Rose Scognamiglio! Même si ça me prend dix ans!

· Il s'entendit avec Rachel: il allait ratisser tous les endroits malfamés du Red Light de Montréal avec, pour seule ambition, de retrouver Rose. Sa petite fleur qui n'avait pas vraiment connu son papa à l'âge où un certain docteur Freud avait déclaré que les petites filles étaient éperdument amoureuses de leur papa. Avant de quitter définitivement Montréal comme l'avait fait avant lui Paul-Émile Borduas.

Adriano voulait réparer au moins les torts faits à Anna et Rose. Il décida de faire un chèque à chacune de ses filles. Celui de Rose – qu'il lui remettrait en mains propres lorsqu'il la retrouverait enfin – serait conditionnel à ce qu'elle se déniche un emploi noble ou qu'elle retourne sur les bancs de l'université. Elle devait abandonner la danse dans les cabarets qui se trouvaient, évidemment, sous la tutelle de la mafia.

Ce soir-là, il rêva que Rose se faisait toucher sur ses parties les plus intimes par des centaines de mains d'hommes vicieux. Il essayait de la tirer en bas d'une scène miteuse afin de s'enfuir avec elle. Rose avait cinq ans et elle tendait les bras vers son père en gémissant. Quand il s'éveilla, Rachel avait posé la main sur son front moite.

– Mon amour, tu as fait un cauchemar !

Il se blottit contre elle en pleurant comme un petit garçon.

– Je commence ce soir. Tu as la liste des bars où des filles dansent à poil ?

– Tous ici. Ça n'a pas été facile. Personne ne se vante de ce genre d'activités. J'ai appelé une amie qui travaille au bureau de moralité du maire Drapeau. Elle m'a envoyé la liste : Le Roxy, Le Bijou, le Blue Sky. Elle a même inscrit Le Faisan Doré. On m'a dit qu'il y a des chanteurs connus mais aussi des prostituées qui sollicitent les clients. Elle a dit de commencer par Le Petit moulin rouge et Le Chat pendu. Je ne lui ai pas dit pourquoi j'avais besoin de ces adresses. Je lui ai plutôt raconté que ma cousine était membre des Filles d'Isabelle et qu'elle voulait tenter d'aider ces pauvres filles à s'amender. Ça marche toujours, les actions charitables. Quand tu auras trouvé ta fille, tu me jures que nous partirons pour New York ?

– Je te le jure.

●

À la radio, une nouvelle qui avait pu paraître anodine à la plupart des auditeurs et même à Rachel, revêtit une grande importance pour Adriano. La police venait d'arrêter Pascale D'Errice et Gustave Petrecca, deux agents de l'immigration, accusés d'avoir privilégié des centaines de demandes d'Italiens voulant s'installer au Canada à la condition de leur verser un pot-de-vin de 1 000 $. Ils étaient sous enquête depuis 1953 et lorsque les autorités eurent les preuves suffisantes, D'Errice et Petrecca n'eurent d'autre choix que d'avouer.

Adriano l'avait affirmé : il était devenu un véritable Canadien français mais demeurait très sensible à la cause de l'immigration italienne. L'oncle Fabrizio avait déjà évoqué le nom de Gustave Petrecca comme étant l'un de ses collaborateurs.

– Je vais finir par croire que les journaux ont raison au sujet des Italiens.

– Quoi donc, mon amour ?

– À tous les jours, la mafia se creuse une niche de choix dans l'actualité.

– C'est parce que les journalistes ne te connaissent pas. Tu es si gentil et si honnête.

– C'est bien ça le pire. Ils ne me connaissent pas.

Il embrassa fougueusement Rachel, aussi amoureux qu'aux premiers jours.

– Je dois aller chez l'encadreur. Je serai de retour pour le dîner, c'est promis.

Rachel se fixa à lui en feignant de pleurer.

– J'ai toujours peur que tu ne reviennes pas.

– J'ai aussi hâte que toi de revenir, ma *dolce*.

En direction de la rue Saint-Denis où se trouvaient les Encadrements Bédard, Adriano eut une vilaine impression : celle d'être suivi. Au coin de la rue Sherbrooke, il passa de justesse au feu jaune et la voiture qui le suivait brûla le feu rouge et c'est à cet instant précis qu'il comprit combien il avait raison. Un homme portant un galurin noir le suivait.

Arrivé devant la boutique de l'encadreur, la voiture s'immobilisa derrière la Chevrolet et Adriano n'en sortit pas tout de suite, préférant donner une chance à l'individu de se dévoiler. Il regardait dans le rétroviseur et reconnut sans peine, dès qu'il fut assez près, Rodolphe Guérin. Une autre voiture suivait avec deux collègues qui avaient l'allure d'une paire de gorilles. L'inspecteur s'approcha de la Chevrolet et apostropha Adriano.

– Vous êtes comme une couleuvre, ces temps-ci, monsieur Sci… sca…

– Appelez-moi donc Adriano, puisqu'il devient évident que nous sommes devenus intimes, vous et moi, monsieur l'inspecteur.

– Vous allez nous suivre au poste, bâilla le premier gorille qui approchait à la demande de Guérin.

– Pourquoi ça ? Vous avez un mandat d'arrêt ?

– Non, mais j'ai une invitation de la part de mon supérieur qui voudrait rencontrer le célèbre peintre et l'interroger sur son alliance avec la mafia. Vous nous suivez, A-dri-a-no ?

– Je ne suis pas membre de la mafia. Vous n'avez aucune raison de m'interroger.

– C'est au sujet du dossier de l'immigration italienne. Il y a un réseau bien organisé qui facilite l'entrée au pays d'immigrants italiens. Votre nom a été évoqué. Par un certain Marco Ferrovecchio qui a dit que vous l'attendiez.

– Marco ? Mais bien sûr que je l'attends ! C'est mon grand ami d'enfance, monsieur l'inspecteur. Il sait que je suis à Montréal. C'est vraiment étonnant. Mais c'est vous qui m'apprenez qu'il est ici. Je vous jure que j'ignorais tout à fait qu'il voulait vivre à Montréal. Je suis bien content. Mais je n'ai rien à voir avec l'immigration.

– Le dossier de Marco Ferrovecchio a été traité par Gustave Petrecca qui a été arrêté.

– Mais je n'ai rien à voir là-dedans, que je vous dis ! Je n'ai jamais rencontré Petrecca de toute ma vie ! Mais Marco, je lui ouvrirai mes bras et ça ne lui coûtera pas un rond !

Rodolphe Guérin fut tellement interloqué qu'il retourna dans sa voiture banalisée. Ses deux hommes firent de même. Adriano crut percevoir un moment de découragement dans la figure de l'inspecteur, comme un chat qui vient de rater une souris.

Adriano ressentait malgré tout une grande joie. Ainsi, son ami Marco était au Canada. Adriano n'avait rien à redouter de cette nouvelle. À moins que lors de certains interrogatoires, il aurait fait à l'inspecteur quelques révélations sur son enfance à Porto San Giorgio. Il pouvait se fier à Rodolphe Guérin pour prendre en note tous les détails d'une conversation, tous les éléments pouvant mener à une preuve de ses prétentions malheureuses et si Adriano lui avait parlé de Marco Ferrovecchio, le policier s'en serait rappelé. Et s'il inventait toute cette histoire d'immigration pour piéger Adriano ? Et s'il prévoyait qu'Adriano se mettrait à la recherche de son ami d'enfance pouvant le mener à d'autres membres de la mafia montréalaise ? Et si l'inspecteur Guérin cherchait à obtenir la médaille d'honneur de la police en résolvant la plus grande intrigue de l'arrivée des immigrants italiens au pays ? Adriano se promit tout de même de partir à la recherche de son ami Marco. Quel bonheur ce serait de l'avoir devant lui, de lui serrer la main et de se rappeler tous les souvenirs d'hier !

Il était deux heures et demie.

– Que t'est-il arrivé ? J'étais morte de peur !

– Une longue discussion avec un ami. J'aurais dû t'appeler.

Adriano n'avait nullement l'intention de dévoiler quoi que ce soit à Rachel concernant sa vie antérieure et encore moins les soupçons qui pesaient contre lui. Rachel représentait une nouvelle et bienheureuse étape de sa vie. Il avait vendu quelques tableaux lors de sa dernière exposition et cela, ajouté à ce qui lui restait de ses propres économies et de la maigre somme constituant l'héritage de sa grand-mère, il pourrait très bien se débrouiller. La tête libre de toute contrainte due au legs de l'oncle Fabrizio et sachant Carmélie et ses fils sans difficultés financières, il se sentit désormais armé pour le bonheur. Et puis, Rachel avait bien quelques milliers de dollars qu'elle avait économisés et qu'elle n'hésiterait pas à partager.

Carmélie avait risqué gros en déposant les billets offerts à son mari par les sbires de Fabrizio, mais sa relation avec Francesco Lombardi, le directeur de la banque où elle faisait des affaires, avait été à ce point bénéfique, occultant ainsi toute apparence de fraude, qu'elle avait le droit de bénéficier de tout le confort possible. De son côté, Adriano était soulagé des remords qui auraient pu ombrager son avenir. Il voulait commencer une nouvelle vie sans les côtés sombres. Il renonçait donc à sa famille italienne. L'inspecteur Guérin n'aurait ainsi aucune raison de le soupçonner de quoi que ce soit.

– Prépare-toi, mon amour. Dès que j'ai cueilli ma Rose, nous partons pour New York. J'ai écrit à mon ami Borduas qui nous a dégoté un appartement à Manhattan sur la 69e Rue Est, à quelques minutes de Central Park. Un grand appartement avec un atelier.

– Tu connais bien Borduas?

– Je ne l'ai fréquenté qu'une fois ou deux. Mais nous avons discuté d'un élément que je juge très important pour moi. Il m'a dit que Montréal, c'est le point central du Canada, mais que New York est le centre géographique ouvert à tout l'univers. New York, ma chérie, ne doit rien aux peintres canadiens, c'est nous qui lui devons tout! C'est ce que j'ai expliqué à ma fille et à Carmélie: dans la vie des peintres, on parle toujours de la période New York comme on parle aussi de la période Paris. Ce sont des lieux saints pour le mouvement de la peinture canadienne. Et c'est ce que je veux, Rachel. Exposer comme Borduas à Londres, à Paris, à Bruxelles, à Düsseldorf, mais aussi à Montréal. Nous allons vivre près des grandes galeries et nous allons rencontrer des peintres excessifs comme Pollock et peut-être parleront-ils de mes aquarelles dans la douzaine de magazines d'art. Borduas et Riopelle ont vécu quelque temps à New York et ça leur a ouvert les portes, toutes les portes! Je ne veux pas demeurer un petit Canadien, mais un peintre du monde.

Dans la lettre que lui avait écrite Paul-Émile Borduas, il y avait davantage. Le peintre exposait à la galerie Dominion de Montréal avec Riopelle, Paul V. Beaulieu et Lewellyn Petley Jones. L'exposition *Quatre peintres canadiens à Paris* était à l'affiche du 25 septembre au 16 octobre.

– Mais nous serons partis, toi et moi. Avec toi, je ne suis pas inquiet. Je sais que nous aurons une belle vie.

– Je le sais aussi. En attendant, je n'aimerai pas que tu te promènes dans les cabarets enfumés où les filles vont tenter de te séduire. Je vais tellement m'inquiéter !

– Je le fais pour ma fille, Rachel. Quand tu vas la connaître, tu vas comprendre comment j'ai pu me sentir. Surtout que… que l'homme qui a vécu avec sa mère, quand je l'ai quittée, a…

– Qu'est-ce qu'il a fait ?

– Il a abusé de ma petite Rose. Il s'est servi d'elle pour assouvir ses bas instincts.

– Tu le connaissais ?

– Plutôt, oui. Un critique d'art à qui Blanche doit toute sa carrière. Sans le savoir, je les ai offertes toutes les trois en pâture au méchant loup.

– Mon Dieu ! s'exclama Rachel.

•

Au téléphone, les interlocuteurs des deux premiers établissements ne voulurent pas divulguer le nom véritable de *leurs filles,* même si Rachel disait être une mère éplorée cherchant sa fille unique qui était d'âge mineur. Elles avaient toutes un nom d'emprunt, selon eux. Et personne n'éprouva de pitié pour elle.

Adriano passa donc à l'action. Au Hollywood, il dut assister à tout le spectacle et ne vit pas Rose. Chez Marcel, rue Ontario, il ne la vit pas non plus. Au Montreal Grill sur Sainte-Catherine, pas l'ombre d'une Rose. Au moment d'entrer au Cabaret Frolics, Adriano sentit qu'on lui attrapait le bras pour l'entraîner vers le stationnement. C'était une soirée chaude, trop chaude pour un 20 septembre. Il reconnut l'inspecteur Guérin qui avait un visage victorieux : il était convaincu d'avoir mis la main sur un membre de la mafia montréalaise, peut-être même un rejeton de la section américaine, qui passait en revue les bordels de l'Est de Montréal. Il avait tout tenté pour incriminer Adriano, engoncé dans ses certitudes que Scognamiglio avait quelque chose à voir avec le crime organisé et qu'il avait hérité de cette tâche du célèbre Fabrizio Bazzarini.

Adriano tenta des explications, qui représentaient la vérité pourtant, mais l'inspecteur ne le crut pas. Les menaces se mirent à fuser. La mafia contrôlait la prostitution à Montréal, et chaque établissement présentant des danseuses, même si Jean Drapeau tentait de les faire fermer par tous les moyens, devait recevoir la visite d'un membre influent. Il le tenait enfin !

– C'est évident, Adriano ! Je vous suis depuis des semaines et je pense que vous êtes responsable de ce secteur. Je vous ai vu sur Ontario, sur Sainte-Catherine. Venez pas me dire le contraire ! Qui est votre supérieur ? demanda Guérin en ordonnant à un policier de lui passer les menottes.

Adriano n'en revenait pas. En y réfléchissant, il n'arrivait même pas à discréditer l'inspecteur Guérin qui avait toutes les raisons de croire à sa théorie. Tous ses arguments reposaient sur des faits clairement observables et ses accusations, sur des preuves solides. Adriano lui demanda la permission d'appeler Rachel dans une boîte téléphonique, ce à quoi Guérin consentit. Quand il l'eut au bout du fil, il demanda à Rachel d'expliquer à l'inspecteur les raisons qui l'avaient entraîné à visiter ces établissements malfamés. Elle lut aussi la liste des autres cabarets où Adriano devait se rendre les jours subséquents. Elle dut paraître convaincante puisque une fois de plus, l'inspecteur Guérin relâcha Adriano comme un gamin qui doit remettre un jouet à son propriétaire.

— Je vais finir par vous coffrer, Adriano !

— Mais je n'ai rien à me reprocher, inspecteur. Je suis un artiste. Un artiste a toujours les apparences de magouiller, mais il n'en est rien. Tenez, voici mon adresse à New York. Je m'en vais y vivre à compter du 27 septembre. Si jamais vous passez par là, venez me faire un petit coucou. Je serai sans doute accroché dans une galerie près de chez moi.

Adriano quitta l'inspecteur, puis retourna à la maison où l'attendait une Rachel follement angoissée. Mais, bon Dieu ! Quel homme étrange que ce bel Italien !

●

Ma pauvre et chère grand-maman,

Ton fils Fabrizio, qui doit sûrement se trouver à tes côtés en ce moment même, a, j'en suis certain, tout orchestré pour que je lui succède à la tête de la famiglia. *Hélas, il m'a mis dans de sales draps, tu peux le lui dire ! L'inspecteur Rodolphe Guérin n'en démord pas : je serais le nouveau parrain de la mafia montréalaise, elle-même* dirigée par des chefs américains. Les journaux sont eux aussi aux aguets et lancent tous azimuts des informations qui le confirment. Le blanchiment de faux billets tout autant que l'argent de la drogue, l'immigration italienne soumise à de nombreux pots-de-vin, la protection des restaurants et des bars ou pire, la gérance de la prostitution, seraient l'affaire de nos compatriotes.

Depuis le départ fortuit de ton Fabrizio, tous les soupçons fondent sur moi, même si je ne suis coupable d'absolument rien ! D'après ce que tu m'as seriné toute ma jeunesse, tu devrais, de là-haut, être investie du pouvoir de me sortir de mes emmerdements ! L'inspecteur m'a interrogé autant qu'il a pu et il n'a pas pu tirer quoi que ce soit de mon témoignage si ce n'est que la vérité, tant j'avais des alibis pour tout. À cause de lui et de ses damnés soupçons, cependant, je n'ai pas pu retrouver ma Rose pour lui dire que je l'aime et la convaincre d'abandonner ce métier de putana ! Je n'ai rien à voir avec le monde de la mafia, grand-mère. J'ai même renoncé au reste de mon héritage afin de vivre une existence sans reproches avec celle que j'aime. Ah, comme tu aimerais Rachel ! Elle est tout ce que j'ai aimé de Bianca et de Carmélie et plus encore. Elle possède un sens inné du beau, de la création, et elle comprend tout ce que je suis.

Nous partirons moins riches qu'avant, mais le cœur libéré de nos souvenirs, prêts à explorer le monde. Rachel connaît New York et aussi Paris, car elle y est allée juste après moi. Nous aurions pu nous rencontrer au Square du Vert-Galant ou Place des Vosges. Dieu a voulu que ce soit lors de mes cours de peinture et m'a foudroyé pour que j'en tombe amoureux. Comme ça s'est passé pour toi et grand-père Emilio.

Nous allons partir bientôt pour New York où je tâcherai, avec ton aide, de me frôler à l'œuvre remarquable des peintres canadiens qui y sont allés, Borduas en tête mais aussi Riopelle, Dallaire ou Paul V. Beaulieu qui ont trouvé dans cette ville magnifique leur raison d'exister.

Adriano

PS: J'ai omis de te dire que j'ai réglé mes comptes avec tous mes fantômes du passé. Une nouvelle vie m'attend sans toi, sans ma mère ni mon père et sans Fabrizio. Je demeure quand même ton bon petit-fils.

Autre chose: j'ai peut-être retrouvé mon ami Marco Ferrovecchio. D'après l'inspecteur Guérin, Marco serait arrivé à Montréal. Mais rien de moins sûr. Je le croirai quand je le verrai. Je serais l'homme le plus heureux.

13

La veille du départ pour Manhattan, Adriano s'échappa une heure à peine pour se rendre chez André Duhamel. Ce dernier fut très surpris de le voir dans l'entrebâillement de la porte, mais il l'invita tout de même à entrer.

Avant même d'ouvrir la bouche, Adriano lui asséna un coup de poing sur la mâchoire qui le cloua à la moquette, le laissant knock-out.

Quand enfin la police arriva, mandée par la voisine, Adriano et Rachel étaient déjà au-dessus de l'Atlantique.

Guérin interrogea Duhamel parce que madame Charrette lui avait affirmé que le « méchant » avait un accent italien comme son boucher du Marché Jean-Talon. André Duhamel, lui, jura ne pas connaître son agresseur ni d'Ève ni d'Adam, invoquant une erreur sur la personne. Les remords d'un critique d'art étant parfois de très bon conseil.

– Tu as mal, mon amour ? lui demanda Rachel en lui bécotant la main.

– Pas du tout. Rendu à notre appartement, cet accident ne sera plus qu'un mauvais souvenir.

●

New York ne ressemblait à aucune autre ville. On aurait dit un octopus étirant ses tentacules vers le ciel. La statue de la Liberté ressemblait à une veilleuse qui attendait, pour allumer sa lanterne, que le soleil se couche.

Adriano eut un long frisson lorsqu'il songea que la gloire était là, dans cette ville américaine ouverte à la planète, centre des arts de toutes formes, mais surtout ouverte à l'expression moderne d'où s'élevaient toutes les tendances.

Le grand meublé de la 69ᵉ était au deuxième étage d'une maison victorienne propre et accueillante. Elle avait quelques points en commun avec la maison qu'il avait achetée avec Carmélie à Verdun. Mais tout lui était étranger : l'air, les rues, les trottoirs, les gens, les immeubles. Rachel était émerveillée. Elle touchait toutes les boiseries, passait la main sur le dos des allèges des fenêtres qui éclairaient l'appartement avec une teinte bleutée presque irréelle, s'approchait d'un pas rapide d'une tête de lion sculptée dans le fronton du foyer, touchait les meubles d'une autre époque, s'amusait de son reflet dans le vaste miroir, et finit par remercier

Adriano d'avoir dégoté un lieu aussi charmant pour satisfaire ses goûts plutôt éclectiques. Adriano se rendit immédiatement dans l'atelier dont Borduas lui avait vanté la lumière et l'espace. La pièce avait dû servir pour la création de vêtements pour femmes s'il se fiait aux petits échantillons de tissus roses ou jaune paille qui avaient échappé au balai de la concierge. La table de bois avait apparemment subi l'assaut de centaines d'épingles. Adriano apprécia l'endroit et sentait qu'il allait y être heureux. La chambre principale était elle aussi très spacieuse et le lit était habillé avec classe dans les tons de vanille et de bleu. Une dizaine de coussins tachetés venaient souligner le bleu du plafond et le beige des murs fraîchement repeints avant leur arrivée. L'endroit représentait exactement ce à quoi ils avaient rêvé. La cuisine ne payait peut-être pas de mine, mais tout y était. Rachel ouvrit les armoires en laissant échapper des sifflements de surprise.

— Ah, nous allons être heureux ici. Il y a même des livres dans la bibliothèque. Adriano, je pourrai perfectionner mon anglais. Et m'occuper de ta carrière. Tu vas peindre des chefs-d'œuvre dans cette maison ! Je suis certaine que New York t'accueillera comme peintre comme elle a accueilli les autres. Nous allons en accrocher des dizaines dans notre appartement et nous inviterons des gens à dîner et ils verront combien tu es le meilleur aquarelliste au monde !

Adriano aurait aimé la croire. Il savait que les choses ne se passaient pas toujours comme on le souhaitait et que le travail n'était qu'un aspect de la réussite. Il fallait qu'il trouve un agent qui accepterait de travailler pour lui et ainsi, l'introduire auprès des mécènes du milieu artistique. Borduas lui avait parlé de Martha Jackson et de son influence décisive. Il fallait d'abord la séduire, elle. Après cela seulement, New York serait à lui.

C'est plutôt Amy Featherstone qu'il rencontra lors de sa première visite dans une boutique de matériel d'artiste. Elle était en train d'épingler une invitation à une rétrospective des œuvres du peintre John Atkinson Grimshaw qui allait se tenir chez G. Arthur Tooth à Londres. Adriano l'interrogea sur le bien-fondé d'annoncer cette exposition à New York. Elle lui répondit que beaucoup d'Américains aimaient se rendre à Londres pour ce genre d'événements. Elle se présenta et ajouta sans gêne s'occuper de la carrière d'une demi-douzaine d'artistes qui vivaient dans Manhattan. Quand elle réalisa qu'Adriano était en réalité un peintre du Canada, elle lui parla aussitôt de Borduas.

– C'est lui qui m'a trouvé l'appartement de la 69ᵉ Rue. Il avait une amie qui y a vécu jusqu'à récemment.

– Je sais. La peintre Lee Krasner y a vécu durant une année. Après la mort de son mari Jackson Pollock il y a un peu plus d'un an, elle est déménagée pendant la réfection de leur maison à East Hampton.

– Je suis honoré d'habiter son ancien appartement. Si je pouvais rencontrer la personne qui me pousserait jusqu'au firmament, comme on dit.

– Mais je la connais, cette personne !

Adriano la fixa avec intérêt.

– Elle est devant vous. Je cherchais justement un nouvel artiste à promouvoir. Je vais aller voir vos tableaux et prendre ma décision, si vous acceptez, bien sûr.

– J'ai apporté deux ou trois catalogues de mes anciennes expositions à Montréal. Je vous appellerai dans quelques semaines, quand j'aurai du nouveau matériel.

Il griffonna son adresse sur une feuille de son calepin puis serra la main d'Amy Featherstone, remerciant le ciel qu'elle puisse se débrouiller en français. Pour sa part, Amy avait surtout été impressionnée par le fait que ce soit Paul-Émile Borduas qui lui ait recommandé Manhattan et l'appartement de Lee Krasner. Elle se dit qu'elle devait d'ailleurs présenter ce peintre montréalais à Lee et aux autres peintres émergents lors d'une petite soirée qu'elle entendait organiser chez elle. Adriano semblait lui faire confiance, et elle n'avait étrangement aucun doute quant à son talent. Elle préférait les œuvres « expressionnistes contrôlées » à celles qui relevaient de l'accident, comme elle disait. Pollock, qui préférait le *dripping*, laissant couler la peinture au bout de son pinceau, sans contrôle réel, était dépassé. Il lui fallait du sang neuf.

•

Un soir de tempête, Amy Featherstone arriva chez Adriano et Rachel à l'heure convenue. Elle était nerveuse. Les accumulations de neige, qui ne faisaient pas peur aux Québécois, terrorisaient les Américains qui en avaient moins l'habitude. Amy Featherstone secoua son manteau de toile, retira ses bottes de pluie et gémit comme une petite bête en danger. On aurait dit que dehors tombaient des missiles soviétiques. Rachel l'invita à visiter les pièces qui s'offraient au regard, ainsi que les tableaux d'Adriano fraîchement encadrés. Adriano était également très nerveux. Il espérait tant que cette Amy Featherstone soit impressionnée par ses aquarelles et qu'elle accepte formellement de le représenter. Il était d'avis que tout gérant d'artiste, quel qu'il soit, devait absolument être touché par les œuvres pour ensuite les faire aimer du public. Il trottinait derrière la dame, tenant ses deux paumes à la japonaise, fixant chacun de ses tableaux, prêt à répondre à toutes les questions qui surgiraient. Amy Featherstone ne prononça aucun mot. Elle laissa planer une certaine indifférence, ne posa aucune question, ne porta aucun regard sur Adriano, ce qui aurait pu au moins lui indiquer qu'elle aimait ou encore qu'elle n'aimait pas. Elle fit le tour de chaque pièce puis revint dans le salon.

— Vous permettez que je m'assoie. Je suis fatiguée à cause de toute cette neige.

— Bien sûr. Vous aimeriez un café ou un verre de vin ou…

— Je prendrais bien un verre d'eau avec de la glace.

— C'est vrai qu'il neige beaucoup, glissa Adriano, inquiet.

— Ça ne va pas durer, ajouta Amy Featherstone.

Rachel se rendit à la cuisine et on l'entendit sortir les glaçons, les faire craquer, les laisser tomber dans un verre, puis verser l'eau du robinet. La tension était à son comble du côté d'Adriano. Il songea à Jérémie Toutant quand il avait demandé à grand-mère Antoniana de voir les œuvres de son petit-fils alors qu'elle se plaignait de ne pas avoir eu le temps d'astiquer ses argenteries ni de repasser la nappe. Rachel tenait l'appartement très propre et n'avait aucune crainte que l'enthousiasme de madame Featherstone soit ralenti par un tapis sale ou un grille-pain non éclairci. Elle était certaine que les femmes comme elle ne devaient se concentrer que sur les œuvres d'art. Elle revint avec le verre d'eau rempli de glaçons et s'assit face à la dame qui n'avait, jusque-là, émis aucun commentaire. Allait-elle accepter de s'occuper de l'œuvre d'Adriano ou non? Rachel fut surtout étonnée que son amoureux n'ait pas pris le taureau par les cornes.

Amy Featherstone ouvrit son sac, en sortit un document de quelques feuillets, attrapa une plume et sourit.

– Mes honoraires représentent 10% de vos ventes. Si vous ne vendez pas, pas de salaire pour Amy! Je ferai tout pour que votre œuvre soit reconnue dans le tout New York et ensuite dans tous les États-Unis. Je rédigerai les communiqués pour les expositions, dresserai la liste des invités, rencontrerai les journalistes, vous présenterai aux autres peintres que je représente, je créerai autour de vous un halo de reconnaissance de vos pairs. Le reste est entre vos mains. Me tenir au courant des invitations que vous recevrez et des demandes d'entrevues, me présenter les peintres canadiens qui viendront à New York, vous savez, toute la petite mécanique promotionnelle. De mon côté, je vais faire le plus que je peux. Signez ici, mon chou, et vous, Rachel, signez comme témoin juste sous la ligne, ici.

Adriano était enfin soulagé. Le petit aquarelliste de Kamouraska venait d'entrer dans la cour des grands peintres.

– Dites-moi. Vous voulez être un peintre italien ou un peintre canadien ?

– Adriano veut être un peintre canadien, mais surtout... québécois, comme Borduas ou Dallaire.

– Bien, laissa échapper Amy Featherstone. Vous avez des enfants ?

– Adriano a quatre enfants. Mais nous n'en avons pas ensemble. Et nous n'en aurons pas, affirma Rachel.

– Je vous demande ça, à cause des héritiers. C'est très important, les héritiers, quand un grand peintre disparaît, vous savez. Vous me donnerez leurs adresses. Vous avez un curriculum vitae ?

– Dans les catalogues de mes anciennes expositions, vous trouverez l'essentiel de ma vie depuis mon arrivée à Kamouraska.

– Je m'occuperai d'ajouter ce qu'il y aura de nouveau dans le prochain catalogue, Adriano. C'est comment, le reste ? Scagnomiello ?

– Scognamiglio. Mais je signe Adriano S.

– Oui, j'aime bien. Alors, on se tient au courant. Je vous téléphonerai au moins une fois par semaine et je vous informerai de ma mise en promotion. Vous devez être libre pour les entrevues, vous le savez ?

Adriano acquiesça.

Quand Amy Featherstone quitta enfin, Adriano tomba sur le canapé, soulagé de toute la tension occasionnée par l'absence de commentaires de sa nouvelle agente.

– Jamais elle n'a dit qu'elle aimait mes tableaux, tu te rends compte?

– Si elle t'a fait signer un contrat, c'est qu'elle a aimé, tu ne penses pas?

•

La première exposition, intitulée *Adriano S.*, fut annoncée pour le début du printemps 1958 à la Bodley Gallery qui avait l'habitude de présenter avec beaucoup d'enthousiasme des peintres canadiens parmi son cheptel d'artistes composé de Roy Lichtenstein, Richard Hamilton et Allan Kaprow. Beaucoup plus contemporaine, cette galerie faisait la promotion du Pop Art, mais aussi des styles qui se démarquaient de l'art figuratif.

Quelques semaines avant l'événement, Adriano travaillait dix heures par jour pour créer des aquarelles qui plairaient à la clientèle new-yorkaise habituée à l'expression débridée des peintres du nouveau réalisme, mais également au style bandes-dessinées qui avaient cours vers la fin des années cinquante. Adriano n'aimait pas les affiches hyper-réalistes de Warhol et de Lichtenstein, arguant que leur style était de l'imprimerie ou de la photographie. Il n'aimait pas, non plus, leur tendance à la surexposition de vedettes du cinéma. Il préférait nettement les peintres qui ne montaient pas sur les tables pour que tout le monde les aperçoive. Lui-même était très réticent à se faire voir à tout prix. Il comptait sur Amy Featherstone pour lui créer une image de peintre secret venant du nord de l'Amérique et francophone, en plus.

Il savait que Paul-Émile Borduas et Jean Dallaire avaient tous deux une forte personnalité qui devait remuer les cœurs lors des soirées mondaines, mais ce n'était certes pas son karma à lui.

Un soir que Rachel s'était mise au lit assez tôt en raison d'une grippe, Adriano décida de prendre quelques heures pour aller visiter des endroits susceptibles de lui faire rencontrer d'autres peintres. Il quitta vers dix heures du soir, se rendit à quelques *miles* de son appartement et entra dans un bar où la musique et la fumée se conjuguaient parfaitement pour suggérer un monde underground.

The Showbizz Cabaret était une ancienne école de ballet et semblait avoir plus de classe que les autres endroits qu'il avait aperçus depuis son arrivée. Il entra et s'installa près d'une scène sombre qui n'était pas encore prête pour la présentation du spectacle annoncé. Il commanda un scotch vieilli sur glace et chercha du regard certains types qui lui sembleraient être des artistes, se fiant surtout à leur habillement. Amy lui avait d'ailleurs affirmé que, près de chez lui, plusieurs endroits rassemblaient des artistes peintres et sculpteurs reconnus. Il se mit à bavarder avec un couple installé à une table voisine de la sienne. Il leur raconta être un peintre de Montréal et que son exposition allait se tenir à la fin du mois. Lui était un sculpteur danois et elle, une chorégraphe préparant un spectacle Off Broadway. Lui s'appelait Henrik Rasmussen et elle, née à Paris, se nommait Agnès Maurel. Ils étaient très heureux de pouvoir s'exprimer en français avec un Montréalais et ils s'intéressèrent vivement à ce peintre Adriano qui venait faire carrière à New York.

– New York est le centre névralgique de la création. Quand on a connu cette ville, on ne peut plus reculer : il faut courir vers sa destinée. Vous allez exposer à la Bodley Gallery, alors votre renommée est assurée. C'est entrer par la grande porte. C'est génial, dit Henrik avec enthousiasme.

– Il faut venir souper à la maison avec votre femme.

Elle lui tendit une carte professionnelle.

– Agnès vous fera son bœuf bourguignon au vin de France. C'est un délice, affirma Henrik. Tiens, je vous offre un autre scotch.

Adriano était comblé par cette nouvelle amitié. Sortir de son confort et se mêler au milieu des créateurs, c'est ce qu'il désirait le plus au monde, alors que Rachel préférait vivre en symbiose dans leur appartement et craignait de se mêler aux autres femmes rencontrées dans les lieux publics. Elle préférait arpenter les rues où elle pouvait dénicher de belles boutiques et se risquait parfois à offrir ses services de traduction en français. Mais elle privilégiait cent fois rester sur la 69e Rue Est et contempler les œuvres de son Adriano.

Au bout de quelques heures, vers minuit, la scène s'illumina chichement, et apparurent deux musiciens, un saxophoniste et un contrebassiste. Deux Noirs vêtus de costumes sombres qui les faisaient presque disparaître aux yeux des spectateurs. L'alcool faisait son œuvre. Adriano n'avait pas l'habitude de boire plusieurs scotchs successifs. Il était enjoué et tapotait sur la table quand la musique commença. Un air très jazzé qui fit se serrer les couples grisés. Une fièvre de sensualité se répandit sur la salle quand une jeune fille, belle à croquer (à la manière d'un peintre), s'avança en se déhanchant et en regardant la foule comme si elle était prête à lui faire l'amour. Ses cheveux courts à la frange rectiligne, son maillot pailleté, ses bas résille et ses talons hauts annonçaient une danse voluptueuse. La musique se fit mielleuse et sensuelle. Le saxophone, plus vibrant. Adriano se redressa sur sa chaise et n'osa pas déranger Henrik et Agnès. Ces derniers sirotaient leur cognac en réchauffant le liquide dans leur coupe. Ils semblaient être des habitués de l'endroit et être à l'aise avec ce genre de danse.

La jeune femme osait des gestes érotiques dont elle semblait avoir le secret. Son corps devenait un serpent, ses bras, des tentacules électriques, son bassin, l'ondulation des algues sous les mouvements de la mer. Elle léchait sa lèvre supérieure et la gardait bien humide. Adriano pouvait sentir son parfum qui exhalait jusqu'à sa table. Il remarqua que les hommes autour de lui auraient voulu toucher celle qu'ils appelaient Julia en chuchotant son nom. Plusieurs quittèrent brusquement la salle pour se rendre aux salles de bains. Un spotlight s'alluma et Adriano put ajuster son regard sur la danseuse. Il plissa les yeux puis les rouvrit avec crainte. Qu'elle était belle! Il aurait voulu, lui aussi, s'approcher d'elle et passer du temps à l'embrasser. Il songea à Gertrude Ladouceur et à ses voiles de dentelle, à ses cuisses de satin, à son antre éternel. Julia retira son maillot qui ne tenait que par un *zip*. Un spectateur eut le privilège de lui retirer ses bas de filet, et en miaulant presque, la Julia-de-tous-les-hommes fut complètement nue, et les mouvements de son bassin en disaient long sur ses intentions. Adriano eut tout à coup le désir de retourner rejoindre Rachel et de lui faire l'amour jusqu'aux aurores. Mais Julia le tenait.

Il se leva et fit un effort pour quitter, mais il venait de commander un cinquième Chivas. Il sentit que Julia avait été dérangée par son geste et il fit un signe de la tête pour s'en excuser. C'est à cet instant précis qu'Adriano perdit le sens de la réalité : il venait de reconnaître Rose. Sa Rose qui dansait dans un bar à New York. Elle le reconnut aussi et quitta vivement sous les applaudissements mous d'une foule érotisée. Une autre jeune fille, plus pulpeuse encore, fit son entrée sous des applaudissements encore plus nourris.

Adriano se rendit derrière la scène et cria :

– Rose Scognamiglio!

– *There's no such a girl, here. Go sit right now, sir!* lui répondit un barman.

– C'est ma fille, *my daughter.* Julia est ma petite fille.

Henrik tira Adriano par la manche et quand il vit qu'Adriano pleurait comme un enfant, il dit :

– Viens, tu as trop bu. Nous allons te reconduire chez toi.

Adriano courait maintenant dans le restaurant, tentant de convaincre le personnel de lui rendre Rose. Elle avait disparu. Sortie par l'arrière du bar, dans une ruelle sombre de New York, échappant, une fois de plus, à la surveillance de son père.

Quand enfin il entra et se blottit auprès de Rachel, Adriano ne put se résoudre à la prendre dans ses bras ni à la réveiller, craignant qu'elle ait le désir de faire l'amour. Il se tourna du côté opposé puis décida d'aller dormir sur le canapé de son atelier. Vers quatre heures du matin, n'ayant pu trouver le sommeil, il sortit ses pinceaux de godet et prépara une grande feuille qu'il aspergea généreusement. À toutes les minutes, en sanglotant, il prononçait :

– Rose, ma petite Rose.

Empli de tous les regrets possibles d'avoir éprouvé, bien malgré lui, du désir sexuel en regardant sa propre fille danser, la douleur ne pouvait le quitter. Il avait honte. Comme quand il apercevait Jeanne-Mance se baigner dans la mer à Kamouraska et qu'il voyait pointer ses petits seins sous son chemisier mouillé.

Il prit son stylet et se mit à taillader la surface du papier Arches pour lui donner une texture. En épongeant certains espaces précis à l'aide d'un chiffon, Adriano se mit à y jeter des pigments foncés de bleu et d'ocre qui devinrent araignées, zébrures, traînées longues et fines dans l'eau qui s'asséchait. Il dessina le visage de Rose, en fermant presque les yeux, fit ses seins qui devinrent sourires, son sexe à peu près noyé dans l'encre de ses cuisses, ses jambes longues et galbées qui portaient des talons hauts. Tel que lui avait expliqué Jean Dallaire, il prit des heures à ajouter des pointillés, des formes répétées, des enfonçures créant des paliers de teintes chaudes. Il souligna de noir les yeux de la jeune fille, dessina sa bouche sensuelle et il y ajouta la moue qu'elle exhibait quand la petite fille de cinq ans n'avait pas ce qu'elle voulait. Derrière l'aquarelle qu'il appela *Portrait d'une jeune fille perdue*, Adriano dessina, telle une gravure, de multiples lignes verticales et ajouta, à droite, un magnifique bouquet d'amarantes qui dévalaient de la surface d'une coiffeuse. Dans le miroir, derrière, on pouvait voir la tombée gracieuse du dos de la jeune fille.

Au petit matin, Rachel, les yeux plissés de sommeil, vint le retrouver et apercevant la nouvelle aquarelle, et surtout les yeux d'Adriano gonflés par les larmes, elle murmura :

– Tu as retrouvé ta Rose ?

Il ne répondit rien, pressa Rachel entre ses bras et pleura encore quelques instants avant de lui raconter son aventure. Elle pleura avec lui. Puis alla préparer le petit-déjeuner.

Elle comprit à quel point Adriano pouvait regretter d'être allé dans ce bar et surtout, d'avoir éprouvé ne serait-ce qu'une seconde ou deux de désir pour cette danseuse qui était sa fille.

Il pensa à Blanche qui s'était éloignée de ses filles après s'être guérie de la maladie qui les avait tenues à l'écart durant de nombreuses années et se demanda si, finalement, ce besoin de Rose pour la séduction n'avait pas à voir avec son absence à lui. Il se mit à rire quand il songea un bref instant à André Duhamel qui avait dû se demander ce qui lui arrivait quand un violent coup de poing sur la mâchoire l'avait envoyé valser sur le tapis. Il ne put s'empêcher de comparer ce règlement de comptes avec celui dont avait été victime l'oncle Fabrizio et surtout, tous ceux que ce dernier avait fait subir à une centaine de pauvres types qui ne l'avaient pas vu venir. La vengeance avait quelque chose de gratifiant. La victime sait toujours pourquoi elle en est l'objet. Duhamel n'avait pas dû porter plainte car sinon, les journaux en auraient parlé ou pire, la police serait venue l'arrêter à New York. Une sensation de bien-être l'envahit tout entier. Il avait non seulement réglé ses comptes à un minable qui avait détruit la vie de ses filles plus qu'il ne les avait aimées. Et peu importe les conséquences, jamais il ne regretterait de l'avoir mis K.-O. !

Il devait, dorénavant, retrouver Julia-Rose et cueillir son âme pour la guérir. Pauvre petite amour. Pauvre Rose Scognamiglio.

Il allait chercher partout et la retrouver.

14

Les journaux furent unanimes. L'exposition *Adriano S.* attira le gratin new-yorkais et le lendemain du vernissage, au cours duquel Amy Featherstone allait et venait comme une mouche à fruits autour des critiques et des autres galeristes, Adriano comprit qu'il avait réussi. Invités par sa gérante ou se trouvant là à cause d'une curiosité malsaine, plusieurs partaient du principe qu'un aquarelliste ne devait pas être aussi craquant qu'un peintre à l'huile et avaient déjà le nez en l'air à leur arrivée à la Bodley Gallery.

À la une du *New York Times*, on put voir le *Portrait d'une jeune fille perdue,* œuvre la plus récente du Canadien Adriano S. avec la mention : *An extraordinary portrait of a lost young woman,* et l'article qui l'accompagnait parlait de la douceur, de la féminité, de la tendresse dans le regard du sujet. Le critique fit une comparaison cynique du portrait de Gertrude Stein du peintre Lichtenstein qui avait paradoxalement intitulé son tableau *Portrait of a young man*. Autant Andy Warholl avait habitué ses admirateurs à sa propre féminité dans l'image qu'il voulait exprimer, autant l'écrivaine Gertrude Stein voulait ressembler à un homme. La jolie danseuse d'Adriano venait de joindre les portraits célèbres grandement appréciés par les Américains. On parla des tons de bleu qui envoûtaient *(bewitch),* de la grâce gestuelle qui rassurait, et l'article parlait surtout de la tendresse d'un peintre canadien qui était lui-même le père de deux jeunes filles. On parla avec autant d'enthousiasme de l'exposition dans le *New Daily News* et même dans le *Washington Post*. Dix fois plus d'intérêt que les journaux de Montréal. Ce qui fit dire à Amy que personne n'est prophète en son pays. Heureusement, pensa Adriano.

●

Rachel était aux anges. Elle appréciait d'autant plus d'avoir été choisie par Adriano pour partager sa vie. Il avait 53 ans et elle, vingt ans de moins. Elle aimait son humour, sa tendresse, sa diligence pour les autres, son respect pour sa profession et surtout, il n'était jaloux de personne. Elle comprenait sa douleur de savoir Rose exposée au regard des hommes qui se délectaient de la chair tendre et des gestes provocateurs d'une jeune danseuse offrant son corps aux enchères. Elle était friande des histoires de sa jeunesse, celles qu'il lui racontait, chaque soir, la tête appuyée sur ses cuisses devant le feu du foyer.

La galerie ne désemplissait pas. Les visiteurs se succédaient et chacun insistait pour rencontrer le peintre. Adriano se pliait aux désirs de ses admirateurs en baragouinant un peu d'anglais.

Quelques minutes avant la fermeture, une jeune fille entra, enveloppée dans un long manteau d'une sévérité couventine, baissant les yeux sur ses chaussures, et se posta devant le *Portrait d'une jeune fille perdue*. Elle lut le titre sur le petit carton blanc et leva le regard sur l'immense aquarelle d'Adriano. Amy s'approcha d'elle, intriguée de la voir là, alors que la jeune femme ne figurait pas sur sa liste d'invités. Elle engagea la conversation :

– *Nice, isn't it ?*

– Oui, magnifique, répondit la jeune fille.

Adriano s'approcha, les deux mains devant lui en signe d'accueil. Il retrouvait enfin Rose. Il la pressa contre lui.

– Comme je suis heureux que tu sois là, ma belle chérie. J'ai tellement voulu te retrouver.

Rose pleurait, le visage enfoui dans les plis de la veste de son père.

– Pardon, papa. Je ne méritais jamais ça, ajouta-t-elle en désignant le tableau la représentant. Oui, je suis perdue, papa. Si tu savais comme je suis perdue !

– Tututut ! Je suis là, maintenant. Tu n'as plus rien à craindre. Tiens, voici ma carte, tu vas venir à la maison. Il faut que j'aille donner une entrevue au *New York Post*, mais promets-moi que demain, tu vas venir chez moi. Laisse-moi te présenter ma nouvelle conjointe. Tu vas l'aimer, elle s'appelle Rachel Pinsonneault. C'est un joli nom, tu ne penses pas ? Je l'appelle mon petit pinson.

– Papa…

– Nous sommes ensemble depuis quelques mois et je n'ai jamais été aussi heureux. Elle sait un tas de choses, tu vas voir. Elle te connaît aussi. Je lui ai tellement parlé de toi.

– Papa, écoute…

– Je vais te cuisiner des *pastas* à l'huile d'olives et au parmesan avec des anchois. On va parler toi et moi.

– Papa, je sais que tu es venu me voir danser et…

– Je ne suis pas allé te voir danser. Je suis allé prendre un verre pour rencontrer d'autres artistes et j'étais loin de me douter que cet endroit présentait de la danse aussi suggestive. J'ai été le premier surpris. Je t'ai reconnue et je n'ai pas dormi pendant des nuits complètes ! Heureusement que ta sœur Anna…

– Elle te l'a dit ? Je lui avais interdit de t'en parler. Elle ne sait pas que je suis à New York.

– Ta grande sœur t'aime, Rose. Elle a bien fait. Tu vois, on se retrouve, toi et moi.

– Ne vends pas cette aquarelle, papa. Garde-la pour moi, tu veux bien ?

– Euh… si tu veux.

– Je te la payerai à la fin de l'exposition. J'irai chez toi demain soir. Je ne… je ne travaille pas demain soir.

Rose embrassa son père avant même qu'il ne lui présente Rachel et elle quitta la Bodley Gallery en douce, plus sereine qu'à son arrivée.

– C'est ta fille ? lui demanda Amy Featherstone.

– Oui, c'est mon petit oiseau blessé.

•

À son retour sur la 69e Rue, Adriano reçut un appel de Bruno. Sa grand-mère Souchet venait de mourir d'un œdème pulmonaire. Paul Lefort était inconsolable et tenait à la présence d'Adriano. Celui-ci examina son horaire inscrit au calendrier sur le mur de son atelier. L'exposition *Adriano S.* venait tout juste de commencer, et il voyait d'un mauvais œil de faire faux bond à Amy Featherstone qui se décarcassait pour faire apprécier son nouveau poulain. Il venait aussi de retrouver sa fille et espérait passer quelques semaines pour la déprogrammer et lui faire reprendre la route qui convenait à une jeune fille de bonne famille, la sienne. Il savait qu'il était parti et avait laissé ses filles dans la gueule du loup et sa femme, dans la pire des inconduites possibles. Il avait été incapable de tenir le coup. Blanche préférait l'alcool à tout être humain qui vivait dans son sillage. Quand Carmélie était entrée dans sa vie, il s'était préoccupé du bien-être de ses deux filles. Elles n'avaient pas trouvé leur bonheur, l'une noyant sa sérénité dans l'alcool, l'autre dansant nue dans des endroits malfamés. Il téléphona à Henrik et Agnès et leur demanda d'être présents à la galerie Bodley pour surveiller et répondre aux questions relatives à sa peinture tandis qu'il se rendrait à Montréal en train pour les funérailles. Paul Lefort avait été si présent, si gentil avec lui. Adriano ne pouvait pas le laisser seul avec sa peine qui devait, sans aucun doute, être difficile à surmonter.

Il offrit à Rachel qu'elle l'accompagne mais elle refusa, préférant être à la disposition d'Amy et attendre patiemment le retour d'Adriano. Il se rendit à l'adresse que lui avait finalement fournie Rose, après moult demandes de sa part. Elle avait griffonné un numéro et un nom de rue, près de Harlem, dans le quartier le plus indigent de New York.

– Appelle-moi juste si c'est important ! avait-elle insisté. C'est la concierge qui répond et elle doit venir me chercher trois étages plus haut. Elle a de grosses fesses et elle monte avec difficulté, avait-elle ajouté en riant.

●

Rendu à la Gare Centrale, il put apprécier la vastitude des lieux et la modernité que l'on ne pouvait comparer à la *Grand Central Terminal* de Manhattan qui, elle, était de style ancien, composé de colonnes ouvragées, de traverses sculptées et d'ornements d'une autre époque, comme un aigle d'acier aux immenses ailes déployées. Il se rappela que lors de sa construction, Edmond Dyonnet avait dit qu'elle constituait la huitième merveille du monde avec ses structures de verre et de fer, rivalisant avec la Tour Eiffel. Dyonnet adorait New York. Mais il trouvait que les architectes montréalais ne voyaient pas plus loin que le bout de leur nez quand il était question de beauté et de pérennité, ni qu'ils savaient allier les beaux-arts et les structures du domaine public. Mises à part les églises catholiques qui, depuis leur construction, permettaient aux artistes de dévoiler leurs talents de sculpteurs et de peintres comme si, au Québec, il n'y avait qu'elles pour servir de salles d'exposition permettant aux habitants du pays d'apprécier leurs artistes.

À Montréal, il attendit dans la salle des pas perdus en observant les voyageurs attachés à leur valise. Il attendait Anna. Au bout d'une demi-heure, il l'aperçut, attablée à un petit troquet où les gens trop impatients passent le temps, un verre à la main. Elle ne le cherchait même pas du regard comme lorsqu'on accueille un voyageur dans une gare.

– P'pa ! T'es déjà arrivé ? Je suis contente de te voir. Je finis mon verre et je t'emmène à la maison. Tu ne vas pas être trop mal à l'aise de revenir dans ton ancienne maison ? On n'a pas changé grand-chose, tu sais, mon petit papapon ! Comme tu as changé, dis donc !

– Tu es soûle.

– Mais non, je suis seulement heureuse de te voir. Je ne bois presque plus. Un verre de temps en temps. Avec une montagne de glaçons. Tu en veux un ?

– Anna, il faut s'en aller. Paul m'attend avant d'aller au salon funéraire. Je lui ai promis.

– Bon, en route, la troupe !

– Je vais conduire. Tu as l'auto de ta mère ?

– Non, la voiture de Paul et de ta belle-mère décédée. Tiens, la mer morte, je connais ça.

Adriano revivait ses années d'enfer avec Blanche. Anna était ivre et il voulait être auprès de son ami le plus tôt possible. Il lui arracha le trousseau de clés, se rendit au stationnement de la gare, repéra la voiture de Paul sur les indications d'Anna et fila jusqu'à la rue Danton. Ils ne parlèrent pas. Il ne lui dit pas qu'il avait retrouvé Rose à New York. Il ne lui parla pas de Rachel non plus. Muet comme une carpe. Ne sachant pas comment briser ce malaise entre sa fille et lui. Il était cent fois plus à l'aise avec Rose. Peut-être parce que sa petite fille lui avait avoué la vérité et qu'elle voulait réellement s'en sortir. Tandis qu'Anna n'avouait rien du tout.

•

Paul Lefort accueillit Adriano comme un fils prodigue. Son visage était changé, ses traits tirés et sa bouche soulignée d'un rictus douloureux. Il prit Adriano dans ses bras amaigris. Même ses jambes avaient perdu leur solidité. Il continuait malgré tout à diriger les cuisines et espérait que ses belles-filles n'aillent pas le congédier ou, pire, vendre le restaurant. Il n'y avait plus d'expositions d'artistes et l'atmosphère du restaurant avait beaucoup changé depuis qu'Adriano était parti à New York.

— Je suis tellement heureux de te voir, mon Adriano. Je te dis que la famille se disperse depuis que tu n'es plus avec Carmélie. Elle a fait une dépression, comme de raison. Bruno et Émile sont heureusement de bons enfants, tu sais. Ils s'occupent bien de leur mère. Et toi, tu es heureux, au moins? Tu n'as pas regretté ta décision?

Adriano baissa les yeux. Il était venu de New York pour lui et pour ses fils.

– Ils seront là à l'ouverture du salon funéraire à deux heures. Ils ont de la peine d'avoir perdu leur grand-maman, je te le dis. Bruno a dit qu'il avait l'impression d'avoir été abandonné deux fois de suite. Ça arrive tout en même temps. Ton départ, celui de Madelon...

– Paul, je suis venu pour vous apporter mon support, pas pour entendre des reproches. Ma carrière va très bien.

– Tes amours?

– Mes amours aussi. Je suis heureux comme jamais je ne l'ai été. J'ai aimé Carmélie à la folie, tu le sais. Je l'aime encore, et ce sera très difficile de la revoir. Je suis là pour toi, pour mes fils. À New York, j'ai une exposition en ce moment. Et je dois retourner pour la fin de semaine. Il suffit d'un rendez-vous manqué pour foutre toute une carrière par terre!

Paul serra la main d'Adriano avec beaucoup d'intensité et pleura doucement durant de longues minutes. Puis le directeur du salon vint l'avertir que des gens étaient arrivés. Carmélie entra avec Bruno et Émile la soutenant. Pierrette, Camille et Louison suivaient derrière, le visage défait. Quelques personnes s'ajoutaient à la file des amis de Madelon Souchet. Quand elle aperçut Adriano, Carmélie pleura deux fois plus. Elle s'approcha de lui en lui signifiant que sa mère n'avait pas accepté sa séparation d'avec Adriano.

— Elle n'a pas compris que tu nous aies abandonnés, tu comprends?

— Tu ne vas pas m'accuser d'être responsable de sa mort, Carmélie! Tu m'as tellement dit que tu comprenais, que tu voulais que je réussisse ma carrière de peintre. Et bien, je ne sais pas si les nouvelles se rendent au Québec, mais tu devrais savoir que j'ai une grosse exposition solo en plein Manhattan. Et que j'ai un agent qui s'occupe de moi comme jamais ça ne m'est arrivé avant.

Il regretta ce qu'il venait de dire. Carmélie avait mis toutes ses connaissances en marketing, elle n'avait jamais baissé les bras, elle y avait cru de tout son être et elle était fière de lui. Une épouse qui faisait la publicité et la promotion de son mari était non seulement chose courante, mais une activité normale, inscrite dans son bagage héréditaire selon cette société de néophytes. Mais dans bien d'autres pays, les femmes ne se mêlaient pas aux activités artistiques de leur mari. Il y avait des gérants pour le faire. Amy Featherstone avait réinventé ce rôle qui rehaussait l'idée qu'elle avait d'elle-même. Il n'y avait pas beaucoup de femmes exerçant ce métier. Amy était la meilleure, bien meilleure que Carmélie.

— Tu as beaucoup travaillé pour me faire connaître, Carmélie. À New York, tout le monde s'intéresse aux artistes. Il y a deux galeries d'art sur chaque rue, et elles sont toutes remplies. Mon agent… euh… c'est une femme… elle n'a pas à travailler autant qu'ici, mentit Adriano. J'ai oublié de te souhaiter toutes mes condoléances, ma… Carmélie. J'aimais beaucoup Madelon, tu le sais. Mais, je t'en prie, ne me soupçonne jamais d'être responsable de quoi que ce soit.

Le reste de l'après-midi, Adriano prit bien soin d'être auprès de Paul et surtout de ses fils. Ainsi, lorsque les amis et les connaissances de la famille envahirent la salle d'exposition – un tout autre genre d'exposition –, ils virent une famille unie, des garçons heureux, une femme un peu détachée, mais aucune famille déchirée.

Adriano regrettait d'avoir quitté Rachel et crut un moment qu'il était en train de lui être infidèle.

Vers cinq heures, il invita Bruno et Émile au restaurant. Il voulait leur parler et leur dire à quel point il tenait à eux malgré son départ. Bruno refusa.

– On va rester avec maman, si tu veux bien. On ira te voir à New York un de ces jours, répliqua Bruno sous l'approbation d'Émile qui, lui, n'arrivait pas à regarder son père avec franchise.

●

Chère Jeanne-Mance,

Je suis allé à Montréal pour les funérailles de madame Souchet. J'ai voulu apporter mon support à mon ami Paul Lefort et à Carmélie tout aussi bien qu'à mes fils qui étaient très peinés et surtout perdus parmi toute cette foule venue dire un dernier adieu à la défunte. Je déteste les maisons funéraires. Je déteste la mort. Je trouve que les gens ne savent pas transiger avec elle. Ils ne savent pas l'affronter. Quand mon grand-père Emilio est décédé, grand-mère n'a pas voulu l'enterrer selon les rites de la province de Fermo. Pas de démonstrations ostentatoires, pas de marbre ni de pierres monumentales. Une petite stèle très sobre pour son Emilio. Le soir, après l'enterrement au cimetière, les amis ont dansé toute la nuit et ont bu le vin de grand-père. Ils ont allumé un grand feu et se sont échangé des pastas, des saucissons, des fromages et ils ont ri en parlant d'Emilio et de toutes ses fantaisies. C'était une grande fête en son honneur. Les Italiens célèbrent toujours parce qu'ils n'ont pas assez de temps pour la morosité. Ma nonna me disait que grand-père aurait été fier de voir ses amis autant s'amuser en pensant à lui.

Si tu avais vu la figure triste de la famille Souchet. Les belles-sœurs avaient oublié combien Madelon aimait danser et rire et quelle belle vie elle a vécue. Bien sûr, son premier mari est mort dans l'incendie de leur restaurant, mais elle n'a jamais manqué d'amour, je te le dis.

J'ai voulu très fort passer une heure ou deux avec mes fils. Ils ont préféré demeurer avec leur mère dans les circonstances. Les pères oublient que leurs enfants préfèrent la stabilité, l'équilibre que leur apporte celle qui est le phare de la maison plutôt que de se faire casser les oreilles avec les explications trop cérébrales de celui qui les a quittés pour une autre vie. Pour un autre destin. Car c'est bien de destin qu'il s'agit, non ?

J'ai donc repris le train pour New York et je suis allé directement à la galerie Bodley où mon exposition se déroulait. Mon amie et gérante Amy Featherstone avait tout prévu. Durant mon très court séjour à Montréal, elle dit que Frank Sinatra et le réalisateur Vincente Minelli sont entrés dans la galerie. Ils étaient à New York pour mousser leur dernier film Some came running *que Rachel et moi voulons aller voir bientôt. Imagine un peu si j'étais arrivé face à face avec Frank Sinatra, ma Jeanne-Mance, lui qui avait un père sicilien ! Amy m'a dit qu'il est resté émerveillé devant mon* Portrait d'une jeune fille perdue *qui a été réservé à ma fille Rose. Elle a été très touchée et tous ceux qui ont vu mon aquarelle l'ont été aussi. Je vais t'envoyer une photo prise par le photographe de la galerie. J'en suis pas mal fier. Il y a ainsi, chez chaque artiste, des tableaux qu'on voudrait ne jamais vendre. N'eut été de ma propre fille, cette aquarelle serait accrochée dans mon salon et ne me quitterait plus.*

Je suis allé, par le plus pur des hasards, je te jure, dans un cabaret où l'on m'avait dit qu'on y trouvait des artistes assez populaires. Je me suis attablé et j'ai rencontré Henrik et Agnès, deux personnes très intéressantes et nous avons fraternisé. Ce sont eux qui ont tenu le fort à mon exposition pendant mon séjour à Montréal, c'est te dire à quel point ils m'ont inspiré confiance !

Le reste de mon récit va te crever le cœur, telle que je te connais. Vers minuit, j'ai retrouvé ma fille Rose. En voilà une bonne nouvelle, te dis-tu. Sauf qu'elle se déhanchait exagérément sur une scène miteuse et sous un éclairage érotique devant un escadron de pervers qui en bavaient pour elle. Je savais que je ne serais jamais allé voir ce genre de spectacle outrageant à Montréal alors que les élus tentent de faire le ménage dans le Red Light, mais j'étais estomaqué de voir un tel étalage d'érotisme, ici à New York, dans un lieu qui ne l'annonçait même pas.

Tu sais, l'apprentissage de mon métier a nécessité que nous ayons devant nous, comme modèles, des jeunes filles nues ou à peine recouvertes d'un voile diaphane et mes camarades et moi n'avions rien à en redire. Cela faisait partie de l'acquisition d'une habileté précise. Jamais ne nous est-il venu à l'esprit de voir ces jeunes modèles autrement que pour des exemples de corps parfaits. Depuis mon retour de Montréal, j'ai beaucoup réfléchi sur la différence qui sépare la jeune fille qui pose pour le peintre de celle qui danse sous une lumière tamisée. J'ai compris que dans les faits, ce pourrait être la même jeune fille. Mais elle devient un objet de concupiscence dès qu'elle se met à bouger, à adopter des poses suggestives, à proposer des mouvements rappelant le geste sexuel. Tout est dans l'attitude et dans le motif. Un moment, tant que n'ai pas reconnu ma Rose, je ressentais quelque attirance pour ce corps de nymphe qui tentait de me séduire comme tous les hommes de ce bar. Imagines-tu combien j'ai pu ressentir de la honte?

Il n'y a qu'un pas entre une jeune fille qui agit comme modèle pour un peintre et une jeune fille qui danse avec langueur, et c'est l'intention. Tout est dans l'intention et à quelle partie du corps elle s'adresse, si tu comprends ce que je veux dire. Mais surtout, pour qui *elle le fait. Rose ne dansait surtout pas pour moi, son père, ce qui aurait constitué un péché grave. Elle dansait pour tous ces hommes qui se prolongeaient en elle. Et moi, pauvre cruche, j'ai mis au moins cinq minutes à reconnaître que cette danseuse était la petite fille qui avait répondu au téléphone en disant : «Maman, c'est le monsieur avec un accent bizarre.»*

J'ai alors voulu chasser toutes ces images qui me hantent et j'ai décidé de la sortir de son enfer. Il y a la danse, l'argent puis aussi la drogue, selon ce que m'a raconté l'inspecteur Guérin. Je ne voudrais pas qu'elle soit tentée par la drogue comme bien des artistes de New York qui pensent à tort que la cocaïne leur apporte l'inspiration pour peindre de meilleurs tableaux.

Rachel est d'accord pour que l'on s'occupe tous les deux de Rose. Demain soir, nous l'avons invitée à venir à la maison et j'ai bien l'intention de la convaincre de vivre avec nous et de lui donner la chance d'apprendre le métier d'agente d'artistes peintres, que ce soit ici ou à Montréal. C'est un beau métier. Amy pourra le lui enseigner. La séduction est omniprésente, mais elle n'existe que pour faire apprécier l'œuvre d'un créateur, ce qui est vachement plus noble.

Je te remercie de t'être rendue au bout de ma lettre, trop longue s'il en est une, et je souhaite que tu viennes à New York une fois dans ta vie. Mais ton mari ne doit pas aimer les Américains et tout ce qui fait partie de leur étonnante culture. Quand on pense qu'il a vu mon dessin d'un plateau de fraises et qu'il a cru qu'elles étaient des champignons. Peut-être n'a-t-il besoin que d'une paire de lunettes ou qu'il cesse de me vouer une haine inextinguible.

  Ton ami
  Adriano

●

La première rencontre de Rose et de Rachel ressembla aux retrouvailles de deux vieilles amies d'enfance. Rose, bourrelée de remords, avait un grand besoin d'une image maternelle positive et, quand elle aperçut la nouvelle compagne de son père, même trop jeune, elle se sentit tout de suite à l'aise. Rachel était exactement le genre de femme que voulait être Rose Scognamiglio.

Elle entra dans l'appartement et passa trente minutes bien comptées à admirer les aquarelles de son père, à passer une main caressante sur les livres d'art et les rares sculptures, pressant de ses doigts les feuilles des plantes, regardant par la fenêtre. Adriano était heureux de la voir sereine. Au téléphone, la seule fois qu'il l'avait appelée, elle lui avait dit qu'elle devait sortir des griffes d'un certain Mike à qui elle devait tout. Adriano lui avait dit : « On ne doit jamais tout à qui que ce soit, ma fille ! »

Rachel les invita à passer au salon et servit un grog, un apaisant mélange de vin chaud, de miel et de citron. Elle prétendait que sa mère lui faisait boire ce cocktail du temps des Fêtes pour prévenir la grippe hivernale. Rose se sentit proche de cette femme, d'ailleurs pas beaucoup plus âgée qu'elle, et elle admira sa simplicité.

André Duhamel disait toujours que la vie était simple si on acceptait de ne pas la complexifier.

Rose leur raconta l'essentiel de sa vie à New York, passa rapidement sur son quotidien, évita de parler de sa relation tortueuse avec Mike Campbell qui l'avait découverte à Montréal, en dit plus long sur le milieu de toutes les perversions dans lequel elle s'était laissé entraîner.

– Mike travaille avec un groupe d'Italiens qui règnent sur la débauche, et la police les arrête chacun son tour. Le plus étonnant, c'est qu'il y a une femme qui gère la danse dans les night clubs. Elle s'appelle Magdalena Succo. La police de New York tolère les spectacles érotiques s'ils sont présentés après minuit. Mais ils ne doivent être annoncés nulle part. C'est de bouche à oreille que se bâtit la popularité d'un endroit. Tu vois, là où tu m'as trouvée, papa, c'est un club tout ce qu'il y a de plus respectable, il y a des artistes et des touristes et tout plein de gens qui ont de l'argent, mais à minuit, ça change. Y'en a qui ne le savent pas et ils nous reçoivent avec des huées et sortent en chahutant. Mais quand les hommes nous aiment, ils nous traitent comme des demoiselles. Il y a deux autres filles qui sont mineures. Elles ont changé leur identité et elles ont des cartes falsifiées. Les cartes, c'est aussi l'affaire des cousins Amaro.

– J'imagine très bien, ma chérie. Quand un clan sicilien prend une activité en charge, il prend toute la place. Mais dis-moi, tu dois avoir peur de ce Mike, de cette Magdalena ?

– Magdalena nous traite comme ses propres filles. Nous sommes payées rubis sur l'ongle, et ceux qui nous manqueraient de respect auraient affaire à elle.

– Un vrai film de gangsters, glissa Rachel en s'excitant.

– Oui, et parfois, il paraît que ça finit mal comme dans les films. Mais moi, ça ne fait pas assez longtemps que je suis à New York. Je n'ai pas eu de troubles encore.

Adriano eut un long frisson. Ce «encore» laissait présager que la joute n'était pas terminée et que ce Mike, dont Rose parlait, pouvait tenter de rapatrier sa fille.

– Ils me connaissent tous sous le nom de Julia Martin. Je vais reprendre mon identité. Et puis, vous êtes là tous les deux, non?

– J'aimerais que tu me parles d'André Duhamel, tu veux bien?

Rose ouvrit des yeux étonnés et perdit son enthousiasme. Elle fixa son père assez longuement pour saisir qu'il savait tout au sujet de ce beau-père qui avait abusé de sa naïveté de petite fille. Elle n'arriva pas à exprimer quoi que ce soit. Adriano continuait à soutenir le regard de sa fille. Il ajouta:

– Si tu ne me parles pas du commencement, Rose, je ne pourrai pas t'aider pour l'avenir, tu comprends? Anna m'a raconté quand tu dansais pour lui et tout.

– Et… tout?

– Enfin, tu connais ta sœur. Plus elle avale du gin tonic, plus elle devient bavarde. J'espère seulement qu'elle m'a tout raconté.

Rose réfléchit.

— Papa, j'ai décidé de tout envoyer derrière moi. Je ne veux plus même y penser. Maman était bien chanceuse d'avoir André auprès d'elle. Il la vénérait et la respectait pour son talent de sculpteure. Il l'a aidée financièrement plus souvent qu'à son tour. Il a enduré son alcoolisme, ses soirs mortels comme elle les appelait, il a tout fait pour qu'elle devienne une artiste renommée. Tu étais parti et André t'a remplacé avec élégance. Bon, ça ne s'est pas toujours passé comme on aurait voulu pour nous comme pour lui. Il a laissé plusieurs années de sa jeunesse dans toute cette aventure. Je ne peux… je ne veux pas lui en vouloir, tu comprends ?

— Mais cet homme t'a blessée, Rose, ajouta Rachel avec délicatesse.

— Une rose a des épines, m'a toujours dit grand-mère Dubuc. Pour se défendre. Je t'ai pardonné à toi aussi, tu sais, papa. Toi, tu as brisé mon rêve de petite fille et André en a fait naître un, même si ce n'est pas du tout acceptable comme manière d'agir, le rêve que je pouvais enfin être aimée par un père.

— As-tu seulement osé douter de mon amour, Rose ? lança Adriano sur la défensive.

— Bien sûr que j'ai douté. Un père qui s'en va dans un autre pays, qui n'aime plus ta mère, ça ferait douter n'importe qui.

— Et une mère qui a tué l'amour du père de ses enfants, tu penses quoi de ça ? dit Adriano.

— Une femme malade qui avait besoin qu'on reconnaisse son talent. Toi, tu as choisi l'univers, elle, l'alcool qui faisait taire ses démons.

Rachel était impressionnée par la sagesse de la fille d'Adriano. Par sa façon de décortiquer les mouvements de la mer qui l'avait secouée depuis sa tendre jeunesse.

– Bon, Rose, tu vas t'installer ici pour quelques jours. Nous allons déplier le lit dans l'atelier de ton père. Tu dois te faire oublier par tous les Mike, les Magdalena et les Amaro de Manhattan ! Pas question que tu refuses. Nous devons te protéger. Ce monde-là ne joue pas au bridge toute la journée. Je vais te prêter les choses dont tu as besoin et demain, Adriano ira avec toi chercher tes effets personnels.

Rose se mit à rire en montrant son petit sac de toile.

– J'ai toute ma vie dans cette sacoche, Rachel. N'oublie pas que je n'avais pas besoin de beaucoup de vêtements.

– Tu acceptes ?

– Oui, j'accepte. Je vais t'aider à préparer le souper et ma chambre. Tu es certain, papa, que je ne vais pas embarrasser ton atelier ? Je me rappelle comme tu n'aimais pas qu'Anna et moi, on aille fouiner dans ton antre.

– Moi aussi, je me souviens. C'était à cause de la térébenthine et tous les solvants. Maintenant, tu es grande.

– Te souviens-tu quand j'ai dessiné un bonhomme têtard dans le bas de ton aquarelle ?

Ils bavardèrent une partie de la soirée autour de la table de la salle à manger, et Adriano dévoila un bon nombre de détails sur sa vie, tout un pan que Rose ne connaissait pas. Une vie s'était déroulée après qu'Anna et Rose soient venues habiter chez lui pour s'occuper de Bruno et du petit Émile. De temps à autre, Rose pleurait doucement, et Adriano lui racontait des frasques de son enfance à Kamouraska, surtout l'affaire du marchand général avec la femme du docteur et sa déposition devant l'enquêteur, se gardant bien de parler des conséquences de la mort de son oncle Fabrizio. Rose ne posa aucune question à ce sujet, ne sachant pas si son père en avait déjà parlé à Rachel qui méritait, sans aucun doute, de continuer à admirer son Adriano. Mais la jeune femme ne put s'empêcher d'établir certaines corrélations entre la famille Amaro qui dirigeait la prostitution à New York et l'oncle Fabrizio qui dirigeait celle de Montréal. Un loup dans sa bergerie familiale.

Ce soir-là, Rose s'endormit, heureuse pour la première fois depuis son arrivée à Manhattan. Elle songeait déjà aux voyages qu'elle ferait peut-être avec son père, avec Rachel et aussi une certaine Amy Featherstone qui lui enseignerait bientôt son métier. Encore fallait-il se débarrasser de Mike Campbell qui, selon les rumeurs, n'entendait pas à rire.

15

Adriano revenait d'une rencontre dans le quartier Little Italy où une grande exposition était organisée dans la grande galerie de Houston Street pour célébrer la San Gennaro, fête du patron des Napolitains vivant aux États-Unis. Après avoir discuté avec un des responsables, le peintre Da Gusto, et avoir réfléchi à tous les tourments quant à l'affirmation de sa nationalité canadienne, il décida de participer. Amy, qui avait commencé à former Rose dans sa nouvelle carrière, l'exhorta à exposer ses plus récentes aquarelles et le fameux *Portrait d'une jeune fille perdue*. Rose avait accepté, jugeant que la jeune fille avait été sauvée des eaux.

Il entra dans un coffee shop et s'installa à une petite table près de la fenêtre et ouvrit un magazine fort coloré. Un bouquet de fleurs de plastique avait été placé dans un pot sans caractère au milieu de la table.

Après avoir commandé un café au lait, Adriano se mit à griffonner quelques lignes du bouquet sur un petit carnet à dessins. Il entendit une voix :

– *You look like an artist.*

Une femme d'une soixantaine d'années, entourée d'une étole de fourrure qui lui sembla de l'écureuil, souriait à Adriano. La dame vit que son voisin de table lisait un magazine en français.

– Oh ! Vous parlez français. Je viens de Montréal.

Elle ramassa son sac à mains, puis s'approcha davantage de la table d'Adriano, assez près pour qu'il sente normal de l'inviter à s'asseoir à la sienne. Elle n'hésita pas une seconde et prit place avec tout son bagage, journal, sacoche, lunettes, sacs d'emplettes. Elle avait un franc sourire qui se déployait sur une rangée de perles vanille, humides. Elle portait un parfum délicat qui lui rappela *L'Heure Bleue* de Guerlain. Elle avait dû être une très jolie jeune femme, jadis. Son visage était quelconque, mais raffiné comme l'est souvent celui des femmes qui ont de la classe : pas très joli, mais intéressant.

– Mon mari est… était un artiste peintre lui aussi.

– Il est décédé ? demanda Adriano qui avait soudainement très hâte de savoir à qui il avait affaire.

Beaucoup de femmes annonçaient ainsi que leur mari était un artiste même si ce dernier était un pur inconnu ou qu'il barbouillait sur des fonds de tiroir.

– On n'est plus ensemble.

– Oh, vous êtes divorcés ?

La dame se présenta. Elle se prénommait Gabrielle et ses amis l'appelaient Gaby. Elle semblait honteuse de sa situation maritale.

– Marco est un grand artiste, mais il tenait à demeurer à la campagne et moi, je ne pouvais pas endurer de vivre loin de Montréal. Je suis partie vivre dans le quartier où j'ai passé toute ma vie.

– Il a dû avoir du chagrin, suggéra Adriano en pensant tout à coup à Carmélie.

– Pas trop. Vous savez, je l'ai épousé il y a neuf ans, il avait passé soixante ans ! À cet âge-là, et surtout Marco, les hommes ne sont pas trop portés… disons… sur la chose ! C'est moi qui l'ai demandé en mariage, avoua Gabrielle en s'esclaffant.

– C'est assez inusité, glissa Adriano en riant à son tour.

– Je le connaissais depuis des siècles. Je vivais avec mon frère dans la maison familiale, et quand il est mort, j'ai pensé devenir folle à force de rester toute seule. Je ne suis pas faite pour la solitude, je vous le dis. Ça fait que, j'ai appelé Marco et je lui ai dit que je voulais me marier avec lui. Il a été au moins trois minutes sans parler. Il n'a pas trop réfléchi, puis il a dit oui. À soixante ans, le célibat coule dans tes veines en soda ! On est restés mariés pendant quatre ans. Lui puis sa maudite campagne. Je l'ai laissé là, puis je suis retournée à Montréal. C'est beau, les fleurs, les arbres, les petites maisons de chaux, mais y'a toujours *ben un boutte !*

Adriano trouvait Gabrielle plutôt divertissante et décida de l'écouter avec plus d'attention.

– Peut-être que je le connais, votre Marco.

– Ça me surprendrait. Il commence juste à être pris au sérieux. Il a quand même eu des articles pas mal intéressants sur lui dans *La Presse*, dans *La Patrie* et dans *Vie des Arts*.

– Je ne connais aucun Marco.

– Y'a que moi et sa mère pour l'appeler Marco. En fait, il s'appelle Marc-Aurèle.

Adriano blêmit. Cette femme était la compagne en allée du peintre Fortin au sujet duquel il avait entendu tant de ragots. Un peintre académicien qui avait un talent fou. Adriano avait souvent admiré ses ormes troués, ses petits personnages à l'impressionnisme, ses ciels chargés de colère et il avait lu ses charges agressives contre les peintres modernes comme Pellan, Riopelle ou Borduas. « Des trotskistes à palette », avait dit le fameux Marc-Aurèle Fortin, dont les peintures « sont juste bonnes à jeter au poêle ! », avait-il lu dans les revues.

Adriano ne voulut pas qu'elle sache qu'il avait entendu des choses horribles au sujet de son ex-mari.

– Ils lui ont coupé les deux jambes. Pauvre lui. Il avait du diabète et le docteur Maisonneuve de Laval-Ouest a tout fait pour lui faire suivre un régime spécial. Marco allait le voir à bicyclette chaque fois qu'il pouvait. Avant qu'on lui coupe les jambes, bien entendu ! ajouta Gabrielle avant de s'esclaffer. Pour payer ses visites au docteur, mon mari lui offrait une toile. Le docteur aimait beaucoup les maisons du boulevard Sainte-Rose et les bords de l'eau. Il a soigné mon mari à son cabinet, mais il est aussi allé à Fabreville quand

Marco ne pouvait plus s'y rendre à vélo. C'est madame Lange qui m'a raconté ça. Parce que, ne vous inquiétez pas, elle me donne des nouvelles de Marco à toutes les semaines. Le docteur devait avoir huit ou dix beaux tableaux de mon mari et un soir, son bureau a passé au feu et toutes les œuvres de Marc-Aurèle sont parties en fumée. C'aurait pu représenter un cataclysme monumental pour mon mari, mais il en a fait des milliers, de tableaux, vous savez. Dix de perdus, mille de retrouvés !

– Je suis quand même triste d'apprendre ça.

– Y'a pire. Son maudit gérant, le bonhomme Archambault, il l'a volé, il l'a humilié, il l'a séquestré dans sa maison. Il a même brûlé des centaines d'aquarelles. Une chance que Marco a quelques amis qui s'occupent d'aller le voir une fois de temps en temps. Y'en a même un qui a fait une plainte à la police. Mais vous savez – c'est quoi, votre nom ?

– Adriano Scognamiglio. Mais je signe Adriano S.

– Vous savez, Adriano, Marc-Aurèle, il passe pour un drôle de moineau. J'ai essayé de lui montrer à s'habiller propre, à se faire la barbe à tous les jours pis à s'acheter un beau panama comme les acteurs américains, pis de jeter son vieux feutre aux vidanges. Marco, il n'accordait pas d'importance à son habillement. Ça fait que…

Gabrielle s'interrompit avec peut-être l'impression d'en dire trop à cet étranger, même s'il lui semblait sympathique. Mais les artistes de Montréal se devaient de connaître des choses sur Fortin, des détails qui allaient leur faire comprendre que malgré son aspect de robineux, Marc-Aurèle Fortin était un artiste remarquable.

– Marco, il avait une belle position aux Postes, mais il préférait la peinture et l'insécurité. Son père l'aurait égorgé de ses mains, je pense, quand Marco a tout lâché pour faire de la peinture. Même si le monde a peine à le croire, mon mari a exposé à Chicago, à Londres, à Paris et souvent, il a fait des expositions chez Eaton à Montréal. Il a étudié la peinture au Monument National avec un certain Edmond Dion, il me semble.

– Edmond Dyonnet ?

– Oui, c'est ça. Un bon professeur qui a aussi enseigné aux Beaux-Arts de Paris. Je pense que la vraie raison pour laquelle je suis partie en 1953, c'est surtout que Marco cultivait la pauvreté comme pour se faire remarquer. Vous voyez ce que je veux dire par là : «faire pitié» pour que le monde l'aime.

– J'ai étudié avec Edmond Dyonnet et je suis même allé le retrouver à Paris. Un bon ami à moi. Mon père spirituel, en fait.

Gabrielle aurait parlé sans relâche si Adriano avait eu le temps de l'écouter. Elle avait tellement besoin d'exorciser tous les remords qui l'assaillaient depuis cinq ans, elle qui aurait bien aimé avoir épousé un artiste reconnu.

– Pourquoi êtes-vous à New York ? lui demanda-t-il.

– Quand j'avais vingt ans, je suis venue entendre Enrico Caruso à Carnegie Hall avec mes futures belles-sœurs qui, elles aussi, étaient musiciennes. Un bonheur !

Je me suis dit que je reviendrais un jour. Je n'ai trouvé personne pour venir avec moi, alors je suis venue toute seule. Et je vous rencontre. J'ai pris des billets pour *My Fair Lady* au Théâtre Hellinger. J'y vais demain soir. Ce soir, je visite un peu cette merveilleuse ville futuriste. Adriano, vous vivez seul à New York?

– Non, ma... ma femme vit avec moi, justement à deux rues de Carnegie Hall. J'expose ces temps-ci. Vous voulez venir voir mon travail? Je suis aquarelliste.

– Je ne vous connaissais pas, mais je vais aller sans faute visiter votre exposition, c'est entendu. Votre femme est américaine?

– Non, une Montréalaise. Et j'ai ma fille qui vit avec nous. Elle est venue à New York pour se familiariser avec le métier de gérante d'artiste. Elle apprend auprès d'Amy Featherstone, une chic fille qui va tout lui montrer. À Montréal, Rose va faire des malheurs avec ces nouvelles approches. Ces dernières années, il n'y en avait que pour les Automatistes. On oublie parfois les peintres poètes comme Marc-Aurèle Fortin. Il y a des peintres qui font des paysages inhabités tandis que Fortin, lui, les peint quand ils sont habités par l'homme. C'est pour cela qu'il préfère les paysages campagnards, les scènes où l'homme est en harmonie avec la nature.

– Oh, comme vous êtes gentil, Adriano! J'ai donc très hâte de voir ce que vous faites.

Adriano tendit à Gabrielle un carton d'invitation à son exposition et il y griffonna son adresse et son numéro personnels avec l'intention bien arrêtée d'inviter la seule compagne qui avait partagé la vie de Fortin à rencontrer Rachel et Rose.

– Venez demain soir, avant le spectacle, si vous pouvez. Je vous ferai découvrir mes meilleurs tableaux.

– J'y serai vers cinq heures. À demain.

Gabrielle se leva, régla la note d'Adriano et la sienne – elle insista – et le salua chaleureusement, convaincue qu'elle venait de trouver un nouvel ami.

Adriano ne connaissait pas personnellement Marc-Aurèle Fortin, mais il avait croisé le peintre Albert Brosseau qui lui avait parlé de l'état pitoyable dans lequel son ami d'enfance était retenu prisonnier. Il se rappela avoir lu des articles au sujet de ce peintre quasi autodidacte, qui détestait les peintres contemporains à s'en confesser, qui peignait des ormes gigantesques perforés de trous bleu ciel ajoutés au pinceau par-dessus la frondaison et des nuages omniprésents qui semblaient être là pour ne jamais s'en aller. Qui étalait ses couleurs vives sur un support couvert d'émail à fournaise noir et qui vendait ses tableaux à des prix dérisoires, ce qui faisait baisser sa cote dans le milieu de l'art visuel.

Il se souvint aussi que Jérémie Toutant avait voulu exposer Fortin dans sa galerie en 1933 alors que le peintre était justement à New York à cette époque. Son refus, plutôt bourru, avait fait croire à un sale caractère, et Toutant l'avait délaissé par la suite. Fortin venait de se faire couper une deuxième jambe à l'hôpital de Saint-Jérôme et certaines personnes disaient que le peintre avait trouvé l'oubli dans la paresse et l'avachissement.

Mais combien Adriano avait trouvé gentille sa femme Gabrielle !

Rose et Amy travaillaient d'arrache-pied, et Rachel leur apportait toute l'aide nécessaire afin de leur faciliter la tâche. Elle trouvait les numéros de téléphone, se rendait dans une librairie avoisinante pour acheter les articles de bureau, fiches, chemises, feuilles de papier et agenda nécessaires à l'organisation du travail d'une agente d'artiste. Rose était ravie d'apprendre ce métier et se promettait de prendre en main la carrière de certains artistes émergents lors de son retour à Montréal. Elle avait envoyé une lettre à sa mère et venait de recevoir sa réponse. Sur l'enveloppe adressée à Rose, Adriano reconnut l'écriture fleurie de Blanche et remarqua qu'à l'adresse du destinataire, derrière, elle avait signé Bianca S., ce qui le remua une fois de plus.

Il aimait énormément Rachel, mais sans trop savoir pour quelles raisons, des émotions encore inexpliquées venaient le troubler dès qu'il pensait à sa première épouse. Premières amours, premiers émois, première rupture. Et deux petites filles à qui leur mère avait éteint l'image même de leur père. Il regarda Rose et eut l'impression que la vie lui avait pardonné sa défection, sa fuite de la vie familiale. Comme si chaque fois que les choses devenaient beiges, ordonnées, uniformes, il devait partir et recommencer une existence plus mordante. Comme s'il devait quitter dès qu'il avait apporté tout ce qu'il pouvait à une relation. Était-ce dû à cette soudaine désertion de grand-mère Antoniana alors que se déroulait pour lui une enfance calme et exaltante ?

Était-ce la peur qui s'était installée quand on lui annonça que sa grand-mère était morte à Saint-Antoine-de-Tilly et que désormais, à la morte-eau, le voyage du jeune Italien venait de s'achever? Était-ce dû à son départ de Kamouraska, le lieu de toutes les démesures?

Adriano aimait Blanche et Carmélie, il aimait maintenant sa Rachel Pinsonneault, chacune pour ce qu'elle représentait pour lui, comme autant d'expériences différentes qui forgent un artiste complet. Chacune avait consolidé en lui des forces créatives se complétant. En plus, Rachel exerçait sur lui une attraction sexuelle comme il n'en avait jamais connue. Une attirance physique inextinguible. Elle ressemblait à Katherine Hepburn, grande femme au physique légèrement androgyne et au caractère indépendant, s'habillant comme une gamine avec ses côtés masculins. Rachel portait le chemisier d'homme entrouvert jusqu'à la poitrine, un pantalon aux rebords tournés, des tennis blancs les jours de la semaine et se métamorphosait soudainement en jolie femme classique sous une robe noire bien coupée, des bas de soie qui galbaient ses longues jambes et des escarpins de cuir vernis. Ses cheveux blonds en toque étaient relâchés les soirs d'expositions ou de fêtes.

Lorsque Gabrielle arriva, Amy et Rose s'affairaient à établir les conditions idéales qui permettraient de s'immiscer dans le milieu des arts à New York, étalant les listes de contacts et les adresses ainsi que les noms des responsables des galeries. La plupart des directeurs de galeries d'art servaient d'agents pour leurs poulains et c'était à celui qui affichait le plus de convictions que revenaient les meilleures cotes. Adriano songea à Marc-Aurèle Fortin qui avait en quelque sorte tué la valeur de ses tableaux sur le marché international en donnant presque ses œuvres. Son galeriste, qui était en même temps son agent, était furieux. Selon Gabrielle, son Marco n'était nullement responsable de cet état de choses puisque tout ce qu'il désirait était d'être accroché chez les gens et que, enfin, on le reconnaisse comme un peintre important. Un point, c'est tout.

Adriano présenta Gabrielle à Rachel, Amy et Rose qui la reçurent chaleureusement. Il la présenta comme étant la femme d'un grand peintre du Québec et Amy se montra évidemment intéressée. Rose n'avait jamais entendu parler de Marc-Aurèle Fortin, mais elle promit de s'intéresser à lui dès son retour à Montréal. Amy lui sourit comme si elle approuvait la première démarche que doit faire un agent d'artiste : prendre contact avec l'artiste lui-même.

Rachel avait prévu quelques canapés et Adriano, un mousseux américain pour célébrer cette première rencontre officielle. Il raconta sa rencontre de la veille avec Gabrielle et résuma quelque peu leur conversation. Gabrielle ajoutait quelques anecdotes afin d'enrichir les éléments de son compagnonnage écourté avec celui qu'elle appelait Marco. Ce qui rappelait à Adriano la voix de madame Ferrovecchio quand elle appelait son fils Marco pour le souper. Elle criait de sa voix de crécelle : *Mar-co, mi figlio !*

Fortin était sans enfants, diabétique, les jambes amputées, et il continuait, selon son ex-conjointe, de peindre tant bien que mal, mais il était soulagé de ses tableaux par un être ignoble qui avait voulu le prendre en charge.

– Le fils Archambault a appris le style de Marco et il est capable d'imiter parfaitement les peintures et la signature de Fortin. Il les vend même à fort prix. Le milieu des arts est au courant, mais Marco est tellement, comment dirais-je, tellement naïf qu'il n'ose même pas s'opposer. Pauvre lui! Son ami Albert Brosseau m'a déjà dit qu'il avait entendu le père Fortin, qui était juge, crier à Marc-Aurèle: « Toi, sors de la maison avec tes cochonneries! » Comment voulez-vous qu'un artiste ait confiance en lui. C'était un père absolument ignare. Même s'il était juge. Il ne connaissait pas la peinture. Mais vous, Adriano, montrez-moi vos tableaux. Vous m'avez dit que vous êtes aquarelliste, non?

Rachel prit les devants et guida Gabrielle dans l'appartement pour lui montrer les tableaux d'Adriano. Gabrielle n'était pas, pour ainsi dire, une spécialiste des arts visuels, mais elle était d'une honnêteté indéfectible.

Ils partagèrent un canard à l'orange, une salade et une génoise aux framboises. Vers six heures et demie, Gabrielle appela un taxi pour aller assister à *My Fair Lady* tout en songeant à Rose qui, comme Eliza Doolittle, était en train d'apprendre les rudiments de la mise en marché, les relations avec les galeries et le public, la sensibilité des artistes, la valeur des œuvres, tout ce que ça prenait pour devenir un agent. Elle se dit que Rose serait très bien pour s'occuper de Marc-Aurèle.

Adriano, quant à lui, décida qu'il allait se rendre chez Fortin dès son retour à Montréal.

•

Adriano et Rachel passèrent toute une année à Manhattan, à piocher, à tenter de creuser une niche pour son œuvre, à recevoir des peintres américains, à accueillir des artistes montréalais, à les présenter les uns aux autres ou à leur proposer le circuit de leurs lieux de prédilection. Adriano devenait un peintre un peu plus international, selon ce qu'il ressentait. Mais il désirait exposer en Europe, surtout en Italie. Il connaissait le titre de sa présumée exposition: *Le retour.* Il rêvait souvent à un retour triomphal à Porto San Giorgio, retour annoncé dans le *Fermo Voce,* et à un accueil chaleureux des anciens voisins de grand-mère et des amateurs d'art de toute l'Italie. Il se mit à rire: les journaux risquaient davantage d'annoncer le retour du neveu du célèbre anarchiste Fabrizio Bazzarini, fils d'Emilio et cela sonna tristement à son oreille.

Deux autres expositions, l'une à la Bill Dale Gallery et l'autre à la célèbre Slazinger Art Gallery, firent écrire au critique du *National Post* que «le Canada avait envoyé son meilleur ambassadeur de la peinture néo-impressionniste doublé de l'inventeur de l'aquarelle moderne et de la fusion de l'eau et du papier qui ruisselle de pigments forts et de tons brûlants». Amy criait de satisfaction et jurait qu'Adriano serait encore plus populaire qu'Andy Warhol et Jackson Pollock.

Une exagération qui mettait beaucoup de pression sur sa personne, affirma Adriano. Rachel était très fière de son amoureux et mettait les bouchées doubles dans l'envoi de toutes les bonnes nouvelles aux galeries montréalaises en plus de traduire tous les articles en français dans lequel elle excellait et Amy se fiait sur elle pour rendre accessibles les textes qui pouvaient rendre compte des talents exceptionnels d'Adriano S.

Il fut bientôt le temps de rentrer. Il fallait aviser le propriétaire de l'appartement de la 69ᵉ Rue, ramasser ses effets personnels et penser à aviser la locataire qui avait pris l'appartement de Rachel sur la rue Laurier.

Amy voulait continuer à représenter Adriano à New York et demanda à Rachel de garder le contact. Rose allait devoir quitter Manhattan elle aussi et se trouver un lieu pour loger, une fois à Montréal.

•

On sonna à la porte un après-midi d'orage. Trois hommes vêtus de cuir et aux allures de bandits passèrent la tête dans l'entrebâillement. L'un d'eux demanda Julia Martin en ajoutant qu'il savait qu'elle était là puisqu'il l'avait vue entrer. En entendant cela, Rose se cacha dans l'atelier de son père, tremblante de peur. Elle connaissait Mike Campbell et savait de quoi il était capable. Rachel répondit qu'aucune Julia n'habitait à cette adresse. Mike semblait ne pas vouloir comprendre. Adriano menaça d'appeler la police. D'un seul bloc, les trois intrus forcèrent la porte et mon-

tèrent le long escalier avec la maladresse des bulldo-
zers. Le premier dit à l'autre :

– *Mike, don't try to fool around. This guy doesn't
look like he want's to fight.*

– *I want to see Julia right fuckin' now !* dit le Mike
en question. *She owes me a hundred bucks !*

Adriano mit la main dans sa poche, en ressortit dix
billets de vingt dollars et les tendit à Mike.

– *Here ! I want you to leave right fuckin now,
capice ?*

Le regard de feu que posa Adriano sur les trois types
aurait dû les faire dévaler l'escalier à toute vitesse, mais
l'un d'eux poussa Adriano et se rendit dans l'atelier
où, sortant un gros canif, il découpa les trois dernières
aquarelles qu'Adriano venait de terminer la veille au
soir. À peine séché, le papier Arches ne se découpait
pas en deux parties nettes mais la lame du couteau
s'attardait dans la pâte encore humide, ce qui forma
des petites boulettes qui s'enroulèrent autour des pigments de couleurs. Irrécupérable ! L'agresseur savait
ce qu'il faisait. Rose était toujours enfermée dans l'armoire, le cœur battant, et pouvait entrevoir le visage
enragé du type qui se lança une deuxième fois à l'assaut des œuvres d'Adriano. Ce dernier fit signe à Rachel
de n'offrir aucune opposition voyant la force hercu-
léenne déployée par le gars tout en muscles qui encou-
rageait le troisième type à l'imiter. Ce dernier s'avança,
arme à la main, et mit quelques secondes à réagir,
donnant l'étonnante impression qu'il admirait le tableau : un petit garçon devant un livre éclairé par une

lampe dévoilant chichement son visage. Le type fit mine d'en avoir assez vu et dit :

– *Come on, Mike ! We're in the appartment of a real artist ! The cops will be here very soon !*

Ils quittèrent l'appartement dans un train d'enfer. Rendus au seuil de la porte, Agnès et Henrik s'apprêtaient à entrer et purent nettement distinguer le visage des trois hommes qui n'avaient pas même trente ans. Agnès passa la tête dans l'embrasure de la porte et demanda en français ce qui venait de se passer. Elle suggéra d'offrir son témoignage et celui de son mari si jamais la police le jugeait nécessaire. Adriano leur dit que tout était sous contrôle, que les trois hommes étaient des connaissances de sa fille et qu'ils étaient ivres. Il délivra Rose et lui dit :

– Ils sont partis et ne reviendront pas. Jamais je n'aurais imaginé qu'une aquarelle pouvait nous sauver la vie ! Ce garçon qui a décidé de partir le premier, il semble apprécier la peinture, tu sais.

– C'est Anthony Featherstone, le… le frère d'Amy. Je l'ai reconnu par la petite fente de l'armoire. Ne lui dis pas, papa, s'il te plaît. Je ne voudrais pas qu'elle soit malheureuse à cause de lui. De toute manière, elle ne te croirait pas. Amy le protège depuis qu'il est tout petit. Je le sais, elle m'en a tellement parlé. Selon elle, Anthony est une victime et ne fait jamais rien de mal.

– Comment le connaissais-tu ? demanda Rachel.

– Il est musicien où je… travaillais. Où Julia travaillait.

L'anecdote finit par être oubliée, mais chaque jour, Rose craignait que Mike ne la retrouve. Elle ne le revit plus. Le déménagement était pour dans quelques jours et il y avait beaucoup à faire. Elle ne remercierait jamais assez son père pour n'avoir pas poussé son enquête plus loin. Anthony avait été le seul qu'elle avait vraiment aimé.

16

De retour sur Laurier, Rachel et Adriano étaient heureux de retrouver leurs affaires. Rachel passait les pièces en revue, déplorant un accroc dans un canapé ou une lame qui manquait à un store. Les vitres des tableaux n'avaient pas été éclaircies et elle se dit qu'elle allait passer les prochaines semaines à tout remettre en ordre.

Le téléphone sonna. Adriano répondit puis demeura muet comme lorsqu'on apprend une mauvaise nouvelle et qu'on ne sait pas quoi répliquer. Rachel entendit :

– Je ne comprends pas, Rose. Comment est-ce possible une chose pareille en 1959 !

Elle s'approcha de lui avec tant d'inquiétude qu'il posa calmement la main sur la sienne pour la rassurer.

– Qui s'est occupé d'elle ? Comment il s'appelle, ce type ?

Adriano écouta religieusement, griffonna quelques mots sur un carnet de notes, puis promit de se rendre dans quelques minutes.

– Jamais je n'aurais pensé… c'est *spaventoso* ! C'est Anna. Ils l'ont ramassée dans les toilettes publiques. Elle était ivre morte. Un gars l'a transportée à l'hôpital. Elle… elle ne va pas bien du tout. Je dois y aller !

– Tu ne vas pas y aller tout seul. Laisse-moi t'accompagner. S'il te plaît, Adriano !

– Non, mon amour. Je veux y aller tout seul. C'est mon ancienne vie. Je ne veux pas partager mes misères avec toi. Repose-toi. Je vais revenir bientôt.

Rachel était bouleversée. Adriano lui avait longuement parlé des problèmes d'alcoolisme d'Anna ainsi que ceux de Blanche Dubuc qui avaient fini par tuer leur relation. Mais de là à l'écarter, elle qui avait su démontrer une empathie certaine envers Rose et qui était convaincue d'avoir contribué à la sortir des griffes du loup, ne serait-ce que pour l'avoir accueillie avec générosité, lui sembla d'une injustice inexplicable. Elle aurait donc apprécié être aux côtés d'Adriano pour tout ce qui le concernait et ne comprenait pas que cette fois, il désirait y aller seul.

Elle se coula un café italien, s'assit dans l'atelier du peintre et balaya la pièce du regard en se demandant ce qu'elle faisait dans la vie d'Adriano Scognamiglio. Pourquoi avait-elle mis de côté sa propre vie pour plutôt s'occuper de la destinée de son amoureux, comme beaucoup des femmes qu'elle connaissait ? Surtout les conjointes des artistes peintres. Elle se demanda si

Marcelle Ferron, Rita Letendre ou encore la jeune Lise Gervais avaient, elles aussi, un homme dévoué pour soutenir leur énergie créative. Les femmes sont-elles les esclaves amoureuses des hommes comme elle-même l'était pour Adriano ? Aux petits soins pour lui, accourant au devant des visiteurs aux expositions, minaudant auprès des critiques, tendant un plateau de petits fours, couinant d'admiration devant les œuvres comme si elles étaient autant d'enfants du peintre, Rachel convenait que seules les conjointes sont responsables d'une très grande part du succès de leur mari. Elle se sentit triste. Mais surtout se promit de freiner sa monture et de penser davantage à son propre bien-être. Si seulement Adriano avait accepté de l'emmener auprès d'Anna pour qu'elle partage son anxiété et ses remords, et qu'elle puisse, cette fois encore, accompagner Rose dans sa tristesse. Elle se demanda aussi pourquoi deux autres femmes avaient pu laisser partir un type aussi extraordinaire qu'Adriano. Elle eut quelques palpitations en pensant à son sourire, à la pente de son nez de Rital, à ses yeux noirs si pénétrants, à sa démarche si fière et à la majestueuse profondeur de ses aquarelles. Elle soupira, porta les mains à son cœur, retourna à la cuisine pour attraper un biscotti aux pistaches et dit : « Je t'aime, maudit Adriano Scognamiglio ! »

•

Les malades et le personnel fixaient Adriano lorsqu'il traversa la salle d'attente de l'urgence de l'hôpital

Notre-Dame. Ils devaient trouver que l'homme avait l'air ahuri et qu'il aurait eu besoin d'encouragement. Un jeune médecin, stéthoscope au cou, masque abaissé au niveau du menton, s'approcha du poste des infirmières et dit :

– On n'a pas pu la sauver. Ils l'ont emmenée bien trop tard !

– Le docteur Joannette nous a pourtant dit qu'elle allait mieux.

– Elle ne s'est jamais réveillée. Coma profond.

– Pauvre fille. Pas même trente ans.

– Elle a de la famille ? demanda le jeune médecin à l'infirmière.

– Sa mère est outremer, je ne sais pas trop, répliqua-t-elle.

– Je suis là, moi ! dit Adriano qui venait de tout entendre. Je suis son père.

Le docteur et l'infirmière le regardèrent avec tant de sollicitude qu'il crut un moment qu'il était encore à la galerie pour sa dernière exposition. Il arriva à sourire.

– Je suis le père d'Anna. On vient de me téléphoner. Ils l'ont emmenée ici cette nuit. Je…

L'infirmière fouilla dans la pile de dossiers qui traînaient sur son bureau.

– Mais la jeune fille dont nous parlons s'appelait Marie-France. Pas Anna. Mon pauvre monsieur ! Vous nous avez entendus et vous avez cru que votre fille était… ah, mon dieu ! Vous êtes le père d'Anna Scog… Scag…

– Scognamiglio. Oui, je suis son père.

– Suivez-moi.

Elle prit Adriano sous le bras, l'entraîna dans une aile adjacente et entra dans une petite chambre peinte en vert cadavérique. Il y avait autour d'Anna deux jeunes infirmières, une autre plus âgée, deux médecins et une femme maigre qui pleurait au-dessus de la malade.

– Bonjour, Adriano. Je suis venue le plus vite que j'ai pu. Je suis de retour à Montréal depuis deux jours. C'est Paul qui m'a retracée.

Adriano fut surpris. Blanche – sa Bianca – se tenait devant lui, dans une splendeur incroyable, les cheveux plus courts, le visage rajeuni, vêtue d'un tailleur rouge et de bijoux sobres, perlés, comme elle. Adriano eut un frisson. Avant même de répondre à Blanche, il se pencha sur sa fille qui avait le visage bleu, marqué d'ecchymoses dus à une chute. Elle était sous sédation et dormait calmement. Il chuchota son nom, mais elle n'eut aucune réaction. L'infirmière sourit.

– Elle s'en sortira. Disons qu'elle cuve encore son vin. Si jamais elle souffre, c'est à cause des contusions. Elle a déboulé les marches, il paraît. Il y a un nouveau service aux alc… aux femmes qui ont des problèmes avec la boisson. Je lui en parlerai quand elle se réveillera. Vous et votre femme, vous pouvez attendre dans le petit salon. Y'a les parents de l'autre jeune fille qui se lamentent avec raison. Leur fille n'a pas eu de chance. Elle s'est fait frapper par le tramway Christophe-Colomb. Elle vient de nous quitter. Le docteur Lauzon est avec eux. Mais dans quelques minutes, vous pourrez aller vous reposer. Si vous voulez attendre que… (elle consulta le dossier) Anna se réveille.

Adriano avait juste le goût de crier que l'alcool ne fait pas dormir. Il tue. Que l'alcool fait du mal à tout le monde, surtout aux petites filles sages qui ne se méfient pas.

La porte du petit salon Rousselot s'entrouvrit et les membres de la famille de la jeune morte sortirent, se supportant les uns et les autres, criant que leur Marie-France était morte trop jeune, que la mort est laide et que le maire Drapeau devrait exiger qu'on retire tous les tramways de Montréal pour ne pas qu'ils tuent d'autres jeunes filles. Le docteur Lauzon prit une autre direction, marcha résolument vers le poste des infir-mières, déposa le dossier de la *jeune femme du tram-way* et attrapa le dossier que lui tendait l'infirmière, comme s'il faisait partie de son travail d'annoncer les mauvaises nouvelles.

– Le petit bébé est mort, et sa femme n'en a pas pour longtemps. La césarienne n'a rien donné. Mon Dieu! Après vingt-trois heures de travail, revenir à la maison les mains vides. Pauvre monsieur Castonguay!

– J'y vais, laissa tomber le docteur Lauzon. Avant, donnez-moi donc un bon thé Salada. Ça va me remon-ter un peu. Merci, garde!

•

Adriano remarqua que sur les murs, d'étonnantes reproductions de peintures religieuses avaient été accro-chées, soumises au regard désespéré des familles. Des anges annonçant la grossesse de la Vierge ou montant la garde devant le tombeau de Jésus-Christ, ou encore accompagnant ce dernier dans les profondeurs paradoxales du mont Golgotha. La présence si rassurante des anges dans les vieilles peintures ! Il songea à Edmond Dyonnet et ses déchirements quant aux peintres décorateurs d'églises ! Très peu de l'utilisation de l'imaginaire si cher aux Automatistes !

– Que c'est laid ! Dire que j'ai tripé sur les anges et les bambines au début de ma carrière ! Une vraie disciple de Bouguereau ! avoua Blanche.

– Y'a tellement de gens que Raphaël, De Vinci ou Bouguereau rassurent ! On est pompiers ou on ne l'est pas !

Ils s'assirent côte à côte, respectant le besoin de silence de l'autre quand ils se mirent à penser à Anna. Leur chère Anna qui avait « attrapé » la maladie de sa mère. Blanche qui le savait et qui crevait de remords. Adriano qui se demandait encore ce qui s'était vraiment passé.

Quand il avait épousé Blanche Dubuc, combien la trouvait-il parfaite et, quand il décida de la quitter, combien était-elle devenue un monstre à ses yeux. L'autre devenant si terrible dès qu'on a besoin de s'en convaincre pour éviter les remords ! L'autre qui n'a rien compris. L'autre qui n'a pas fait les efforts nécessaires pour sauver le navire. L'autre qui a navigué sur d'autres mers.

Ils se trouvaient tous les deux assis dans le petit salon Rousselot, réservé aux familles éplorées afin de les soustraire au regard curieux des gens. Adriano saisit la main de Blanche qu'elle avait plus fine encore qu'avant, y posa les lèvres, puis soutenant son regard, lui dit :

– Comment ça se passe pour toi ? Ta carrière, ta vie personnelle, ton amoureux ?

– Bien pour les trois : carrière, vie et amoureux.

– Je suis content pour toi, ajouta-t-il en lui tenant toujours la main.

La porte s'ouvrit et Rose entra, excitée et inquiète à la fois.

– Comment vous la trouvez ? Elle est moins pire que je pensais. Lui avez-vous vu la pataraffe dans le visage ?

Rose embrassa sa mère puis ajouta :

– C'est spécial de vous voir ensemble tous les deux.

Blanche se trémoussa sur son siège et Adriano toussa.

– Je suis sûre que vous vous aimez encore, ajouta-t-elle. Ça aiderait Anna, en tout cas.

– Qu'est-ce qui l'aiderait, dis-moi ?

– Que vous vous remettiez ensemble. L'Anglais de maman est un triple idiot, et Rachel Piiiiiiiinsonneault, une pimbêche qui profite de toi pour prendre une place dans le monde des arts. C'est aussi l'opinion d'Amy.

– Qui est cette Amy ? demanda Blanche.

– L'agente new-yorkaise de papa. C'est elle qui m'a montré les rudiments de la promotion des artistes. Dès le mois prochain, je serai prête à m'occuper de vous deux. Oui, dites oui ! Je serai votre agente.

– Rose, nous n'avons pas besoin d'une agente à Montréal.

– C'est parce qu'il n'y a pas beaucoup de galeries ni de centres d'exposition à Montréal. Mais attendez que les Affaires culturelles se réveillent ! Les gens commencent à s'intéresser aux peintres et aux sculpteurs. Les journaux font des efforts louables. Je vais organiser des expositions, des entrevues, des encans… Amy dit que les encans sont de plus en plus populaires à New York !

– On a d'autres chats à fouetter en ce moment, Rose. Il faut s'occuper de ta grande sœur. On l'a négligée pas mal, ces temps-ci, dit Blanche.

– Elle boit comme un trou, le savais-tu, maman ? ajouta cruellement Rose.

Blanche se leva, sortit du petit salon et se dirigea vers la chambre où Anna venait de montrer signe de vie. Adriano en profita pour s'expliquer.

– Rose, tu accuses ta mère et je ne crois pas que ce soit une bonne idée. Anna peut très bien, à trente ans, prendre sa vie en main et décider de son avenir, tu ne penses pas ? Qui doit-on accuser pour tes choix de vie qui, il me semble, n'étaient pas ceux d'une petite fille heureuse ? Quand je t'ai trouvée dans ce…

– Okay. Ça va, papa. Je pense que tous les quatre, nous avons fait des mauvais choix. C'est ce que je disais : il faut tout reprendre au commencement quand maman et toi, vous étiez si bien ensemble. Elle ne boit plus, maintenant. Il faut vous rabibocher. Et tout va rentrer dans l'ordre. Allons, mon petit papa d'amour !

Le côté éveilleuse de consciences de Rose l'amusait, au fond. Cette petite fille si candide qu'elle était avait toujours aimé analyser les comportements des autres, leur donner des conseils, les encourager, alors qu'à peine rendue à sa majorité, elle n'avait pas encore d'amoureux et caressait naïvement le désir d'être gérante d'artistes, de frayer allègrement dans ce monde de créateurs et de chercheurs de gloire dans une ville qui accordait tellement peu d'importance aux artistes en beaux-arts que plusieurs d'entre eux étaient allés gagner leur vie en Europe ou aux États-Unis.

Anna semblait tirée d'affaires. Elle pleura autant de larmes que possible et, encouragée par les infirmières qui lui parlaient constamment du calvaire de Notre-Seigneur, elle finit par se calmer.

– Le Christ a changé l'eau en vin, il n'est pas devenu alcoolique pour autant! lui glissa Sœur Sainte-Cécile pour la faire rire.

Adriano invita Blanche à aller manger dans un restaurant italien sur Sainte-Catherine, et Rose eut la bonne idée de se trouver une raison pour les laisser en tête-à-tête. Elle croisait les doigts. Elle choisit de rester pour veiller sa sœur et l'informer que peut-être leurs parents s'aimaient encore. Ce qui pourrait à coup sûr lui donner le courage de demeurer sobre. Elle se dit que peu importe l'âge des enfants, la séparation des couples laisse toujours d'étranges séquelles dans leur vie. Anna buvait pour signifier à sa mère qu'elle lui avait transmis son terrible travers et qu'elle devait être près de sa fille pour l'aider à s'en sortir. Quant à Rose, elle en voulait à sa mère de ne pas avoir soupçonné la perversité d'André Duhamel qui l'avait empêchée à jamais d'avoir confiance aux hommes. Selon elle, ni Blanche ni Adriano ne leur avaient transmis leur égocentricité d'artistes.

•

Rachel pleurait comme une enfant, recroquevillée sur son couvre-lit, un coussin pour étouffer ses sanglots. Il était presque trois heures et Adriano n'était toujours pas rentré. Il n'avait pas téléphoné non plus. Rose ne répondait pas davantage à ses appels. À l'hôpital, on n'avait pas voulu lui donner de nouvelles au sujet d'Anna. La nuit s'était fondue sur la ville sous le décroissement de la lune et le silence avait envahi la rue Laurier. Elle se leva et pour la centième fois, elle regarda par la fenêtre, soulevant le rideau, avec l'espoir de voir apparaître Adriano. Un chat caramel traversait la rue et devenait or en s'approchant du lampadaire. Un voisin sortait de chez lui. Un travailleur matinal. Il remonta son col et disparut aussitôt. Puis, plus rien.

Elle sursauta quand la Chevrolet d'Adriano se stationna devant la porte. Elle courut s'essuyer les yeux, se gargarisa, s'envoya un jet de parfum, puis retourna au lit, désirant qu'il ne la trouve pas complètement ahurie. Elle demeurait par contre très inquiète de ce qu'il allait lui annoncer. Anna morte. Rose perdant connaissance. Blanche n'assistant pas à l'agonie de sa fille. Adriano éploré.

Il entra et vint vers elle, la renifla comme un matou et se blottit contre elle avec amour. Il ne voulait pas la réveiller, mais manifester sa présence. Il avait convenu avec Blanche qu'elle et lui allaient se rencontrer le lendemain soir à la maison qu'elle avait cédée à ses filles le temps de son séjour à l'étranger. Retour du père. Rose serait ravie.

Devait-il cacher cela à Rachel ? Serait-elle capable de comprendre que Rose voulait s'occuper de leur carrière à lui et à sa mère ? Il décida de lui dire la vérité puisque les liens entre Blanche et lui n'étaient que professionnels même si Rose espérait tout à fait autre chose.

Deuxième partie

1

Lorsqu'Adriano entra dans la petite chambre qu'avait louée Archambault à Marc-Aurèle Fortin dans sa maison du boulevard Sainte-Rose à Fabreville, il eut un haut-le-cœur. Une odeur de putréfaction tentait inutilement de s'enfuir par les fenêtres tenues verrouillées par les couches successives de peinture. Il entendit le peintre le saluer sur un ton bourru, l'invitant à ne pas trop s'attarder puisqu'il avait du mal à endurer les curieux. Adriano n'en revenait pas : le frigo, dont la porte n'avait pas été refermée, exhalait des odeurs d'aliments moisis, de lait caillé et de jambon couvert d'une végétation inquiétante. Les draps et les couvertures n'avaient pas été remplacés depuis des mois et la poussière s'étant accumulée depuis peut-être des années, la chambre de l'artiste ressemblait à un innommable fatras. Mais la magie opéra tout de même. Il était assis sur son lit, sans ses jambes, le visage buriné, le ton renfrogné d'un être étonnamment souffrant que la société avait oublié au fond d'une de ses campagnes pourtant resplendissantes.

Adriano avait vu les grands ormes du boulevard Sainte-Rose, les maisonnettes des grosses familles de cultivateurs, les champs moutonnants, les petits sentiers ondoyants, les saules pleurant au-dessus des chemins ombragés et perforés de taches de soleil qu'avait peints Fortin. Il avait aimé cet ours qui donnait l'impression d'une espèce de clochard qui, lui, aurait un domicile fixe, contrairement à la description contenue dans le dictionnaire des travailleurs sociaux. Ces derniers étaient passés tout droit devant la maison d'Archambault à Fabreville. N'étaient pas entrés pour constater tout l'abandon du monde. N'avaient pas entendu ses mélo-pées douloureuses habilement étouffées par son gérant Albert Archambault. Ni lui ni Gabrielle n'avaient de-mandé d'aide pour Marco. Étonnant de la part de cette joyeuse fille qui avait demandé à Fortin de l'épouser.

– Assiez-vous ! commanda la voix de l'artiste. Qu'est-ce que vous voulez ? Y'a qu'une personne qui a le droit d'entrer ici. C'est mon ami Buisson. Il cherche à m'ai-der, lui. Pas à me voler mes tableaux ! Archambault m'a offert une chambre comme vous voyez. J'ai même un frigidaire. Mais y'a pas grand chose dedans. Ils veulent pas que je sorte. Peindre, peindre, peindre, c'est tout ce qu'ils veulent que je fasse. Je suis leur gagne-pain.

– J'ai rencontré Gabrielle à New York. Elle m'a dit que je pouvais venir vous rencontrer pour parler de peinture. Elle est très bien, votre femme.

Fortin s'enferma dans un silence qui dura assez longtemps pour créer un malaise.

– Vos jambes, elles ne guérissent pas, glissa Adriano en apercevant les pansements souillés qui les entouraient.

– Mes moignons, vous voulez dire. Ouais, je souffre. Le docteur Maisonneuve est bien brave de venir me panser chez moi. Je lui ai donné bien des toiles, il faut dire. Mais c'est un bon docteur. Il cherche pas à m'exploiter, lui. Vous n'êtes pas journaliste, j'espère.

– Je suis peintre aquarelliste. J'adore ce que vous faites. Mais j'ignorais que vous étiez… si maltraité.

– Mais non, mais non. Ici, on apprécie mes toiles. Archambault les donne quasiment et les Lange ne sont pas contents, vous comprenez, ils ont une galerie et ils veulent vendre plus cher. C'est normal. Il faut vendre ce que ça vaut. Comment elle va, Gabrielle?

– Elle va très bien, se contenta de dire Adriano.

Ils passèrent trois heures en tête à tête. Fortin parla sans relâche de New York et de Paris, de ses études au Monument National auprès d'Edmond Dyonnet qui, le premier, avait eu confiance en lui. Adriano intervenait brièvement, mais lui parla tout de même longuement de Dyonnet qui avait été son mentor et son ami. En entendant cela, Fortin eut confiance et passa en revue sa vie de peintre, L'Arche où ses amis artistes, poètes et comédiens se rencontraient pour échanger sur leur art respectif, arguant que la création resterait toujours la création quels qu'en soient les moyens choisis. « Tout se recoupe quand il s'agit d'inventer », affirma Fortin.

Il se fit encore plus loquace quand il narra sa découverte de l'application des teintes sur un fond noir, son séjour en Gaspésie où la technologie n'avait pas encore souillé l'homme, ses expositions à Londres, à Pretoria en Afrique du Sud, au Salon du Printemps à Montréal ou à New York. Il adopta un ton dramatique quand il osa parler des centaines de tableaux, « peut-être ben deux mille », que son gérant Archambault avait brûlés parce qu'il ne savait pas où les entreposer, et de l'amputation de sa deuxième jambe en 1957. Marc-Aurèle Fortin se racontait sans crainte parce que son interlocuteur était un aquarelliste comme lui. Parce qu'Adriano lui voulait du bien, à lui, pauvre vieux cul-de-jatte presque aveugle.

– Y'a René Buisson qui vient me voir avec Claire, sa femme. Elle essaye de me tirer les vers du nez. Vous savez comment sont les femmes. Moi, je ne parle pas de mes sentiments, de mes rêves. Ça ne regarde personne. Y'a ma peinture pour expliquer tout ça. C'est un vendeur de bière, ce gars-là. Mais il joue aussi de l'orgue à l'église. Et il a acheté de mes tableaux. Un véritable mécène, je vous dis. Mais il ne peut rien faire contre Archambault. Lui, c'est mon pire ennemi.

Après quelque temps, Fortin se sentit fatigué et demanda à Adriano de le laisser se reposer non sans lui suggérer de revenir le voir.

– Vous savez, j'ai eu le destin tragique des poètes et des artistes, c'est déjà une reconnaissance en soi. Je ne parle pas souvent, mais j'aime bien discuter avec vous, l'Italien !

Adriano ne renchérit pas, lui qui était devenu plus Québécois que bien d'autres. Il ne posa pas non plus les seules questions qui montaient en lui : pourquoi ne pas résister ? Pourquoi Marc-Aurèle acceptait-il les mauvais traitements ? Comment pouvait-il endurer d'être retenu prisonnier d'un tel despote ? Adriano se promit d'en parler avec les journalistes et critiques d'art de *La Patrie* et du *Petit Journal* qui semblaient, eux, intéressés par des histoires aussi scabreuses. Et il promit de revenir.

Quand il fut revenu à la maison, Rose était là et Rachel lui transmettait la liste des nouvelles œuvres d'Adriano avec toute l'exaltation dont elle faisait un brillant usage selon les circonstances.

Rose n'avait jamais lâché prise. Elle butinait d'une à l'autre des œuvres de ses parents, réfléchissant avec eux pour trouver les titres les plus significatifs, cherchant des salles d'exposition, fixant des rendez-vous avec les journalistes, dégotant des participations à des bonnes œuvres, gérant même l'attachement d'Adriano pour Blanche, tel qu'elle le voulait depuis toujours.

Depuis son retour de New York, Rose n'avait pas rencontré d'amoureux malgré ses vingt-neuf ans. Elle s'était lancée dans la reconnaissance de l'œuvre de ses parents et n'avait plus de temps pour autre chose, disait-elle. Elle avait quitté la maison de sa mère et partageait plutôt celle de son amie d'enfance, Solange Sirois.

Anna, quant à elle, avait rencontré Serge Cotnoir, un ancien Clerc de Saint-Viateur défroqué qui lui avait mené une cour d'au moins cinq ans avant de déclarer ses sentiments et de la demander en mariage. Bruno terminait ses études classiques et Émile, à quinze ans, savait qu'il serait comédien. Les fins de semaine, ils travaillaient au restaurant *L'Artiste* avec leur mère, et Paul Lefort veillait à la formation d'un jeune chef à la barre des cuisines. À deux, ils apportaient de savantes modifications au menu dans le but avoué de plaire à une clientèle de plus en plus âgée, mais aussi pour le plaisir de faire découvrir des mets nouveaux et de conserver la place de *L'Artiste* parmi les dix meilleures tables de la région métropolitaine. Les familles de la Petite Italie formaient la plus grande partie de la clientèle, et les vrais habitués avaient toujours un faible pour le menu qu'avait élaboré Adriano à une certaine époque. Carmélie et ses sœurs n'avaient donc pas voulu retirer du menu les *salsetta rossa alla ligure, insalata di pane raffermo e peperoni,* ni les *carciofi ritti* qui, par leur appellation italienne, donnaient l'impression aux Montréalais de voyager.

●

L'exposition des œuvres de Bianca et d'Adriano S. chez Agnès-Lefort allait retenir l'attention dès son annonce. *Le Devoir* en parla comme de l'événement de l'année à venir, et le critique Marcel Gagnon exprimait sa hâte de voir enfin le couple réuni sous la bannière de cette exposition «follement excitante, s'il en est une».

Rose invita plusieurs galeristes canadiens, Frank Hudson de Toronto, James Adams de Vancouver et John S. Stanley de Halifax qui, espérait-elle, allaient faire toute la différence pour ses parents s'il leur adonnait d'apprécier leurs œuvres. Elle écrivit à Amy Featherstone qui, de son côté, s'occuperait des gros bonnets de New York. Elle retint les services d'un grand photographe d'art pour prendre les meilleurs clichés possible des œuvres ainsi que ceux d'un imprimeur chevronné pour produire le catalogue de l'exposition. Un catalogue de douze pages entièrement consacré à une rétrospective de leur cheminement artistique. Elle allait s'occuper de la traduction en anglais. Les magazines d'art se démenèrent, cette fois, pour promouvoir l'exposition intitulée *Décrochage urbain* qui allait se tenir du 6 mars au 2 avril. Un mois décisif pour la carrière de ses parents.

Rachel ressentait de plus en plus l'attachement d'Adriano pour Bianca. Il ne parlait que d'elle tout en faisant bien attention de ne célébrer que son talent, que la beauté de son œuvre, que la place qu'elle lui laissait dans cette exposition alors qu'elle aurait eu tout le loisir d'occuper à elle seule le haut du pavé. Jalouse, Rachel, qui n'avait aucune attache légale avec Adriano, sentait son amour s'étioler et se voyait reléguée au deuxième plan tant cette exposition de l'ancien couple avait pris de l'importance.

Elle songea aux cours de peinture et à son bonheur d'alors, du temps où elle laissait couler en elle l'attraction ressentie envers son professeur. Elle se souvint de leurs premiers ébats amoureux sur la grande table de l'atelier, des émois, des espoirs qu'elle entretenait et du jour décisif où ils unirent leurs destinées en emménageant rue Laurier, chez elle. Elle revoyait leur appartement de la 69e à Manhattan et les nombreuses rencontres d'artistes qu'elle organisait pour lui, s'occupant surtout des agapes. Dès l'entrée en scène d'Amy et surtout dès que Rose accepta de se joindre à l'agent d'Adriano, Rachel s'estompait comme une vieille photo. Avec subtilité.

Elle n'appréciait pas que cette exposition prenne toute la place. *Décrochage urbain* allait devenir pour Rachel le véritable abandon. Sauf qu'elle n'allait pas décrocher, mais réagir. Tant pis pour lui.

Rachel songea à Yves de Rancourt qui était le critique le plus respecté de Montréal. Indépendant, il écrivait des ouvrages savants voués aux arts visuels mais, libertin de nature, n'écrivait dans aucun média connu. Plusieurs personnes, même Adriano, lui avaient raconté à quel point de Rancourt tombait facilement sous le charme des jolies femmes et pouvait, par amour, être aussi mesquin que possible.

Elle revêtit sa petite robe rouge, son manteau de soie blanche, ses longues bottes de cuir vernis, souligna ses paupières de khôl pour se donner un regard charbonneux et vampirisant, et se rendit ainsi chez de Rancourt à Outremont. Elle attendit qu'il sorte ramasser son journal pour crier, en se précipitant vers lui: «Aidez-moi, mon mari veut me tuer! S'il-vous-plaît, aidez-moi, je vous en prie!»

De Rancourt fut pris d'une immense sollicitude lorsqu'il constata la beauté de Rachel, ses cheveux de blé, ses longues jambes dressées dans des cuissardes, et cette peur qui la rendait si vulnérable. Yves de Rancourt fondait toujours devant la vulnérabilité des femmes. Surtout quand elles étaient jolies.

Il la pria d'entrer, la fit asseoir dans la cuisine, lui offrit un café frais coulé et l'écouta déballer la liste de ses inquiétudes. Longue liste dans les circonstances.

Quand elle avoua être maltraitée par Adriano Scognamiglio et son ex-femme Blanche Dubuc, elle feignit de pleurer et de Rancourt la consola, ressentit davantage que de la pitié, et se dit qu'elle serait à lui dans quelques jours tout au plus. Il la laissa parler et fut renversé par la cruauté de ce couple qui avait repris la place qu'il avait occupée jadis, profitant de cette pauvre fille qui avait servi, au fond, de simple soubrette ou potiche. Il ne se douta de rien. Il lui offrit un endroit pour se reposer.

– Prenez tout le temps pour oublier ça. Vous allez voir, je vais vous venger, moi! Si c'est pas misérable qu'une aussi jolie petite chose soit ainsi traitée par un couple… maudit! Laissez-moi faire, ma belle Rachel. Vous aurez tout oublié quand mononcle Yves aura vengé votre honneur!

Le processus de démolition ne prit pas deux jours à se mettre en marche. De Rancourt logea quelques appels bien placés chez ses relations journalistiques, chez deux ou trois galeristes, à quatre de ses amis écrivains, pour dénoncer les abus perpétrés par le peintre Adriano et sa première épouse, la sculpteure Bianca S.

Au bout d'une semaine, les rumeurs se rendirent jusqu'à Carmélie par la femme d'un vendeur de publicité de *La Presse* venue dîner un mercredi soir.

– Il paraît qu'Adriano a tenté de l'empoisonner avec du cyanure pour se débarrasser d'elle. Il ne veut plus que madame Pinsonneault soit une embûche dans sa vie. À New York, il lui a fait croire qu'il était un grand peintre aussi populaire qu'Andy Warhol et la laissait toute seule à chaque soir, sans argent, sans nourriture. Il l'a ramenée à Montréal et depuis, il ne voit plus que cette Bianca Truc ! C'est effroyable ! On ne sait plus à quoi s'attendre avec ces étrangers qui viennent s'installer chez nous et qui sont des monstres. Pauvre fille ! Il paraît aussi qu'il faisait partie de la pègre américaine, c'est André « Dédé » Bigras qui en a parlé dans l'*Allô Police* !

Carmélie était sous le choc ! Le père de ses deux fils qui était accusé, elle en était certaine, sur la base d'histoires non fondées. Adriano avait pu faire des choix douloureux pour elle, briser la plupart de ses rêves de femme, mais jamais n'avait-il manqué de respect ni à Blanche ni à quiconque ! Oui, Adriano avait été abandonné à plusieurs reprises dans sa vie, mais quand il était parti avec Rachel à New York, c'était après que Carmélie ait eu une aventure scabreuse avec Armandin Lacourse. Et jamais n'avait-il levé la main sur qui que ce soit. Et combien aimait-il ses quatre enfants ! Toutes les femmes qu'Adriano avait rencontrées depuis son arrivée au pays en 1911 avaient été traitées avec énormément de déférence et avaient occupé une place de choix dans sa carrière. Les autres n'étaient pas des artistes, sauf Blanche. Et avec elle, il pouvait discuter de la montée de l'imaginaire, de l'ardeur de l'expressivité, de la joie de créer. Carmélie, un verre de vin à la main, vint s'asseoir auprès de la commère et lui dit :

– Vous n'avez pas le droit de raconter de tels ragots. Vous savez très bien que cet homme ne mérite pas ça.

– Vous ne me croyez pas, Carmélie ? Pourtant, c'est un journaliste qui l'a raconté à mon mari. Si vous ne croyez pas les journalistes, alors…

– Non, je ne les crois pas. Je connais le père de mes enfants et mon ancien…

– Vous ne lui en voulez donc pas de vous avoir abandonnés ?

– Il ne nous a pas abandonnés. Il est allé travailler à New York pour sa carrière avec une pauvre fille qui, elle, lui a menti. Maintenant, excusez-moi, je dois aller faire le café.

●

Une semaine après le vernissage à la galerie Agnès-Lefort, trois journaux offrirent une critique assez élogieuse, mais aucun ne put s'empêcher de laisser libre cours aux rumeurs en ajoutant que le couple était accusé d'avoir été incorrect envers la jeune femme qui avait tout donné à l'artiste et qui s'était vue trahie par lui et par son ex-femme. Pour se protéger, les journalistes écrivaient que leur source n'était peut-être pas sûre à cent pour cent, mais que les informations provenaient tout de même d'un grand auteur qui n'avait pas l'habitude de raconter n'importe quoi. Au bout d'une semaine encore, Adriano S. avait battu la pauvre Rachel et l'avait laissée sans un sou dans un appartement sinistre. Aucun journaliste n'avait tenté d'étouffer ces ouï-dire.

Carmélie, fidèle à son habitude, outrepassa la discrétion que l'on exigeait des conjointes d'artistes et envoya une lettre au *Devoir* pour exprimer sa colère. Le directeur la lut, puis téléphona à Adriano qui ne se doutait de rien.

Il lut l'article et fut sous le choc à son tour. Tant de questionnements montèrent en lui. Il est vrai qu'il avait négligé Rachel ces derniers temps, occupé qu'il était à préparer cette exposition post-new-yorkaise avec Rose et Blanche. Rose était tellement heureuse de voir ses parents redevenir amis qu'elle aussi avait mis Rachel de côté. Anna s'était jointe au reste de sa famille et pour l'occasion, avait annoncé ses fiançailles pour la Noël. Rachel avait tissé sa toile. Comment avait-il pu être aussi naïf?

Blanche s'amusait de la jalousie mordante de Rachel. Elle profitait de ce virement de situation pour le tourner à son avantage. Blanche redécouvrait Adriano, et Rachel lui donnait l'occasion d'en profiter sur un plateau d'argent. Elle n'avait qu'à écouter son collègue d'exposition, à le hisser sur un piédestal, à le flatter et, entourée de ses filles, il reviendrait dans sa vie. C'est ce qu'elle souhaitait depuis toujours. Avant même que l'alcool soit venu le détacher d'elle.

Adriano arriva rue Laurier avec une idée en tête : régler son compte à Rachel Pinsonneault.

•

Ma chère Jeanne-Mance,

Si tu voyais dans quel guêpier je me trouve ! Me voici entouré de toutes les femmes de ma vie dans un salmigondis incontrôlable ! Je t'entends rire d'ici.

Rachel et moi sommes revenus de New York chargés de rêves et de projets. Rose a mis toute l'année pour apprendre le métier auprès d'Amy Featherstone et, ma foi, elle possède un rare talent doublé, bien sûr, de l'amour qu'elle éprouve pour moi. Elle s'est mise à s'occuper de cette grande exposition à la galerie de la rue Sherbrooke où j'ai rencontré Paul-Émile Borduas. Nous avons appelé notre exposition, Blanche et moi, Décrochage urbain *d'après un article que j'ai lu à New York :* Unhooking a Star. *Décrochage comme lorsqu'on doit apporter chez soi le tableau acheté. Mais aussi, décrochage d'une relation insupportable qui gruge de l'intérieur.*

J'ai vécu une année déterminante à Manhattan. J'ai retrouvé Rose et j'ai rencontré Amy. À mon retour, une autre personne m'attendait : Blanche, Bianca S., celle que je n'ai jamais oubliée.

En fait, je n'arrive jamais à décrocher d'une relation, quelle qu'elle soit. Ma grand-mère, toi, Gertrude Ladouceur, le parfum L'Heure Bleue *qui me rappelle Marina, ma mère ; Blanche, Anna et Rose, Carmélie, mes deux fils. Je viens cependant de constater que j'ai coupé net avec*

Rachel parce qu'elle a voulu m'assassiner en ternissant ma réputation et celle de Bianca.

Jalouse, Rachel a inventé des rumeurs de maltraitance envers elle, d'abus de toutes sortes. Elle a convaincu un auteur de livres d'art avec je ne sais quels ragots. Les journaux n'ont pas cru bon de vérifier et ils ont semé des médisances comme on reçoit des timbres Pinky chez Steinberg ! J'imagine que tu as dû lire ses propos dans le Perspectives du Soleil de Québec, ma Jeanne-Mance. Et comme tu as dû être déçue !

Rachel a tout inventé ou encore, sa vision de l'amour a été totalement déformée par la jalousie. Je l'aimais, bien sûr, mais je n'ai jamais cessé d'aimer Blanche qui a influencé toute ma vie. Comme toi qui as été l'influence d'une jeunesse inoubliable. Jamais n'ai-je agi envers Rachel ou même Carmélie avec l'intention de leur faire du mal. Blanche, rappelle-toi, a préféré l'alcool. Carmélie m'a trompé avec mon meilleur ami, et Rachel m'a fait croire qu'elle m'aimait. Des défections, l'une après l'autre pour l'artiste sensible que je suis. Je ne veux pas te faire croire que je n'ai aucun tort. Le seul tort que j'avoue est de vouloir faire connaître mon œuvre et d'assurer une éternité à mon passage sur cette terre. Est-ce si mal ? Tous les artistes ont un besoin d'éternité. Sauf peut-être Marc-Aurèle Fortin qui s'enfonce dans l'anonymat comme une grenouille dans la boue afin de survivre.

Je suis allé rencontrer monsieur Fortin à Fabreville chez son gérant minable qui le garde enfermé dans une chambre sale et sombre, qui force son jeune fils à peindre des faux Fortin pour les vendre ensuite à des ignorants, qui ne laisse presque personne le visiter de peur qu'il n'exprime sa détresse. J'y suis allé pour parler de notre art. Il m'a révélé bien plus. Peut-être a-t-il vu en moi un autre sceptique ? Mais j'ai vu quelques-uns de ses tableaux peints il y a vingt ans et je te jure que devenu presque aveugle, Fortin n'est que l'ombre de lui-même et ses tableaux ne valent plus grand-chose. Ses grands arbres ont perdu la majesté de leur frondaison, ses maisonnettes, leur perspective et l'équilibre de ses tableaux plus anciens a été rompu. Ah, ma Jeanne-Mance, il n'y a rien de plus triste au monde qu'un artiste qui se noie. Comme Émile Nelligan qui s'enfonçait dans sa folie. Tu as lu ses poèmes ? As-tu remarqué que le bateau d'or taillé dans l'or massif avait des flancs diaphanes ? Comme si cela était possible. Pourtant, quel poème !

Je ne suis pas un grand écrivain, mais je cultive les images qu'un jour je dépeindrai par l'écriture. Mon fils Émile veut être comédien. Comme les amis de Marc-Aurèle Fortin qui fréquentaient L'Arche à Montréal. Quand il m'en a parlé, j'ai compris que lorsqu'il a dit : « La création, c'est la création ! », c'est qu'il est naturel qu'un artiste en arts visuels puisse aussi développer l'écriture ou l'art dramatique. Denis Diderot devait aussi dessiner et jouer la comédie à son époque. Il cultivait toutes les sortes d'art, j'imagine. Moi, je rêve d'être écrivain. Et mon fils Émile à moi ne se noiera pas s'il écoute ses rêves. Il ne sera pas n'importe quel comédien mais un grand interprète. Il veut s'inscrire dès la semaine prochaine dans la classe de François Rozet que j'ai vu avec Carmélie dans *La Cerisaie* de Tchekhov il y a quelques années. Pas mal, non ?

Et chez vous, les enfants Tanguay doivent avoir choisi de quoi serait fait leur avenir ? Ils doivent avoir suivi leur père et leur mère dans la pédagogie appliquée ? Ou peut-être ont-ils choisi plutôt d'imiter leur grand-père Guiroux en exploitant une ferme ? La vie nous charrie sur son dos sans jamais nous avertir.

Toi, mon amie depuis plus de cinquante ans, tu dois savoir qu'un jour, mon œuvre s'imposera avec acharnement et peut-être seras-tu la première à reconnaître que nous ne nous sommes jamais vraiment quittés. Tu feras en quelque sorte partie de cette œuvre. De la même manière que je suis fier de dire que j'ai reçu les confidences du plus grand peintre du Québec alors qu'il achevait sa course effrénée pour la gloire, celle que personne ne semble vouloir lui consentir.

Ton ami Adriano

2

Décrochage urbain fit parler d'elle dans tous les médias. Rose se tenait debout, près de la petite table de la réception et annonçait haut et fort : -
– Treize tableaux et six sculptures de vendus. Deux commandes pour la Ville de Montréal et une pour le bureau de monsieur Saulnier ! Plus trois articles dans *Le Devoir*, dans *La Presse* et dans le nouveau *Journal de Montréal*. Une entrevue avec Bernard Lévy de *Vie des Arts*, une autre avec Wilfrid Lemoine. Je suis très fière et vous ?

La galerie s'apprêtait à fermer, et Agnès Lefort souriait de toutes ses dents. Adriano aimait beaucoup cette artiste peintre devenue galeriste. Elle aussi avait connu Edmond Dyonnet et le poète Charles Gill au Monument National alors qu'elle y complétait une formation de peintre. Elle avait d'abord peint de très beaux paysages et de magnifiques portraits, et Adriano se souvint de la *Jeune fille tenant un chat* qui l'avait séduit aussitôt qu'il l'avait vu. Quelques années plus tard, Lefort avait opté pour le modernisme et avait commencé, elle aussi, à démembrer ses sujets et à joindre les rangs des peintres anticonformistes. Un tableau, *Nature morte au poisson rouge*, avait pris des airs de Picasso, à en croire ce que tout le monde disait. Des formes, des circonvolutions, des lignes coupées, le romantisme que préférait Fortin avait pris le bord. Mais Agnès Lefort était imprégnée de sa création et elle aidait les artistes à se faire connaître en leur ouvrant généreusement sa galerie d'art qui était l'une des plus raffinées à Montréal.

Blanche ne disait rien. Elle observait ses filles avec une grande fierté et promenait son regard du côté d'Adriano de qui elle était retombée amoureuse, comme d'un fruit défendu. Retourner auprès de lui allait sûrement causer tout un imbroglio dans la vie de chacun. Pourtant, c'est tout ce qu'elle souhaitait.

Le mariage d'Anna et de Serge Cotnoir fut célébré à l'église catholique Notre-Dame-de-Lourdes et Adriano offrit le bras à sa fille pour la mener à l'autel. Elle était ravissante dans sa robe de mousseline rose et son chapeau à larges bords qui rendait son regard coquin. Elle glissait sur le parquet frais ciré comme une patineuse et rayonnait de bonheur en rejoignant son fiancé qui l'attendait en compagnie du curé Théorêt.

Rose avait invité son amie Solange Sirois à y assister, et toutes les deux pleuraient en silence en épongeant leur nez comme on le ferait avec le surplus d'eau d'une aquarelle. Personne n'avait invité Carmélie, mais Bruno et Émile, les demi-frères de la mariée, étaient présents, propres comme des sous neufs, élégants dans leur habit de lainage fin souligné d'une cravate bleue. Ils étaient surtout heureux de faire partie d'une famille où les parents semblaient s'aimer encore. Blanche faisait belle figure avec ce tailleur créé par nulle autre qu'Émilia Trudel, la couturière attitrée de Lucille Dumont et de Michèle Tisseyre. Un deux-pièces en shantung brun daim et une jupe Pop Art avec des grandes fleurs à la Matisse, sa taille minuscule soulignée d'une ceinture assortie. Elle portait un chapeau en organdi qui venait ombrager son regard.

Adriano avait toujours été sensible à l'habillement car il considérait que celui-ci en disait long sur la personnalité d'une femme ou d'un homme.

Il y avait très peu d'invités. La famille Cotnoir était représentée par la mère et Luc, le frère de Serge. Le reste de la famille n'existait plus ou encore n'avait pas digéré qu'il défroque de chez les Clercs de Saint-Viateur. La douzaine de personnes présentes félicitèrent les nouveaux mariés qui allaient filer vers Paris dans la soirée.

Anna aurait bien voulu que la réception se tienne au restaurant *L'Artiste* où elle avait souvent travaillé, mais elle éprouva de la sollicitude pour Carmélie. Ils se réunirent donc au restaurant *Le Caveau* qu'Adriano et Blanche avaient fréquenté quelques années auparavant.

Anna avait largement dépassé l'âge idéal pour prendre époux, mais il se dit que ses fils n'avaient pas non plus d'amoureuse alors que lui, au même âge, se pavanait depuis belle lurette avec Jeanne-Mance Guiroux et avait connu les secousses libidineuses en compagnie de Gertrude Ladouceur. Un Scognamiglio de Porto San Giorgio n'aurait jamais assisté à un mariage sans une fille à son bras. Les jeunes générations avaient changé et ses fils qui fréquentaient un collège pour garçons n'avaient pas la chance de côtoyer des filles, surtout qu'ils n'allaient pas à la messe du dimanche, là où on pouvait en débusquer une le long d'un banc de chêne. Adriano n'allait plus à l'église mais conservait de chaleureux souvenirs de ces dimanches où s'entassait dans la chapelle de *l'Istituto Canossiane* toute la famille pour le sermon avec comme seule motivation la protection des vignes, des oliviers et de la vertu des femmes. Ou pour diriger leurs prières vers les enfants d'Emilio qui avaient tous deux choisi le mauvais chemin. Adriano savait que sa vie spirituelle était une affaire de choix de vie, et que le pape l'aurait excommunié depuis longtemps si seulement il avait connu ses séparations, son métier de bohème et son appartenance à une famille de mafieux! Il retint un rire derrière sa main qui fit sourciller Blanche.

Blanche avait tout arrangé avec *Le Caveau*. On leur servit d'abord une coupe de champagne et Adriano se leva et demanda le silence, car il avait quelques mots à prononcer.

Au moment de lever sa coupe, on entendit un brouhaha en provenance du hall d'entrée. Un serveur tentait de maintenir une jeune femme qui semblait agressive. Elle n'était pas dans son état normal, le visage froissé, les yeux cernés, et la main qu'elle tendait en direction d'Adriano tremblait.

– Tu peux bien lever ton verre au bonheur de ta fille, espèce de menteur! Toi qui as passé ta vie à rendre les femmes malheureuses! Toi qui leur fais miroiter la belle vie, qui les couvres de richesse pour ensuite les laisser tomber comme de vieux chiffons. Lève ton verre, Adriano S.! Célèbre ta fille Anna en lui offrant l'occasion de se soûler une fois encore! Adriano, regarde-moi bien! Celle que tu vois en ce moment t'a donné sa vie… Tu la veux, ma vie? Et bien, tu vas l'avoir!

Blanche se leva et se dirigea vers Rachel avec la nette intention de la faire taire. Rose et Solange ne savaient pas trop si elles devaient rire ou pleurer tellement la scène était désarmante. Le marié s'essuya la bouche avec sa serviette, madame Cotnoir se rendit aux toilettes et Anna se mit à sangloter. Cette femme lui avait rappelé la route rocailleuse qui l'avait menée à une sobriété fragile. Cette femme que son père avait aimée, comme il avait aussi aimé Blanche, voulait tout détruire le jour où elle avait donné rendez-vous au bonheur tant attendu. Qui allait faire taire cette Rachel Pinsonneault? Le petit pinson d'Adriano s'était transformé en corneille avec ses sombres prédictions.

Blanche fixa Rachel dans le blanc des yeux et lui dit:

– Tu sors d'ici avant que je t'arrache les yeux! C'est le mariage de notre fille, et tu n'es qu'une pauvre imbécile si tu penses qu'Adriano a été assez stupide pour t'aimer ! Sors d'ici ou je demande qu'on appelle la police ! Allez, sors !

Sachant que Blanche était bien capable de demander qu'on appelle la police, Adriano songea au commissaire Guérin qui serait si fier de constater que son « Italien » avait encore les pieds dans un scandale. Il choisit de s'approcher de Rachel et de lui parler avec tout le calme dont il était capable dans les circonstances. Il lui prit la main, la fixa dans les yeux, lui essuya la salive autour de la bouche avec sa serviette, lui épongea les yeux et murmura :

– Je vais aller te voir demain soir, si tu acceptes.

– Non, je ne veux plus te voir ! cria-t-elle. Tu n'es qu'un menteur ! Tu m'as dit que tu n'aimais plus cette femme (elle pointa Blanche) parce qu'elle t'a empêché de te hisser parmi les meilleurs peintres… elle t'a…

– Rachel, ce n'est pas l'endroit ni le moment, je t'en prie.

Adriano était sur le point de perdre patience. Il enserra le poignet de Rachel pour la conduire à la sortie. Le directeur du restaurant s'approcha et exhorta Rachel à se retirer. Il lui promit même de l'inviter à sa table quand elle le voudrait, une autre fois.

– Lâche-moi, espèce de brute ! Tu m'as cassé le poignet !

Puis elle se mit à geindre en se tordant de douleur. S'adressant à Anna, qui continuait à pleurer sur l'épaule de son mari, Rachel cria :

– Tu vois qui est ton père, Anna ? Un menteur, un séducteur qui est prêt à tout pour sa maudite carrière, même à abuser des jeunes femmes !

– Tais-toi, Rachel ! répliqua Adriano.

Rose se leva et se planta devant Rachel.

– Rachel, tu dis n'importe quoi. Moi, je sais ce que c'est que d'être abusée par un homme. Moi, je sais combien mon père a été honnête avec toi. Qu'il t'a mise au monde, pauvre petite tarte qui couinait dès qu'il prononçait une parole ! Tu vas t'en aller et oublier notre famille qui est ici pour célébrer. Une famille qui est en train de se reconstruire. Alors, c'est pas toi qui vas venir détruire notre ambition ! Appelez donc la police, maudit !

Le directeur du *Caveau* se rendit au téléphone et décrocha. Rachel décida de partir, mais pas sans d'abord fixer Adriano en crachant :

– Petit peintre sans talent !

Tous les invités étaient secoués malgré l'appel au calme et le retour à la fête souhaité par Adriano et Blanche. On discuta des personnes étranges qu'il arrive de rencontrer, des malades mentaux dont la maladie s'exprime de manière incongrue, des maux d'estomac causés par des personnes qui attaquent sans pitié et surtout des conjointes qui n'acceptent pas de décrocher. Puis on parla des ancêtres italiens qui avaient des caractères fougueux, surtout les femmes jalouses, et Adriano raconta cette fois où Antoniana avait joué à son Emilio une scène de jalousie dont on parlait encore dans la province de Fermo. Il était cependant fortement éprouvé par les derniers mots qu'avait prononcés Rachel : « Petit peintre sans talent. » Bien sûr, il n'allait pas croire Rachel, qui était en proie à une crise de nerfs sévère, et il pouvait même comprendre sa réaction. Il s'était rapproché de Blanche, et son amour pour Rachel, feu de paille sans doute, avait glissé le long d'une pente douce. Il était revenu vers sa Bianca qui semblait plus prudente, cette fois.

Le lendemain soir, tel que promis, il se rendit rue Laurier pour discuter avec Rachel. Il avait apporté des croissants au beurre et une bouteille de marsala. Rachel adorait ce vin fortifié qui la comblait comme « si un ange me fait pipi dans la bouche », se plaisait-elle à dire. Le marsala de la Sicile rendait les autres vins un peu ternes aux yeux de Rachel. Il ne savait pas comment elle le recevrait. Il n'avait jamais quitté une femme qui fut si attachée à lui. Blanche était trop bourrée à l'époque pour s'en être rendu compte tandis que Carmélie savait qu'elle avait couru après cette rupture. Rachel, elle, n'avait encore trouvé aucun argument pour justifier le départ de son Adriano. Il eut beau songer à son parfum de vanille, à sa peau de pêche, à ses lèvres de melon, il n'éprouva aucun regret. Blanche avait tout neutralisé.

•

Il avait gardé la clé. Il entra après avoir frappé pour s'annoncer. Il ne trouva pas Rachel dans le salon, ni dans sa chambre et ni dans la cuisine. Il appela. Il ouvrit la porte de la salle de bains et une forte odeur de fer lui sauta aux narines. Il ne se douta de rien. Le rideau de la baignoire était tiré et la vapeur d'eau avait embrumé le miroir. Il appela de nouveau, mais un tremblement s'était déjà emparé de son larynx. Il tira le rideau.

Rachel baignait dans son sang. Sa voix tonitruait encore dans la tête d'Adriano : « Tu la veux, ma vie et bien, tu vas l'avoir ! » Rachel lui avait offert sa vie. Elle avait attendu d'être certaine qu'il vienne au rendez-vous fixé. Elle n'avait pas écrit de lettre d'adieu comme dans les films qu'elle avait vus. Elle n'avait laissé aucun indice sur ses motivations. Une seule phrase lancée au restaurant *Le Caveau* : « Tu la veux, ma vie et bien, tu vas l'avoir ! » Il aurait dû se méfier. Tout le monde au mariage d'Anna avait entendu et personne n'avait réagi. *Une folle, une folle*, c'est tout ce qu'Adriano avait entendu.

Il ne savait pas quoi faire. S'en aller aurait été une solution. Faire comme si de rien n'était. Oublier ce cauchemar. Se sortir d'une situation qui allait encore faire parler de lui dans le milieu policier. Il se rappela qu'il ne fallait toucher à rien afin de ne pas brouiller les pistes. Même s'il avait le goût de la prendre dans ses bras, de lui chanter *piccolo fringuello* en la berçant. Même s'il voulait lui demander pardon. Il n'arriva pas à pleurer. Il trouvait que Rachel s'était comportée en jeune femme immature, qu'elle avait juste voulu l'embêter, lui, le pauvre petit peintre sans talent. N'était-ce pas la pire vengeance que celle de laisser l'autre se sentir coupable de sa propre mort? Une accusation qui pèse si lourd que jamais l'autre ne pourra relever la tête? Devait-il appeler lui-même la police?

Il souleva le combiné du bout des doigts et composa le numéro de Blanche.

– Ça n'a pas été comme tu voulais? demanda-t-elle en riant.

– Rachel s'est tuée. *Suicidio!* Elle s'est tranchée les veines. Je l'ai trouvée dans la baignoire. Je n'aurais pas dû la quitter aussi bêtement, tu comprends? J'aurais dû le faire plus graduellement.

– On ne quitte pas quelqu'un graduellement, Adriano, mais qu'est-ce que tu dis là? Tu l'aimais encore?

– J'aimais les souvenirs. Mais je ne pouvais plus avancer avec elle. Je…

– Attends-moi, je suis là dans quelques minutes. J'appelle un taxi. Ne touche à rien. Tu connais la police.

– Oui.

Il lui sembla que Blanche avait mis des heures avant d'arriver. Elle ne voulut pas voir le corps tailladé de Rachel, de celle qui avait assombri la réception de mariage de sa fille Anna. Elle voulait surtout consoler Adriano. Tant de fois elle avait fui alors que c'était précisément elle qui était la cause de ses tourments. Cette fois, elle allait tenir les rennes et sortir Adriano de l'enfer.

Elle téléphona elle-même à la police. On lui répondit, après avoir posé les questions d'usage, qu'on serait là dans une quinzaine de minutes.

Blanche prit Adriano contre sa poitrine et le consola du mieux qu'elle put, affirmant qu'il n'avait rien à se reprocher, qu'il avait tout fait pour cette pauvre fille sans avenir, que leur relation était basée sur la seule admiration que l'élève entretenait pour son maître, ou que Rachel représentait la jeunesse et la beauté sans la maturité nécessaire. Rien n'y faisait. Les remords qui tenaillaient Adriano mettaient en cause son égoïsme d'artiste qui ne voulait que sa renommée internationale. «Arrête de penser aux autres, Driano, pense d'abord à toi!» lui disait sa *nonna*.

Blanche lui prit la main et l'entraîna dans l'appartement de Rachel. Le corridor recelait une demi-douzaine de jolies aquarelles que commentait Blanche avec le plus d'enthousiasme possible. Elle pointa une sculpture représentant un enfant et son chien. Un Lladro, sans doute.

– Je déteste les porcelainiers comme Lladro ou Capodimonte. Des figurines de collectionneurs à deux cennes! Moi, je ne crée pas des œuvres pour plaire à toute la populace de chez Eaton ou Morgan. Je préfère des œuvres uniques. C'est plus fort que moi.

– Tu es unique, Bianca.

– Elle avait quand même du goût, ta Rachel.

– Va dans le salon. Elle a acheté une de tes sculptures.

– T'es sérieux? C'était avant ou après?

– Quand je l'ai connue, elle l'avait déjà. Étrange, non?

– Sa chambre n'est pas trop chargée. Regarde ce peignoir écru, il est très...

– C'est un cadeau que je lui ai fait quand on vivait à New York.

– Toujours aussi romantique, à ce que je vois. Tiens, un flacon de *L'Heure Bleue*... tu ne t'en sors jamais, hein? Ce parfum, toutes tes femmes l'ont porté, pas vrai? J'en ai encore un chez moi. Il est sucré, alors je ne peux en mettre que lorsque je sors du bain, sinon il se mêle aux odeurs corporelles et il sent la mouffette!

Adriano souffrait de la légèreté de leur conversation alors qu'une femme gisait dans son sang dans la pièce à côté. Il aurait voulu prier pour Rachel ou allumer des lampions pour le repos de son âme, appeler un prêtre pour exorciser la mort qui étirait ses longs doigts cruels dans l'appartement de la rue Laurier. Par la fenêtre, il constata que la vie continuait. Le facteur traversait la rue. Il allait déposer la poste dans la boîte aux lettres de Rachel. Un compte de téléphone ou d'électricité. Une vieille dame, armée de sacs de magasinage, discutait avec une autre. Le soleil se cachait derrière les immeubles de l'autre côté de la rue. Et Rachel, pauvre petite morte, refroidissait dans la baignoire.

Deux policiers montèrent à l'appartement. Après quelques secondes, le premier sortit de la salle de bains, un mouchoir devant la bouche, visiblement ébranlé. C'était son premier suicide. Le deuxième sortit son calepin et écrivit les réponses à ses questions: nom, prénom, adresse, liens avec la personne décédée. Il téléphona aux enquêteurs pour la suite: raisons qui avaient conduit madame Rachel Pinsonneault à mettre fin à ses jours, «si c'est un cas de suicide, évidemment».

Adriano blêmit. Présomption de meurtre.

Il vit apparaître avec horreur l'inspecteur de la police de Montréal, Rodolphe Guérin.

– Tiens, tiens, comme on se retrouve, monsieur Sco… Sca…Euh… Adriano !

– Qui est-ce ? demanda Blanche.

L'inspecteur Guérin ne répondit pas, mais tendit à Blanche son badge de la police de Montréal. Le grand rire qui suivit attesta que l'inspecteur soupçonnait Adriano de quelque chose de grave.

– Pourquoi vous riez comme ça, monsieur ? Cette fille s'est suicidée juste avant son rendez-vous avec mon… avec monsieur Scognamiglio. Elle a fait exprès. Vous ne soupçonnez pas Adriano, j'espère !

Rodolphe Guérin recula de quelques pas puis fixa Blanche dans les yeux.

– Comment vous expliquez, vous, que chaque fois que mon supérieur m'envoie sur une affaire louche, je rencontre toujours Adriano sur les lieux ? Hein ? Comment vous expliquez ça, madame ?

Blanche n'avait aucune raison à évoquer. Adriano encore moins. Depuis quelques années, il avait toujours l'inspecteur aux fesses.

Ce dernier était certain que le suicide de Rachel Pinsonneault venait de redorer son blason. Il finirait bien par trouver la faille dans la vie de ce neveu de mafioso. Il l'obtiendrait, cette promotion.

Adriano, lui, aurait voulu se trouver à Kamouraska, à New York ou à Porto San Giorgio, loin derrière alors qu'il était un petit garçon aimant les olives, la mer, le dessin et sa grand-maman. Il était prêt à renoncer à la peinture si on le sortait de ce merdier. L'inspecteur Guérin avait raison : pas une seule situation loufoque à laquelle Adriano n'était pas associé d'une manière comme d'une autre. Mais l'évidence d'un suicide allait l'innocenter.

– Elle a laissé une lettre, un mot, une note à votre intention puisque vous étiez ensemble, vous et elle, à ce que vous m'avez raconté ? demanda Guérin.

– Nous n'avons rien trouvé, intervint Blanche. Mais samedi, elle a bousillé la réception de mariage de notre fille Anna au *Caveau*. Elle est entrée sans qu'on l'attende et elle a annoncé qu'elle allait s'enlever la vie, non ? dit-elle en regardant Adriano.

– Je ne sais pas si c'est ce qu'elle a voulu dire, répliqua-t-il un peu gêné.

L'inspecteur Guérin s'essuya la bouche avec toute sa paume droite.

– Qu'est-ce qu'elle a dit, samedi ?

– Elle se trouvait dans une rage terrible et elle m'a dit : « Tu la veux, ma vie et bien, tu vas l'avoir ! » C'est ça qu'elle a dit devant tous les invités. Je venais de la quitter quelques semaines auparavant. Elle n'a pas accepté ça, c'est évident. Jamais j'aurais cru, inspecteur. Elle était douce et posée.

– Elle a menacé de se tuer devant tous vos invités et personne ne l'a prise au sérieux, à ce que je vois ! ajouta Guérin.

Deux employés de la morgue arrivèrent et déployèrent une grande bâche d'une couleur douteuse sur le parquet du couloir. Adriano insista pour voir Rachel une dernière fois. Son visage était mauve et enflé. Il avait dû se fracasser sur le bord de la baignoire au moment où elle avait perdu conscience. Ses yeux n'étaient pas tout à fait clos et elle avait dû avaler beaucoup d'eau. Elle avait les lèvres presque noires et affichait un visage placide. Pas de courants tortueux, pas l'ombre d'un sourire non plus. Elle portait un chemisier blanc qui, mouillé, laissait deviner son soutien-gorge, et une jupe de lainage noir. Elle avait laissé ses chaussures sur le tapis à côté de la baignoire. Ses poignets étaient atrocement mutilés par une lame de rasoir qu'elle avait retirée de son petit étui de papier. Les neuf autres lames étaient restées dans la pharmacie au-dessus du lavabo. Adriano avait tout vu d'un seul coup d'œil. Il tremblait de peur. À moins que ce ne fut encore de la honte.

Les employés de la morgue ramassèrent le corps frêle de Rachel Pinsonneault, refermèrent la bâche puis le portèrent dans un silence entrecoupé d'ahanements lorsqu'ils descendirent le long escalier pour se rendre à leur voiture noire. L'inspecteur Guérin révisait à voix haute les témoignages de Blanche Dubuc et d'Adriano Sco… Sca…

– Selon nos observations, madame Pinsonneault se serait enlevé la vie et je vous ai trouvé ici. C'est écrit tel quel. Ça vous convient ? dit-il à Adriano.

– Ne me mettez pas en colère, inspecteur. J'aurais pu quitter les lieux. Nous n'en serions pas là !

– Justement ! Adriano est demeuré sagement sur les lieux et il m'a téléphoné. Je suis arrivée quelques dizaines de minutes après et j'ai appelé la police. En voilà une preuve qu'il n'a rien à se reprocher. Ni moi non plus. Qu'en pensez-vous ? demanda Blanche.

– Il y a des meurtres déguisés en suicides, vous savez. On ne peut jurer de rien. Des maîtresses qui dérangent les couples. Des épouses qui dérangent les maîtresses. Ça se voit souvent ! Le docteur McInnis saura nous le dire après l'examen de la victime. S'est-elle tuée ou l'a-t-on aidée ? Ne vous éloignez donc pas trop. Où puis-je vous joindre, Adriano ?

– Il chambre chez moi depuis notre exposition commune.

L'inspecteur Guérin arrêta subitement, le regard vissé sur son calepin. Il leva les yeux vers Adriano :

– Vous et votre ex-femme ? Très intéressant !

•

Adriano ne dormit pas cette nuit-là. Il n'avait qu'une idée en tête : traverser le couloir et aller s'allonger auprès de Blanche. Retrouver la quiétude auprès d'elle. S'il avait fait cela, ç'aurait été avouer que la mort de Rachel lui avait laissé le champ libre. Ç'aurait été une déclaration d'amour à celle qui l'avait tant fait souffrir. Ç'aurait été abuser de la situation.

Vers trois heures, il entendit le grincement d'une porte. Blanche ne dormait pas encore. Ils n'avaient pas eu le courage de discuter à leur retour à la maison, et elle avait gagné sa chambre sans dire un mot. Il tendit l'oreille et au moment où il allait ouvrir la porte, elle était là, si belle dans sa robe de nuit vaporeuse.

– Je me suis dit que finalement, tu devais être tellement bouleversé que l'angoisse allait t'empêcher de dormir. Je suis venue te tenir compagnie.

Adriano n'eut pas besoin de répondre quoi que ce soit. Il fondit sur Blanche comme si elle était à la fois Marina, le navire pour l'Amérique ou le train pour Kamouraska. Elle s'était aspergée de *L'Heure Bleue*. Il perdit alors la tête et l'entraîna jusqu'à son lit. Aucune résistance.

– Nous n'avions pas terminé le travail la dernière fois, si je me rappelle bien, dit-il.

– J'étais avec le Captain Morgan, cette fois-là. À moins que ce soit avec Johnny Walker.

Il y avait longtemps qu'Adriano n'avait pas fait l'amour avec autant de détermination, pris entre les remords et la certitude qu'il ne trompait personne. Il était avec la femme qui l'avait fait connaître au public montréalais, avec celle qui lui avait donné Anna et Rose.

– Mon dieu! Tu en as appris des choses, Driano! J'ai bien fait de te laisser entre les mains des spécialistes, dit-elle avant qu'il ne replonge sous le drap. Ah, Driano!

Il scruta d'abord tous les recoins qu'il connaissait de mémoire, puis attaqua ceux dont il ne se souvenait plus. Blanche geignait doucement, amplifiant les désirs de son partenaire. Elle n'avait qu'à susurrer: ici! ici!

pour qu'il s'attarde. Elle dirigeait la main d'Adriano qui prenait la direction des travaux, ouvrait, écartait, martelait sous ses cris de satisfaction. Il se cambra ensuite avec la souplesse de ses vingt ans.

– Attention, mon chéri. Tu vas devoir coucher avec Antiphlogistine, demain soir, murmura-t-elle avant d'éclater de rire.

Adriano riait lui aussi. Après plusieurs secousses libidineuses, ils s'allongèrent côte à côte.

– Tu sais, Blanche, c'est aussi fabuleux qu'avant, avec le rire en prime. Ce doit être ça qu'on appelle un vieux couple.

– J'ai toujours aimé te faire rire, mon amour.

Le sommeil leur vint juste après qu'il eut dit :

– Que vont dire nos filles ?

3

Le Petit Vézulien parla peu de la mort suspecte du frère Hubert trouvé baignant dans son sang qui s'écoulait d'une blessure à la tête, à Vézoul en France à l'abbaye Marie-des-Anges. Et il ne fut nullement question de l'*Encyclopédie* de Diderot.

La fenêtre de sa petite cellule chichement meublée avait été fracassée et le meurtrier devait porter une robe, car le gendarme qui était arrivé le premier sur les lieux avait observé le mouvement de balayage dans un tas de poussière qui venait d'être amassé sur la dalle grise. Il exigea que personne n'entre dans la chambre du moine.

Sur son pupitre, sombre lui aussi – comme si la couleur ne faisait plus partie de la vie moniale – le gendarme principal avait trouvé une feuille froissée qui avait conservé quelques empreintes d'une écriture pressée et de la cendre qu'il croyait provenir d'un cigare.

Or, les moines ne fumaient pas. Un homme avait dû venir lui rendre visite et dans l'état où se trouvaient les rayons de sa bibliothèque bien garnie – à croire qu'elle servait de soutènement à un plafond de pierres – le policier se tordit la moustache et porta la main à sa tempe.

– Il a reçu une bien étrange visite. Quelqu'un l'a bousculé avant de partir en trombe. Il aurait pu apporter tout un rayon de cette *Encyclopédie*. Regardez, Duclos ! Il ne manque que le numéro huit. Bizarre, n'est-ce pas ?

– Pourquoi l'aurait-il tué pour un livre seulement ?

– Il a pu se fracasser le crâne sur la dalle. L'enquête nous donnera plus d'indices sur la mort de ce pauvre homme. Se priver de tout et mourir pour un bouquin, c'est pas une vie, ça ! Il y a eu des échanges musclés. Regardez, ici, ce mouchoir. Il s'est essuyé la bouche à plusieurs reprises. De la citronnade, on dirait. Et là…

– Ce sont des cheveux. Une dizaine. Quelques-uns ont encore un bulbe. Il a dû les lui arracher.

– Emportez tout au laboratoire, Duclos.

– Tout de suite, patron.

– Je me demande pourquoi un seul tome de l'*Encyclopédie* de… attendez voir… de Diderot et d'Alembert.

– Il devait contenir un secret.

– Ça existe, les secrets, dans les livres ? demanda l'enquêteur en riant.

– C'est ce que je dis à ma fille Marion, en tout cas. Que tous les grands secrets sont dans les livres.

– Gros secret s'il nécessite que l'on tue pour en apprendre un.

Le corps de Rodolphe Duvivier, alias frère Hubert, fut emporté et, malgré la horde de curieux qui encerclait l'édifice du XIIIᵉ siècle, personne ne semblait regretter sa mort. Les moines de l'abbaye Marie-des-Anges menaient une existence humble dans la communauté malgré l'immense fréquentation de ce lieu touristique devenu si populaire à cause de l'église Notre-Dame-de-la-Motte.

Le frère Hubert passait pour un simple d'esprit, et dom Marcelin, qui le croyait sans mémoire, le nomma responsable, en plus de son poste de réceptionniste, de la conservation d'une centaine de livres tenus cachés dans la bibliothèque de l'abbaye depuis la lettre apostolique du pape Léon XII, *Diræ Librorum*. Le pape, comme plusieurs de ses prédécesseurs, avait écrit que tous les livres rédigés par les impies et par tous ceux qui voulaient abolir la foi chrétienne, enseigner le péché ou pervertir les mœurs devaient être rassemblés et brûlés. L'*Encyclopédie* de Denis Diderot faisait partie de ces ouvrages qui distrayaient les catholiques de la seule voie praticable pour leur âme que représentait celle tracée par l'Église.

L'abbaye avait adopté une mentalité moderne, et le frère Hubert, nommé en charge du prieuré, avait décidé de rassembler dans sa bibliothèque tous les livres mis à l'index par les papes successifs au lieu de les faire disparaître. Il les époussetait avec affection, passait son index tremblant le long de leur dos, faisait une petite prière pour éloigner le diable, relisait quelques extraits en se retenant même de respirer pour ne pas en abîmer davantage les pages, et il vouait sa vie à demander à Dieu de soustraire leurs auteurs à la foudre divine. Parmi les ouvrages, il y avait *De Revolutionibus Orbium Cœlestium* de Copernic, *Le banquet des cendres* de Giordano Bruno, L'*Harmonices Mundi* de Johannes Kepler, *Le messager céleste* de Galilée mais aussi l'*Encyclopédie ou dictionnaire raisonné des sciences, des arts et des métiers* de Denis Diderot. Comment un simple d'esprit aurait-il pu profiter autant de la lecture de ces textes aussi denses ? Le frère Hubert les gardait comme des monstres de laboratoire qui peuvent mener à des recherches savantes. Il s'était toujours demandé pourquoi lui et ses compagnons avaient un jour ressenti l'appel de la vie monastique. Pourquoi étaient-ils autant attirés par Dieu ? Pourquoi les hommes avaient-ils dominé de tout temps la destinée de l'âme du monde civilisé ? Toutes ces questions, il aurait bien voulu y répondre.

Didier Trousset assistait à la cérémonie religieuse très modeste qu'on organisa à la chapelle de l'abbaye pour le repos de l'âme du moinillon et ferma les yeux quand les moines entonnèrent le *Salve Regina,* l'esprit aussi élevé que les notes de musique. « Le pauvre homme, se dit-il, pourquoi lui en voulait-on autant ? »

Il ne se doutait pas qu'un inspecteur de la police française l'avait dans sa mire. Le frère Arsène l'avait aperçu quand il avait salué le frère Hubert avant de rembarquer dans sa voiture. La lente fumée de son cigare montait vers le ciel de la petite place, comme l'encensoir de la chapelle.

•

Dans le *Bulletin des comptes rendus des travaux de la Société des ingénieurs civils de France*, Didier Trousset avait écrit un article au sujet des découvertes mécaniques trouvées dans l'*Encyclopédie,* spécifiant qu'il s'était procuré tous les livres, sauf le huitième, dans un monastère de Vézoul. Quand il sut qu'une enquête locale allait avoir lieu dans cette ville, il se dit que cet article, rédigé trois mois après l'acquisition de l'œuvre de Diderot, était son meilleur alibi. Il se signa et retourna à sa voiture.

L'inspecteur Pierre de Vailly était sur les dents. Il venait de dire à son collègue Duclos que l'assassin revient toujours sur les lieux de son crime, dans le but évident de constater les effets de son meurtre sur le visage des proches de la victime. Il soupçonnait Didier Trousset, puisqu'il fumait le cigare et que le frère Arsène avait cru le reconnaître, assis sous le grand saule, à deux pas du prieuré.

Lorsqu'il fut intercepté par Duclos et deux gendarmes selon les ordres de l'enquêteur, Didier Trousset dut étaler sa série d'alibis, exposer sa rencontre avec le frère Hubert, la gentillesse de celui-ci, la teneur de leur conversation, le repas qu'ils partagèrent. Il crut bon de décrire l'endroit où ils allèrent chercher les livres, l'absence du tome VIII, la présence d'autres vieux livres précieusement conservés, le montant qu'il avait déposé dans la sacoche du moine, la jovialité de ce dernier, sa santé prospère, puis l'heure de son départ et même la direction du vent «puisque la fumée de mon cigare semblait fatiguer les yeux du pauvre moine qui faisait des moulinets pour l'éloigner alors qu'il se tenait devant la fenêtre du chauffeur».

Duclos rédigea son rapport et nota l'adresse et le numéro de téléphone de Didier Trousset, évoquant l'absolue nécessité pour l'ingénieur de demeurer à vue.

L'inspecteur de Vailly rencontra aussi dom Marcelin qui se montra fort peu loquace au sujet de cette *Encyclopédie*.

– Vous comprendrez que cette œuvre monumentale qui date de la moitié du XVIIIe siècle existe en plusieurs exemplaires dans le monde, monsieur l'inspecteur. C'est une erreur terrible qu'a commise le frère Hubert en la vendant à cet ingénieur civil, monsieur Trousset. Je veux bien croire que le frère Hubert a effectivement reçu la somme dite et qu'il avait probablement l'intention de me l'apporter, reste que l'argent a disparu en même temps que notre frère. Pas d'argent, plus d'*Encyclopédie,* plus de frère Hubert, et un seul témoin qui ne cache pas qu'il s'est présenté ici, au prieuré de l'abbaye Marie-des-Anges. Je crois monsieur Trousset quand il dit qu'il a laissé le frère Hubert bien en vie. Il ne cache pas non plus avoir acheté l'*Encyclopédie* à fort prix. L'abbaye connaissait, et connaît toujours, des difficultés d'ordre financier que nous ne sommes pas à la veille de résoudre. Surtout après toute cette enquête que vous vous apprêtez à mener.

– Si le seul témoin que nous avons en ce moment n'offre aucune résistance ni n'apporte quoi que ce soit de louche, je ne vois pas ce qui pourrait nuire à votre mission, monsieur… mon révérend, dit l'inspecteur. Nous avons relâché monsieur Trousset, nous avons interrogé le frère Arsène, nous savons où est l'*Encyclopédie*, tout va pour le mieux. Nous compatissons avec vous pour la mort du frère Hubert. Pauvre homme, quand même ! Si vous apprenez quoi que ce soit de nouveau dans cette affaire, vous savez où me trouver. L'enquête ne se fermera que lorsqu'on saura tout. Mais les voies du Seigneur sont souvent étranges, comme le dit la maxime.

– C'est à peu près ça, ajouta dom Marcelin, replaçant ses mains jointes sur son abdomen en se disant que la religion se perdait de plus en plus, même chez les gardiens de la loi.

Le policier serra la main de dom Marcelin et se promit de lui envoyer une petite aumône pour ses bonnes œuvres. Avant de quitter pour de bon, l'inspecteur de Vailly voulut revoir la bibliothèque qui contenait les précieux livres : l'*Encyclopédie* de Diderot que Duclos et lui avaient aperçue sur les rayons à leur arrivée avait bel et bien disparue.

4

Adriano se leva un matin habité d'une rare lassitude. Il crut à un début de grippe. Il se rendit à l'atelier de la rue Notre-Dame où Blanche avait établi ses quartiers généraux comme jadis, à quelques pas de l'ancien. Rose devait venir rencontrer ses parents pour parler de la prochaine exposition prévue à Montréal. Il regarda sa montre : il lui restait deux heures pour peindre avant qu'elle n'arrive.

Il mouilla sa feuille dans le grand évier. Il pensa à Marc-Aurèle Fortin qui avait tant exploité l'aquarelle et se rappela avec tendresse les grands ormes qui avaient dominé son œuvre alors qu'il avait peint la vie rurale sous des regards si variés. Il attrapa un stylet dont il posa la pointe sur le papier et décrivit de grandes arabesques. Le papier se déchira en plein milieu. Il jura puis remit une autre grande feuille dans l'eau pour mouiller la surface qu'il voulut retirer après quelques minutes seulement. Il entendit des jeunes garçons qui criaient dans la ruelle, tirant la queue d'un chiot qui hurlait de douleur. Il sortit et leur demanda de cesser leurs bêtises. Quand il revint, sa feuille de papier était trop mouillée. Il la mit à sécher, puis se mit à pleurer comme un bébé. De ses yeux s'écoulaient comme de longues larmes de bleu ultramarine qui, mêlées à la terre de Sienne brûlée, créaient à elles seules un mouvement fluide et cent petites étoiles s'inscrivant sur les ondulations du papier. Il devenait cette couleur presque noire qui glissait, cette eau chargée de colère qui outrepassait les barrières créées par la pâte de coton, cet embâcle qui pouvait d'un seul coup tout gâcher mais qui suivait l'allégorie des traits qu'il venait de creuser. Adriano cherchait la quiétude, chassait les remords, reconstituait les bonnes années de sa vie, mais revenait sans cesse aux pires moments: la mort de sa grand-mère, le meurtre de la femme du marchand général, le mariage de Jeanne-Mance, le regard cruel de Blanche quand elle avait vraiment trop bu. Adriano passait un mauvais moment.

Quand Blanche entra, elle se planta devant l'aquarelle qu'il n'avait pas encore terminée. Il la salua et aspergea un peu d'eau sur la partie à finir. Il saisit une plume de carbone et dessina au milieu du papier encore humide les traits fins de sa fille Anna. Blanche claqua la langue. Elle reconnaissait la ligne un peu forte du nez de sa fille aînée, sa mâchoire ronde, ses pommettes accentuées, même sa bouche aussi pulpeuse qu'un pétale de magnolia.

– Cette tête est admirable, Driano ! Tu aurais dû te lancer dans le dessin. C'est ton plus grand talent ! dit-elle.

– Ah, ça, c'est grâce à Edmond Dyonnet ! Tu te rappelles combien il était en admiration devant mes nus. Plus vrais que nature, qu'il disait.

– Je pense souvent à lui.

– Moi aussi. Je pense à tous ceux que j'ai connus. Serait-ce que la mort est proche, Bianca ?

– Tu as toujours pensé aux morts. C'est dans ta nature d'être passéiste. Allons, termine cette aquarelle et on ira dîner au restaurant. *Da Giovanni*, ça te tente ? Une soupe minestrone, ça te remontera le moral.

– Rose sera là dans quelques minutes. Il faut parler de notre exposition.

– Elle emmène un photographe pour notre catalogue. Tu as oublié de te coiffer, ce matin ? Tu ressembles à Einstein. Je sors dans la cour quelques minutes.

Adriano se mit à rire en fixant Blanche avec l'admiration d'un jeune amoureux. Il retourna à son aquarelle afin de terminer les ombres du visage d'Anna. Il lui offrirait ce tableau pour célébrer un mois de sobriété. Son mari et elle avaient joint les rangs des Alcooliques Anonymes, elle pour s'en sortir, lui pour ne pas qu'elle retombe.

On frappa à la porte de l'atelier. Rares étaient les occasions où des étrangers se rendaient à l'atelier des artistes. Adriano eut un mauvais pressentiment.

Antonio Tadiello se tenait dans l'embrasure, plus grand et plus costaud que jamais. C'était sûrement la dernière personne qu'il aurait espéré voir cet après-midi-là.

– *Buongiorno !* Comme tu as oublié de demander ton salaire ou, plutôt, comme tu as refusé de le demander, je suis venu te porter ton enveloppe, Adriano !

Antonio lui tendit une sacoche de toile (même le contenant commençait à perdre de la valeur) remplie de billets. Tadiello inhalait par courtes aspirations rapides et n'arrivait pas à calmer les traits dynamiques de sa figure de chimpanzé. Adriano eut peur tout à coup. Peur que d'autres membres de la bande de Cristoforo ne soient aux aguets, ou que l'inspecteur Guérin ne soit à l'affût, tentant de piéger sa victime. Ne pas accepter de l'argent était une décision définitive pour le neveu de Bazzarini.

– Je t'ai dit de me laisser tranquille, Tadiello ! Fiche-moi la paix ! Je ne veux plus de votre argent !

– Je n'ai pas le choix, Adriano ! Cet argent-là est à toi. Le business de Bazzarini !

– Je vous cède tout, à toi et à tes amis, tu ne comprends pas ça ?

– C'est que nous devrons aller le porter à tes enfants si tu continues à refuser ou à la gentille Camelia !

Adriano songea à ses quatre enfants qui apprécieraient certainement de se voir offrir une somme substantielle. Quant à Carmélie, elle savait se défendre. Bruno et Émile auraient aimé s'acheter chacun une voiture, Anna sa première maison et Rose son bureau de marketing. Il suffisait davantage qu'un « non » définitif ou des menaces à peine voilées pour attendrir le cœur de Tadiello qui revenait toujours à la charge parce que son chef, lui, refusait de lâcher prise : l'héritage de son fidèle ami Fabrizio Bazzarini devait être versé à son neveu tel qu'il l'avait stipulé. Jamais de mémoire d'Italien un refus d'hériter n'avait été observé. Il fallait qu'Adriano accepte : c'était la loi de la mafia ! Nul ne pouvait dormir en paix dans l'Au-Delà sans que ses dernières volontés ne soient respectées !

– Laisse mes enfants en dehors de tout ça, Tadiello !

– À New York, on exige…

– Laisse tomber ! Sors de chez moi ! J'ai la police collée aux fesses, et ma vie familiale va comme sur des roulettes, mentit Adriano. Je ne veux plus que tu viennes tout bousiller ! Alors, Toni, sors de chez moi ! Blanche va arriver et elle va se demander ce qui se passe. Elle n'attend pas à rire, tu sauras !

Tadiello se mit à arpenter les lieux et à fureter partout comme le ferait la commère du village.

– Il y a beaucoup d'objets qui ont de la valeur, ici. De belles sculptures. Est-ce que ça résiste au feu ? dit Tadiello en passant le plat de sa main sur la croupe d'une naïade.

Il s'approcha de la feuille d'aquarelle sur laquelle Adriano terminait le visage d'Anna, alluma son briquet et mit le feu à un coin de l'œuvre qui se mit à brûler puis s'éteignit aussitôt à cause de l'humidité. Adriano entra dans une grande colère en imaginant ce qui pourrait se passer si tout l'atelier flambait. Voyant qu'Adriano avait compris le message, Tadiello s'apprêtait à s'enfuir par où il était venu. Il avait toujours agi comme un adolescent capricieux. « Qu'il garde l'argent ! » se dit Adriano avant de crier :

– Toni, tu as raison, je suis le neveu de Bazzarini ! Alors, je t'ordonne d'aller porter mon argent à l'église de la petite Italie en mon nom ! Fais ça pour sauver toutes vos âmes, la tienne et celle de tes amis.

Il sortit cinq dollars de sa poche et ajouta :

– Tiens, Toni ! Tu allumeras cinq lampions à une piastre ! Ça t'évitera l'enfer ! Maintenant, sors d'ici ! *Via di qua !*

Adriano était furieux. Blanche revint de la cour où elle avait entreposé les débris de ses dernières sculptures et discuté avec une voisine.

– J'ai entendu crier, mais qui était-ce ?

– Un fou furieux qui déteste l'art.

– Mais… mais Adriano ! Le feu… ton aquarelle… appelle la police, voyons !

– Non, c'est un accident. J'ai voulu de la suie pour faire des effets…

– Adriano, y'avait un type ici. Je t'ai entendu crier et je l'ai vu sortir…

– Ça va aller, Blanche. Il ne reviendra plus, je te le promets.

Adriano aperçut Rose qui traversait au même moment la rue Notre-Dame d'un pas énergique, les épaules traversées de courroies, les mains encombrées de sacoches et de sacs.

– Un ami à toi ? demanda-t-elle en se délestant de ses paquets. Il avait l'air de sortir d'une boîte à surprises. Il me semble que je lui ai déjà vu la face quelque part.

Adriano préféra ne pas répondre. Il se calma et arriva même à sourire. Blanche embrassa sa fille et l'entraîna à l'arrière de l'atelier en expliquant que son père avait voulu mettre le feu à sa dernière aquarelle, qu'Anna avait pris cinq livres et que l'exposition devrait s'intituler *Tout feu, tout flamme!*

Ils discutèrent durant des heures à compléter la liste des invités, à décider de l'emplacement des œuvres, à choisir les journalistes à qui ils devaient accorder une entrevue et échangèrent sur l'état des relations entre Blanche et Adriano.

– C'est de la plus haute importance pour le milieu. Vous avez commencé ensemble et vous revenez ensemble. Les journaux en ont parlé deux fois. Après cette exposition chez Dominion, on s'en va à Toronto, dit Rose avec enthousiasme. Solange va venir avec nous. Elle va s'occuper des relations avec les médias.

Chère Solange. Adriano avait l'impression que Rose mentait sur ses relations avec cette fille. Anna avait dit un jour: «Ne compte pas trop sur Rose pour avoir des enfants.» La conversation avait bifurqué sur un autre sujet et ils n'en avaient plus parlé. Rose avait tellement affirmé sa sexualité avec les hommes que personne ne pouvait croire qu'elle aimait cette Solange. Qu'elle l'aimait d'amour. À l'École des Beaux-Arts, il y avait des lesbiennes parmi les étudiantes. Mais encore là, personne n'en parlait. Chez les filles, vivre dans le même appartement était chose courante, et celles qui avaient une autre idée sur leurs relations laissaient courir les rumeurs. Il décida d'éclaircir la situation une fois pour toutes.

– Solange… euh… tu l'aimes comme deux femmes qui s'aiment pour vrai?

– On veut dire, comme un couple ? clarifia Blanche à son tour.

– Ouais… *Lesbica ?* dit Adriano.

– Qu'est-ce que tu en penses, papa ? s'impatienta Rose.

– Je pense que oui, dit Adriano.

– Moi aussi, ajouta Blanche.

– Bon, vous le savez maintenant. Solange m'aime et je l'aime. Vous savez, l'important c'est d'aimer, de pouvoir compter sur une personne qui nous voit dans sa soupe, qui nous admire, qui nous écoute, avec laquelle on est bien tout le temps. Il n'y a pas un homme pour égaler la complicité qu'il y a entre Solange et moi. Les hommes sont compliqués tandis qu'entre deux filles, c'est facile. On sait ce qui nous fait plaisir. On se comprend mieux. Depuis que je suis avec Solange, ma vie est plus calme.

– Tu l'as dit à ta sœur ?

– Anna ne pourrait pas comprendre. Elle aime bien Solange, mais elle est loin de se douter.

– Je pense que tu te trompes, Rose, conclut Adriano en s'éloignant. Je te dis qu'elle le sait.

Ce soir-là, des images tournaient en accéléré dans sa tête. La vie lui donnait d'étonnantes leçons. Il revoyait Tadiello et sa sacoche remplie de billets. Il imaginait Rose en train d'embrasser Solange et même davantage. Il songeait à son exposition à Toronto qu'il devait préparer. Mais il n'avait plus le goût de peindre. Plus le goût d'être le neveu de Bazzarini. Plus le courage de combattre les démons qui hantaient sa vie. Encore moins le goût que sa carrière exulte !

•

L'exposition qui devait se tenir à la Galerie Dominion pour présenter les œuvres récentes du couple Bianca S. et Adriano S. a été annulée pour des raisons personnelles. Votre journaliste a rencontré les deux artistes et n'a reçu que quelques bribes des confidences du couple. La maladie a empêché Adriano S. de remplir la commande et il a été confié à son médecin qui tâchera de nous le remettre sur pied pour le printemps. Comme on le sait, le couple Scognamiglio est revenu ensemble après de longues années de séparation et grâce à l'expertise de leur fille Rose qui est leur agente, ils ont mijoté une exposition à Montréal puis à la Canada Art Gallery *de Toronto. Adriano peut compter également sur la célèbre Amy Featherstone pour s'occuper de sa carrière dans la grande ville de New York, et Bianca S., sur John Truman pour sa carrière à Londres. La Galerie Dominion présentera en lieu et place une exposition du sculpteur Marc-André Trudeau. On y reviendra.*

•

La plus attristée était sans nul doute Rose qui comptait sur la réussite de cette exposition pour se lancer véritablement en affaires. Adriano ne voulait plus peindre.

Il ne fréquentait plus l'atelier de Blanche qui tentait pourtant de l'encourager et de l'aider à sortir de sa torpeur, mais qui n'avait nullement l'intention de couler avec lui. Il avait résolument sombré. Trop d'événements avaient troublé sa quiétude alors que Blanche devait faire de gros efforts pour se maintenir elle-même à flot.

Adriano avait beau retourner sa vie dans tous les sens, il avait nettement l'impression qu'elle s'achevait. Une sorte de douloureux pressentiment qui le tenaillait chaque fois qu'il était plongé dans ses réflexions. Les personnages se présentaient un à un sur une scène noire, et les réflecteurs les éclaboussaient de lumière pour rappeler à Adriano les folles relations qu'il avait entretenues avec eux. Pour chacun, comme le lui conseillait Blanche qui avait connu assez de démons pour comprendre ce qu'il vivait, il devait ne penser qu'aux bons côtés. Les écrire dans un cahier devint une nécessité.

C'est ainsi qu'Adriano S. concrétisa son désir d'écrire. Il consacra à chaque personne importante de sa vie un chapitre particulier. Que les bons aspects. Il écrivait plusieurs heures par jour, ces heures qu'il avait l'habitude de consacrer à l'aquarelle.

Il parla d'abord de son enfance : la *nonna* et son Emilio, l'oncle Fabrizio, et Marina, sa mère. Il consacra un long chapitre à Jeanne-Mance. Un autre personnage d'importance qu'il « attaqua » fut son ami Marco Ferrovecchio. Celui qui avait accompagné sa tendre jeunesse. Les courses folles sur la petite *Viuzza di Lasagna*, appelée ainsi à cause des bosses dessinées sur la nappe de cailloux par le tracteur d'Edoardo Macari ; leurs folles équipées à travers le village jusqu'à la petite école de mademoiselle Anna et leurs arrêts à l'auberge de Cirillo Ruffinati qui les chassait après leur avoir servi en cachette une *limonello*. Qu'était donc devenu Marco qui, selon l'inspecteur Guérin, avait été arrêté après avoir usé d'une influence indue auprès des agents d'immigration canadiens ? Avait-il été retourné en Italie ou avait-il réussi à passer à travers les mailles du filet ? Faisait-il partie de la mafia ou, au contraire, avait-il joint les rangs des *sacerdoti* de l'Église catholique comme il le disait toujours quand ils se servaient généreusement de ces petites pastilles croustillantes dans le calice du curé Naccarella ? Ou Marco avait-il changé totalement d'idée ? Comme il aurait aimé revoir Marco Ferrovecchio.

Adriano revisita sa vie à Kamouraska, l'arrivée de Jérémie Toutant au sein des rêves d'un jeune artiste immigrant plongé dans la ville la plus québécoise d'entre toutes. Puis sa rencontre avec Edmond Dyonnet, ses amours avec Blanche Dubuc et son naufrage dans l'alcool, leur séparation et finalement, son propre départ pour Paris.

Il s'arrêta pour quelque temps. Suspendu aux moments les plus intenses de sa vie : la Seine et ses mille rendez-vous, les artistes qui en fréquentaient les rives, les expositions et, immanquablement, la présence d'Armandin Lacourse, amusante, énergique, puissante.

Dès lors, il comprit que ces personnages, bons ou mauvais, avaient tous une raison d'exister et avaient créé des courants agités dans la vie d'Adriano Scognamiglio, comme les vagues qui modulent les fonds marins.

La vie comme la mer. Omniprésente dans les souvenirs d'Adriano. La mer Adriatique, la Méditerranée puis le grand fleuve Saint-Laurent, comme un fil d'argent ourlant ses mille souvenirs. De Kamouraska à Verdun, c'était le même fleuve, tantôt chargé de sel, tantôt rempli d'eau douce, tantôt omniprésent dans la vie des gens, tantôt gravé dans le paysage comme un fond de scène banal que l'on finit par ne plus voir.

Adriano aimait écrire. Il revoyait sa vie en songe. Comprenait que les existences finissaient toutes par se ressembler. Que ses ambitions étaient aussi celles des gens qui l'entouraient. Anna avait voulu être institutrice et Rose, médecin. Elles enseignaient et soignaient à leur manière. Elles avaient hérité des pires défauts et des meilleures qualités de leurs parents : l'alcool et le désir de se faire connaître à tout prix, mais aussi le désir du bonheur et de la libre pensée.

Quant à Bruno et Émile, Adriano ne les connaissait pas vraiment. Il les avait quittés au milieu de leur adolescence alors qu'ils avaient besoin d'indépendance. De plus, Carmélie semblait tellement accepter le besoin de liberté d'Adriano que ses remords ne prenaient pas toute la place.

Bruno était celui qui ressemblait le plus à son père. Les cheveux noirs, les yeux foncés et ronds comme des billes, le nez en pente abrupte, les lèvres ourlées et une barbe naissante qu'il laissait pousser avec prétention. Il apprenait la langue italienne comme s'il voulait se rapprocher davantage de ses origines.

Émile ressemblait étrangement à Carmélie, ou plutôt à sa tante Camille, comme deux gouttes d'eau. Aussi était-il très proche d'elle et elle s'occupait beaucoup de son neveu, faisant toujours partie de ses activités puisqu'elle n'avait pas eu d'enfants. Émile avait les yeux aussi bleus que le fleuve quand il offrait ses vagues au soleil. Un bleu tirant sur le gris, mais des miroirs brillants, éveillés et résolument fixés sur les gens avec qui il aimait discuter. Les filles ne pouvaient pas lui résister, les jeunes comme les plus matures. Il avait hérité de la séduction d'Adriano et de celle de son grand-père Souchet qui, selon sa femme, avait toujours été au cœur de relations houleuses. Entré au Collège de Montréal, situé sur l'immense territoire des Sulpiciens, il était l'élève favori des «pères» et surtout de son directeur de conscience qui affirmait qu'Émile était un exemple pour ses camarades. Il apprenait le grec, le latin et excellait aussi en français en plus d'être le meilleur joueur de ping-pong de la classe. Carmélie était persuadée qu'Émile serait le grand comédien qu'il rêvait de devenir.

Adriano faisait le bilan de sa vie. Il s'interrompit de nouveau juste avant ce qu'il appela «l'époque de Rachel», une présence lente et courte qui l'avait comblé un certain temps, comme un feu de paille qui prodigue une chaleur intense, mais qui s'éteint rapidement. Rachel avait été aussi nécessaire que les autres. Comme Mathilde dans la vie de Jean-Paul Lemieux, comme Gabrielle dans celle de Borduas, comme la Madeleine d'Alfred Pellan. Toutes ces femmes qui aimèrent jusqu'au bout de la nuit. Qui étaient persuadées qu'elles étaient avec le plus grand peintre de l'histoire et qui faisaient en sorte qu'il finisse par le croire. Toute une vie à vivre avec lui l'angoisse, l'incertitude ou le découragement; pleurer sur ses écarts de conduite ou sur ses poussées d'orgueil; vivre dans des périodes d'indigence et de culpabilité, occuper toujours la seconde place.

Chacune avait eu un rôle important à jouer comme les pièces d'un échiquier. Et Adriano savait aussi qu'il avait été important pour chacune de ses femmes.

●

Rose tentait d'intervenir en usant de plusieurs stratagèmes : prévoir une exposition magistrale, envoyer son père aux Iles-de-la-Madeleine où il retrouverait la mer, le vent et le sel, organiser un atelier de peinture d'un week-end pour lui redonner le goût de transmettre ses connaissances, le meilleur moyen, selon Rose, de retrouver son engouement pour son seul métier. Alors que d'autres artistes pouvaient se tourner vers divers horizons en bricolant, en enseignant ou en voyageant, Adriano Scognamiglio, lui, n'avait aucune source d'intérêt pour faire autre chose. Il y avait bien la cuisine qui l'avait emballé lorsqu'il travaillait au restaurant des Souchet, mais encore fallait-il qu'il se sente impliqué dans sa direction. Les *polenta,* les *risotto alla milanese,* les *cappelletti,* n'avaient pas de secret pour lui. Mais son délabrement psychologique atteignait un sommet désastreux : Adriano S. ne voulait plus créer.

Mademoiselle Pellerin lui avait été recommandée par Pierrette Souchet, Rose s'étant confiée à elle. Pierrette travaillait au bureau des rendez-vous d'une clinique de la rue Guy où elle pouvait observer le taux de satisfaction des patients de la thérapeute Pellerin, collègue du père Pilon, parce qu'elle savait créer des liens solides avec eux tout en pataugeant au milieu de leurs doutes. Lucie Pellerin avait un don pour l'écoute, une aptitude à remettre les patients sur les rails sans médication et sans duperie.

Adriano accepta de la rencontrer.

Il se sentit immédiatement rassuré : celle qui se faisait appeler *mademoiselle Pellerin* n'avait aucune chance d'entrer en compétition avec Blanche : petite, enrobée et pas très jolie, la thérapeute ne craignait pas non plus le transfert amoureux de ses patients, ce qui se produisait régulièrement chez ses collègues masculins de belle apparence qui voyaient leurs patientes succomber à leurs charmes et qui, au lieu de guérir, s'embarquaient dans une autre galère.

Son bureau était un véritable musée, ce qui fit dire à Adriano que mademoiselle Pellerin aimait les œuvres d'art et était une femme de bon goût. Des poteries de Derome, des tableaux d'un certain Soulikias et deux gravures de Rodolphe Duguay égayaient le mur beige derrière la chaise de mademoiselle Pellerin qui faisait semblant de consulter le dossier de son patient, mais qui observait davantage les regards intéressés d'Adriano.

– Vous aimez? C'est pas tout le monde qui apprécie les œuvres d'art. Moi, pas toujours: ce sont mes
patients qui me gâtent. Des fois, je les refuse ou je les
cache dans le fond d'un tiroir, seulement s'ils ne viennent plus me voir. J'ai vu des croûtes demeurer sur ce
mur durant les trois ans qu'a duré la psychothérapie.
Parfois (elle éclata de rire), j'enlève une peinture le
lendemain d'une visite et je la remets la veille de la prochaine. Mes patients se sentent chez eux quand leur
peinture se trouve devant eux. Vous ne trouvez pas ça
enfantin, ce besoin qu'ont les artistes d'offrir leurs œuvres à celle qui tente de prouver qu'ils ne sont pas fous?

Elle se remit à rire.

– Vous avez le droit de refuser ces cadeaux, j'imagine, dit Adriano qui commençait à apprécier mademoiselle Pellerin. Ils vous les donnent pour payer leurs
visites?

– Non, en plus du paiement de leurs visites. Sinon,
ce serait impossible de guérir. J'ai d'assez bons résul-
tats avec les patients qui me consultent parmi ceux qui
sont très intelligents.

Adriano leva le regard et fixa sa thérapeute: mademoiselle Pellerin avait de la barbe. Et un diamant à
l'annulaire droit. Un amant, sans doute. Elle portait un
costume gris et une broche ornée de pierres roses sur
son corsage. Elle avait un tic étrange qui consistait à tirer
l'air d'entre deux molaires, ce qui produisait un siffle-
ment qui pouvait tomber sur les nerfs à la longue. Un
sous-main de cuir recelait des dizaines de petits papiers sur lesquels elle avait pris des notes. Ses pieds,

nettement au-dessus du tapis tant elle était de petite taille, se balançaient dans l'entrebâillement de son pupitre de chêne. Adriano avait désormais confiance.

– Et puis, monsieur Scognamiglio? dit-elle sans hésiter sur le nom de famille. Quel est votre problème?

Adriano expliqua qu'il s'agissait d'une perte totale de motivation.

– Allez-y depuis le début. Où êtes-vous né?

Adriano entama le récit de sa jeunesse à Porto San Giorgio. Mademoiselle Pellerin se montra très intéressée. Elle écoutait de longs pans du récit sans même fixer sa feuille de notes. Quand il prenait une pause, aussi courte soit-elle, elle griffonnait un mot ou deux sur le dossier puis se hâtait de poser de nouveau son regard d'aigle déplumé sur Adriano. Attendrie par les belles paroles au sujet d'Antoniana Bazzarini, et toute la relation du petit-fils avec sa *nonna,* la thérapeute se mouilla les cils. « Tiens, se dit-il, elle est très sensible et c'est bon signe. »

– Alors, nous continuerons la semaine prochaine à la même heure, si ça vous convient. Il y a un voile sur votre vie, en ce moment, mais je crois que nous pourrons le faire lever et tout s'arrangera, vous verrez. La création fait partie de vous, vous ne pouvez pas vous en passer. À la prrrrochaine, conclut mademoiselle Pellerin en raclant les premières consonnes.

Le seul fait de parler de ses désespoirs – de sa fille Rose et de son choix d'aimer les filles, d'Anna et de son choix d'aimer l'alcool, de son incapacité à lui d'établir des relations persistantes avec les femmes de sa vie, de l'hégémonie de la mafia sur sa quiétude, du meurtre de son oncle devant ses yeux, de l'abandon de ses fils – arriva à calmer Adriano et à lui redonner le goût de créer de nouveau. Il vit ainsi mademoiselle Pellerin durant sept mois, une fois par semaine, jusqu'à ce que mademoiselle Pellerin lui dise à la blague qu'il y avait justement un clou sur son mur pour recevoir une aquarelle d'Adriano S. Comme il savait qu'elle pouvait s'en acheter des douzaines, il comprit clairement qu'elle trouvait que le temps était venu pour lui de peindre de nouveau. Le fait d'en créer une nouvelle pour l'offrir à sa thérapeute, celle qui avait trifouillé dans ses sombres pensées, prouverait qu'il était guéri.

Il revint à la maison et se rendit ce soir-là à l'atelier de Blanche. Elle n'y était pas. Il chercha dans tous les recoins pour trouver sa boîte de tubes d'aquarelle, sans résultat. Il vit que les compartiments qu'il avait jadis fabriqués pour y glisser ses feuilles de papier étaient vides et que le récipient de ses pinceaux payés à fort prix avait aussi disparu. Les quelques aquarelles indignes d'être montrées avaient été retirées des murs. Les godets, la gomme réserve, les vernis, les encres, tout avait disparu. Affolé, il craignait de se retrouver au beau milieu d'un cauchemar.

Les pierres, les instruments, les piédouches, les dessins, les compas, les patines et même quelques ébauches égayaient la pièce, attestant que Bianca n'était pas partie de guerre lasse. Elle était même venue dans la matinée, puisqu'il trouva une tasse de café à moitié vide et un sucrier encore ouvert.

Depuis plusieurs mois, elle tentait d'encourager Adriano à peindre. Mais depuis plusieurs semaines, il couchait chez Anna et Serge qui lui avaient dégoté un lit de fortune dans leur petit appartement, prétextant qu'il dérangeait Blanche avec « toutes ses histoires ». Anna ne s'en plaignit pas et Blanche n'insista pas pour qu'il revienne auprès d'elle, de telle sorte que la situation demeura telle qu'elle était.

Adriano ne comprenait pas ce qui avait pu se passer et il quitta la rue Notre-Dame pour se rendre à Verdun voir ses deux fils. Il tomba sur Armande Prophète qui faisait le ménage.

– Mon diou, Seigneur et Marie sa mère ! Y'a longtemps qu'on ne vous a pas vu, monsieur Adriano !

À sa grande surprise, Carmélie sortit du garde-manger, le nez enfariné et un large sourire accroché aux lèvres. Elle s'essuyait les mains sur un petit tablier fleuri qu'elle avait noué à sa taille.

– Un revenant, dis donc. Les garçons ! Votre père est là ! cria-t-elle sans qu'ils ne l'entendent.

Madame Prophète se posta au bas de l'escalier puis cria à son tour :

– Bruno ! Émile !

Deux gaillards sortirent de leur chambre comme des gymnastes aux Olympiques, grands, effilés, les cheveux bien taillés.

– Salut, p'pa !

Ils passèrent tous les trois la soirée au salon à discuter, à se rappeler les bons moments et aussi les mauvais.

Carmélie leur servit un spaghetti et tous les quatre, ils reprirent là où ils s'étaient laissés la dernière fois.

– C'est une belle maison, je ne regrette pas, glissa Adriano.

– Monsieur Laporte nous l'avait dit : quand on a été heureux dans une maison, ceux qui l'habitent ensuite sont heureux. Bien sûr que tu es parti, mais j'ai accepté. Alors, mes deux chéris et moi, le restaurant, Paul, et...

Carmélie affichait vraiment un air comblé. Elle n'avait pas beaucoup vieilli et s'était bien occupée de sa santé. Elle avait pris quelques livres et teignait ses cheveux en roux, ce qui lui donnait fort bonne mine.

– Et toi ? Pierrette m'a dit que tu passais un mauvais moment ? Maintenant, ça va ?

Émile et Bruno, après avoir embrassé leur père, montèrent dans leur chambre pour étudier et appeler leurs blondes respectives. Avant de fermer la porte, Émile demanda à son père s'il allait venir dans le temps des Fêtes. Adriano promit.

Avec Carmélie, les discussions n'avaient pas toujours été aisées. Adriano décida de répondre à sa dernière question sans mentir comme il avait appris tout jeune à le faire.

– J'arrive de l'atelier de la rue Notre-Dame. Y'avait personne et... et Blanche a enlevé tous mes accessoires. Plus rien ! Il restait ses pierres et ses outils. Je ne comprends pas, Carmélie.

– Lui as-tu demandé ?

– Non, j'étais sous le choc, tu comprends. Elle m'a jeté dehors, c'est pas dur à comprendre. Elle a dû tout vendre. Y'en avait pour des centaines de dollars. Juste le papier Arches coûte une fortune ! Et certains tubes de bleu, introuvables. Holbein, c'est pas donné !

– Blanche va t'expliquer si tu l'appelles. Va dans la cuisine et téléphone-lui.

– Non, ça va. Les garçons parlent à leur blonde. Je vais aller chez Anna, puis l'appeler demain matin.

– Tu sais, il y a une chose qui n'a pas changé chez toi. C'est ta manie d'imaginer des situations avant d'avoir les explications. Tu vois un gros éléphant alors que ce n'est qu'une petite souris. Toujours plus grand que la réalité. Rappelle-toi. Tu as tout bousillé, et il n'y avait rien entre Armandin Lacourse et moi. À l'école, quand y'a un exercice de feu, ça veut pas dire qu'il y a un incendie ! Avec toi, le moindre petit symptôme mène automatiquement à une grosse maladie mortelle. Tu projettes. Tu imagines. Tu rêves, mon cher Adriano. Moi, je n'ai jamais cessé de t'aimer, l'avais-tu prévu, ça ? T'es-tu dit, en venant ici ce soir, que je t'aime encore et que quand tu repartiras, j'aurai mal encore une fois ? T'es-tu imaginé que Blanche t'avait mis dehors parce qu'il y avait quelqu'un dans sa vie et qu'elle ne voulait plus de toi ? T'es-tu dit que Rachel a tenté de se suicider parce qu'elle n'avait que toi dans sa vie, tandis que Blanche et moi, nous avons chacune deux de tes enfants pour nous consoler ? Mon pauvre Adriano, tu es bourré de talents, mais tu as dessiné ta vie comme une aquarelle, en décidant des courants de l'eau, en y en-traînant les lignes de couleur à ta guise, en creusant le papier pour créer des effets, en choisissant les courbes et les débordements. La vie, ce n'est pas une aquarelle, Adriano. Il y a des limites à ce que tu peux demander à une feuille de papier. Tu ne peux pas non plus déci-der que tout le monde va aimer ton œuvre. Un artiste, c'est rempli de rêves et ça tombe au moindre obstacle, tout le monde sait ça.

Adriano se leva, embrassa Carmélie sur son front bordé de mèches rousses, puis quitta cette maison qu'il avait abandonnée pour Rachel, une pauvre fille trou-blée. Petit, on l'avait plusieurs fois abandonné. Devenu adulte, c'est lui qui délaissait ses amours.

5

Quand Adriano entra chez Blanche, il fit des efforts pour ne pas la bousculer. D'une voix calme et assurée, il lui demanda où était passé son matériel qui, pourtant, l'avait toujours accompagné depuis ses cinq ans, alors que lui et sa *nonna* n'avaient pas encore quitté l'Italie. Jamais Adriano Scognamiglio n'avait vécu une seule journée sans pouvoir compter sur ses pinceaux, sa boîte de couleurs, ses papiers à aquarelle, ses crayons et ses carnets à dessins. Pour la première fois, il se sentait nu et dépouillé de ce qui faisait de lui un être humain pouvant s'exprimer, créer et communiquer. Pour la première fois, une femme parmi celles qu'il avait le plus aimées avait confisqué ou caché les objets qui lui étaient si essentiels.

– Je les ai vendus à une dame très gentille qui en avait besoin. Hermine Leroux, tu la connais? Elle dit que tu lui as enseigné l'aquarelle en lui faisant écrire des poèmes.

– Pourquoi as-tu fait ça, Bianca ?

– Parce que tu ne t'en servais plus. Tu étais tout entier consacré à tes bibittes dans la tête, Driano ! Toi et tes bibittes.

– Tu as bu, Blanche !

Seule cette remarque aurait suffi. Il avait fallu ensuite que viennent les explications, les raisons, les accusations. Blanche avait, selon elle, toutes les raisons de boire. D'une banalité à une autre, les raisons s'imbriquaient jusqu'au drame. Leur rencontre à l'École des Beaux-Arts – « Tu m'as séduite sans tenir compte de ma fragilité », l'amitié d'Adriano pour Edmond Dyonnet – « Je n'en faisais aucunement partie, pas du tout, pas du tout ! », la naissance de leurs deux filles – « Tu as cessé de nous aimer pour favoriser ta carrière ! », l'arrivée d'André Duhamel – « Tu ne pouvais pas accepter qu'il admire mes œuvres et pas les tiennes ! ». Elle se versa un verre de rhum brun sans glaçons, avala entre deux phrases acerbes, puis se mit à crier de plus en plus.

– Tu n'as jamais accepté que je sois une meilleure artiste que toi, Driano ! Et que mes filles m'aiment plus que toi ! Tu t'es installé dans mon atelier, pardon, tu as envahi mon atelier et tu as utilisé tous mes contacts pour ta... pour tes... merdes sur papier ! Du papier à merde, voilà !

Adriano croyait qu'il allait s'écrouler. Il pensa à mademoiselle Pellerin qui lui avait réclamé une aquarelle.

Cette femme l'avait guéri, et il n'allait pas se laisser avoir, cette fois. Calmement, il prit la bouteille de rhum et d'un geste désinvolte, la projeta contre le mur de briques. Il saisit le sac de Blanche, en sortit tous les billets qu'il put trouver dans son portefeuille et quitta Blanche, qui titubait et faisait des moulinets pour ne pas se répandre sur le parquet. Il attrapa un ciseau et mutila la figure d'une femme sculptée dans de l'argile pas encore durcie. Tout avait été dit. Adriano, le petit garçon qui dessinait comme un véritable artiste, le petit Italien venu de Porto San Giorgio, venait de dire son dernier mot. «Cessez de vous taire, monsieur Scognamiglio!», lui avait répété sa thérapeute. «Plus personne ne vous abandonnera, désormais, ne craignez rien!»

•

La vendeuse, qui le reconnut, lui montra les meilleurs pinceaux en poils de chèvre et aussi ceux en poils synthétiques.

– Avez-vous passé au feu, monsieur Adriano? Il ne vous reste donc plus rien?

– Oui, un gros incendie. Il faut que je rachète tout!

Une nouvelle vie. Il choisit de nouveaux pigments, des encres indélébiles, des papiers sans acide, des instruments d'une plus grande précision, et dit à la jeune vendeuse qu'il allait rappeler pour tout faire livrer à sa nouvelle adresse.

Blanche avait recommencé à boire. Peut-être n'avait-elle jamais totalement cessé.

•

Pour Adriano, l'alcoolisme ne rendait pas les gens menteurs. Il avait compris que c'étaient les menteurs qui devenaient alcooliques. Blanche s'était toujours menti à elle-même. Puis aux autres par ricochet. Elle s'était crue invincible et avait accompagné ses questionnements des vapeurs de cet alcool qu'elle pouvait si facilement se procurer. Ses filles l'approvisionnaient aussitôt qu'elle le demandait, car Blanche leur disait qu'on ne pouvait pas recevoir des gens sans leur offrir un gin ou un rhum. Elle jurait par tous les saints qu'elle n'y touchait plus. Ses filles l'avaient crue comme on croit toujours les alcooliques tant leurs promesses semblent sincères. Ils versent une larme en disant: «Je t'aime», et on les croit. Ils sont si ennuyeux quand ils sont sobres que l'on se paye de la distraction en acceptant qu'ils boivent. Leur sourire se transforme très vite en rictus, l'amertume monte comme une colonne de feu, leurs lèvres prononcent des litanies entendues mille fois, leurs mains tâtonnent pour vous retenir près d'eux, leurs yeux pâlissent, se matifient et demeurent fixes pendant de longs moments, ne sachant plus que leur interlocuteur est rendu ailleurs, triste et inquiet ou résolument écœuré. Adriano se rappelait ces longues discussions insensées alors qu'il aurait dû se taire. Blanche était si belle et si distrayante quand elle était sobre. Il se mit à rire. Sa grand-mère disait toujours quand il lui arrivait d'être moins malin: «C'est bien que tu sois stupide, mon chéri, parce que c'est si bon après quand tu redeviens *luminoso.* » C'était le même constat avec Blanche. Combien était-elle adorable quand il lui arrivait de cesser de boire ! Le calme après la tempête. Quand elle avait des moments de sobriété, aussi courts étaient-ils, elle redevenait la petite fille à la moue rieuse qui se lovait contre lui en miaulant presque, en couinant son bonheur tranquille, en espérant tout de la vie. Blanche était un baromètre qui fluctuait entre deux épisodes de gin sur glaçons. Si sombre, puis tout à coup, si lumineuse !

Blanche était menteuse et ne tenait pas ses promesses. Quand il l'avait connue à l'École des Beaux-Arts, elle affichait une espèce de détachement qui la rendait mystérieuse. Une pauvre fille que son père n'aimait pas parce qu'il refusait de la voir vivre de la sculpture. Ô combien la *nonna* aimait, elle, voir Adriano vendre ses dessins, explorer les courbes des choses, embellir le quotidien. Il se disait parfois que si sa grand-mère avait eu à se réincarner, elle aurait sans doute choisi de devenir Amy Featherstone, son agente pour les États-Unis. Grand-mère avait été sans doute sa plus grande admiratrice. Et Blanche avait manqué d'admirateurs autour d'elle. Toute jeune, monsieur Dubuc avait dû lui seriner à quel point le métier d'artiste en était un de pauvres et d'exaltés. Allait-il lui pardonner ? Sans doute.

La jeune fille du magasin de matériel d'artistes informa Adriano que le logement de sa sœur, sis au second étage, était libre pour quelques mois, car elle entrait pour une courte période de probation chez les Carmélites.

– Votre sœur que j'ai rencontrée l'autre jour ?

– C'est bien elle.

— Elle est belle comme un cœur. Comment a-t-elle trouvé le courage d'aller se renfermer dans le silence ?

— Elle est heureuse comme tout ! Elle pense que le Seigneur l'attend, elle, tout spécialement. Elle entre au monastère du Carmel à Montréal. Mais elle peut sortir si elle ne s'y sent pas bien. Papa m'a dit de trouver un locataire jusqu'à ce que Mariette prenne sa décision. Ma mère est atterrée. Sa fille aînée chez les Carmélites, imaginez ça ! Vous voulez monter voir le logement ?

La jeune fille appliqua l'affiche DE RETOUR DANS 5 MINUTES sur la fenêtre de la porte et conduisit Adriano au deuxième, au-dessus du magasin.

C'était un grand logement sombre mais assez spacieux, les chambres étaient distribuées des deux côtés d'un long couloir au parquet ciré et une cuisine claire percée de deux fenêtres était aménagée tout au bout. Des plantes en grand nombre égayaient les pièces. Une des chambres, meublée sobrement, pourrait servir d'atelier de peintre.

— Faudra tendre une toile pour ne pas tacher le plancher, par exemple, dit la jeune fille. Y'a des vaisseaux, une coutellerie, de la vaisselle. Tout.

— Je fais de l'aquarelle, pas de l'huile. Je travaille à plat la plupart du temps. Mais je vais faire installer un tapis, en effet. Ce sera plus prudent. Je vais le prendre. Je n'ai aucun meuble. Pas de vaisselle ni de casseroles. Les seuls vaisseaux que je possède sont ceux que j'ai sauvés de mes nombreux naufrages, dit-il en s'esclaffant.

— Papa va être content que ce soit un artiste. Vous êtes capable de payer 85 $ par mois ?

– Je pourrais même vous l'acheter si cela était possible, ajouta-t-il avec un brin d'ironie. Je vais le prendre jusqu'à ce que votre sœur prenne sa décision. Pauvre fille, quand même.

– Si vous êtes si riche, pourquoi alors viendriez-vous loger ici?

– Moi aussi, j'ai besoin d'une existence de carmélite. J'ai besoin de faire la lumière dans ma vie. Revoir mes priorités, contempler, reprendre ma marche sur une autre route. Je ne crois pas que je resterai longtemps de toute façon, je veux partir pour l'Europe.

– Exposer là-bas?

– Peut-être.

C'est ce qu'il répondit alors que c'était en réalité la seule chose qui le motivait: créer une aquarelle pour mademoiselle Pellerin et aller exposer en Italie, là où on lui avait donné la vie.

•

Le soir même, Adriano prit possession du logement de Mariette Pépin, la fille du commerçant, sur la rue Sainte-Catherine, près du boulevard Saint-Laurent. Cela lui rappela lorsqu'il avait habité le logement de Jérémie Toutant au-dessus de la galerie d'art. Cela lui rappela aussi ses jeunes années dans le métier, quand il faisait une œuvre à l'aquarelle et devait absolument la vendre. Avec les années, et surtout depuis qu'il avait acquis assez d'argent pour ne pas connaître l'inconfort, vendre ses œuvres n'était pas de la plus haute importance. Créer d'abord. Coucher sur le papier mouillé ses états d'âme et dévoiler ses influences. Exister en tant que représentant de cette horde d'artistes choyés qui vivaient au Québec. Parce que, pour Adriano, peindre était un privilège. Et il entendait bien continuer à le faire.

•

Ce soir-là, après avoir accroché ses vêtements dans le placard de la chambre et empli le réfrigérateur de victuailles, il fit monter son matériel acheté au magasin Pépin, étala une vieille couverture sur le parquet et y installa une table, sur laquelle il posa une feuille de papier Arches. Comme d'habitude, il mouilla abondamment le papier, attendit quelques minutes, puis comme si le geste était automatique, il traça quelques lignes de bleu outremer qui se mirent à courir, à s'étioler, à se répandre en étoiles, en méduses, en feux d'artifices en suivant les rus, les rigoles et les rivières. Il grava les formes pour les aider à s'allonger, à suivre le courant de sa volonté. Le bleu devenait la mer; plus haut, le ciel jonché de nuages. Le ciel d'Italie et la mer Adriatique. Adriano retrouvait les lignes et les formes que sa main traçait avec habileté. Les rondes se transformaient en tous les personnages qu'il avait rencontrés, les formes allongées suggéraient des postures diverses, les unes penchées, les autres brandissant leurs bras en signe de joie et de conquête. Il y eut des enfants qui couraient sur le chemin rocailleux, d'autres qui dormaient sur les genoux de leur père, d'autres encore qui pleuraient la disparition de leur mère. Adriano pensa aux grands ormes de Marc-Aurèle Fortin qui, le pauvre homme, ne pouvait plus courir ni sur les routes ni à travers les champs gorgés de foin ondoyant. Tuée, la jeunesse de Fortin. Oubliée, la passion d'avancer résolument. Une douleur saisit Adriano au creux de la poitrine là où le souffle se prend à grandes lampées. Une nouvelle vie commençait. Une vie de vieil homme déjà, qui regardait sa vie qui était derrière.

Soudainement, il recula et observa son œuvre de loin. Et en fut satisfait. Il saisit un passe-partout blanc, granuleux, bordé d'une légère ligne noire et le déposa sur son nouveau tableau. Ainsi encadré, il lui sembla encore plus libre. Pour attendre que le papier sèche en révélant plus simplement l'accent des teintes, il se rendit à la cuisine et se fit des *pastas alla parmiggiana* et au *burro* comme celles qu'il avait cuisinées pour Paul-Émile Borduas et les dévora en écoutant pépier ces maigrichons oiseaux métropolitains qui n'avaient de toute évidence pas grand-chose à dire.

•

Le lendemain, il se rendit à l'édifice Guy et déposa sur le pupitre de la réceptionniste de mademoiselle Pellerin un carton contenant la plus belle aquarelle jamais créée. Il l'avait intitulée tout simplement *Et si je vous disais merci*. La thérapeute allait tout comprendre. Adriano s'était rappelé l'article de ce journaliste qui

dénonçait le peu d'imagination des peintres qui ti-
traient leurs peintures avec un seul numéro comme
Borduas le faisait, ou d'un titre qui ne laissait aucune
place à l'imagination comme lorsque Fortin peignait
le port de Montréal et qu'il la coiffait du titre *Le port de
Montréal.* Ou que Jean-Philippe Dallaire dessinait un
nu assis et qu'il l'intitulait *Nu assis.* La poésie n'était
pas pour tout le monde, mais celle qui s'échappait des
frondaisons des grands ormes de Fortin suffisait à char-
mer le spectateur. Les personnages d'Adriano S. sau-
raient s'imposer à la femme intelligente qu'était Lucie
Pellerin. Ce que cette dernière avait fait pour le peintre
était d'ailleurs grandiose. Lui redonner la vie. Si Marina avait abandonné son petit garçon en 1908, une
femme habile en psychologie l'avait remis sur les rails
pour un voyage plus important encore.

•

Ma chère Jeanne-Mance,

*Il y a si longtemps que je ne t'ai écrit que je pourrais
noircir des centaines de pages pour te raconter d'où j'arrive. En réalité, ce livre, je suis en train de l'écrire. Peut-
être le publierai-je un jour pour en faire profiter tous les
amoureux de la peinture, mais aussi tous ceux qui aiment la vie.*

*Je leur parlerai de la mer qui bat les grèves en cha-
hutant entre les pierres, des cormorans qui, noirs comme
l'enfer, exposent leur estomac au soleil pour digérer plus
vite, aux enfants de Kamouraska qui chantent dans la*

cour de l'école pour apprivoiser le vent, des piétons de la rue Sainte-Catherine qui se frôlent tellement ils sont libres le long des magasins, des voitures qui klaxonnent comme dans un quatuor à vent, des petites filles qui sautent à la corde et des garçons qui font rebondir leur balle sur les murs des écoles à l'heure de Bobino, des femmes qui pleurent à cause de leur amour étouffant, des peintres qui ont tant de mal à surnager dans la mer des beaux-arts. Tu peux imaginer que je pourrais écrire durant des années sans coup férir. Les mots que jadis j'ignorais totalement m'ont été appris par les francophones d'ici. Et par les livres. Et par les femmes que j'ai aimées qui ont enseigné la langue à mes descendants. Mes filles parlent un français si beau. Et toi, qui as appris la langue de tes parents venus de France, comme ce fut le cas de Carmélie et de ses sœurs, tu m'auras fait comprendre qu'il est absolument nécessaire de la connaître pour oser se lancer dans l'écriture. J'ai toujours voulu être écrivain. Je le serai, tu verras. La peinture est une forme de poésie; les mots fleuris en forment une autre.

Maintenant, revenons à nos moutons (une autre expression apprise de ton père).

J'ai vécu de nouvelles périodes fastes avec Blanche de qui j'avais eu tant de mal à me détacher. Elle s'est mise en travers de ma route, avec tout l'aplomb que tu lui connais. Cela aura duré seulement quelques mois avant qu'elle ne retombe, j'ignore pourquoi, sous la domination de l'alcool. Avec les mêmes déchirements, les mêmes problèmes non réglés. J'étais certain, pour avoir constaté que notre fille Anna s'en sortait, elle, que Blanche ne pourrait jamais se laisser couler de nouveau. C'était mal connaître la profondeur de son désespoir. J'avais retrouvé son humour, ses rires, ses certitudes de sculpteure, son ton magistral. Elle sculptait de nouveau avec tellement d'assurance. Nous nous préparions à présenter une nouvelle exposition menée par notre fille Rose qui a le vent dans les voiles depuis quelque temps. Elle est devenue l'agente de trois autres artistes contemporains – qu'elle a poussés jusqu'en Europe et confiés à Amy Featherstone à New York – qui connaissent une montée fulgurante en ce moment. Nous étions prêts à redevenir le Couple S. Mais il aura fallu quelques onces d'alcool et un glaçon pour tout faire s'écrouler. Blanche a vendu tout mon matériel pour me sortir de son atelier, me sortir de sa vie. Le pire, c'est que lorsque je le lui ai reproché, elle s'est mise à rire. Je l'ai donc quittée, définitivement cette fois, tu peux me croire. Si j'étais resté, je l'aurais suivie dans sa chute.

L'an passé, j'étais très découragé et, quand je prenais la peine de me regarder, je voyais un pauvre Italien disperato. Un homme vieillissant qui ne pouvait aller plus loin même s'il avait consacré sa vie à la création. Mon ancienne belle-sœur m'a recommandé aux bons soins d'une sacrée bonne thérapeute, Lucie Pellerin, ici à Montréal sur la rue Guy, et j'ai accepté de la rencontrer aussi souvent qu'il a été nécessaire. La première étape est justement d'accepter de se soumettre. Mademoiselle Pellerin (ne t'en fais pas, elle n'avait aucune chance de me séduire!) est descendue avec moi au fond de la mine, a pioché dans le roc et arraché à mon subconscient des tonnes de diamants, puis m'a accompagné au creux de mon amour-propre, sans jamais me laisser errer. Nos rencontres ont duré presque une année. Comme une relation intense avec une femme sans tout l'aspect compétitif qui lie d'habitude deux personnes de sexes opposés. Comme si j'avais rencontré Floriana Farmer, notre maîtresse d'école à Kamouraska. Tu penses bien que je n'avais aucune chance de tomber amoureux d'une vieille chouette comme elle ! Je soutiens sincèrement que c'est le plus grand danger qui guette les patients des psychologues, des psychiatres et de tous les thérapeutes qui pénètrent dans la tête de leurs patients : le transfert amoureux. Mademoiselle Pellerin parlait aussi de la jalousie parfois morbide de la conjointe qui sait que son mari discute des vrais sujets intimes avec une autre femme. Ce doit être, en effet, très difficile à accepter.

J'ai donc traversé tous les champs de blé et d'avoine du Bas-du-Fleuve, les grèves et le fleuve tout entier sans m'arrêter et je suis arrivé à destination avec la certitude que j'allais dans la bonne direction. Que j'étais un peintre créateur, un artiste choyé et que je devais continuer. Mademoiselle Pellerin m'a demandé une aquarelle au moment où je croyais ne plus jamais peindre. Et si je vous disais merci est le titre que j'ai trouvé. Original, tu ne trouves pas ? Je ne reviendrai pas sur ce que je pense des titres quelconques dont certains peintres coiffent leurs œuvres ! Je suis certain que lorsque ma psychothérapeute a ouvert le carton, elle a dû ressentir la satisfaction de tout ce qu'elle a fait pour moi. Je ne sais pas si elle me téléphonera ou si elle m'écrira parce que je ne crois pas que j'irai de nouveau la consulter. Surtout qu'elle m'a affirmé que c'est lorsqu'elle ne revoit pas un patient qu'elle sait qu'il peut désormais voguer plein nord et sans elle. Je ne retournerai pas. Elle fut dans ma vie comme le phare de la Grosse-Île qui guide un navire une fois, sans qu'il ne repasse jamais. Je sais maintenant ce que je veux.

J'habite actuellement dans le logement d'une certaine Mariette Pépin qui est à l'essai chez les Carmélites pour un certain temps. C'est chez son père que j'ai acheté mon nouveau matériel pour peindre et, comme le hasard fait souvent bien les choses, sa jeune sœur m'a offert de prendre le logis tout meublé pour les prochains mois, ou jusqu'à ce que je me résolve à partir, une fois pour toutes, en Europe. La France ? L'Italie ? L'Angleterre ? Je ne sais pas encore. Chose certaine, je ne moisirai pas à Montréal où les peintres populaires ne sont pas ceux que l'on pense. Les Montréalais ne fréquentent pas davantage les galeries d'art que lorsque j'ai commencé. En fait, même s'il y a dix fois plus de peintres que dans les années vingt, même si les Automatistes ont tout fait pour que soit reconnue l'expression spontanée du créateur, il y a tout plein de ces gens qui, en fréquentant les cours dans le sous-sol d'un quelconque voisin, se mettent à peindre la tête d'orignal empaillée qui orne le mur de leur salon ou qui font de la peinture à numéros et troublent les eaux pures de la véritable création. Sans cours d'art, leur clientèle ne fait pas la différence entre un Riopelle et un panache d'orignal. Tout est dans l'éducation, tu le sais. Mes enfants n'ont pas eu le choix de s'intéresser aux arts puisque depuis qu'ils sont bébés, ils *fréquentent les expositions. Ils ont suivi alors le couloir de la création. Carmélie m'a dit que Bruno, qui avait peinturé son petit frère pour le rendre plus intéressant, a continué à peindre. Il a entrepris des études en médecine. Il sera peut-être un peintre guérisseur, qui sait? Je sais que toi aussi, tu as su implanter dans la tête de tes enfants le désir de créer sans cesse et j'entends d'ici ton Maurice se plaindre de ma terrible influence sur toi.*

Je demeurerai donc rue Sainte-Catherine (adresse sur l'enveloppe) jusqu'à ce que Sœur Mariette Pépin du Silence reprenne possession de son logis. Peut-être que je l'habiterai jusqu'à la fin de mes jours. Je n'apprécie pas tellement les bruits de la rue, le klaxon des voitures et les charivaris de la foule pressée. Surtout quand il fait chaud : je dois laisser les fenêtres ouvertes et en plus de la clameur, je dois respirer l'humidité poussiéreuse de la rue. Ah, Kamouraska! N'eut été de mes enfants de qui j'ai voulu me rapprocher, je crois que j'achèterais notre manoir du Cap Taché que nous aimions tant, si tu te rappelles. Tu disais que nous y élèverions douze enfants et que chacun aurait sa chambre d'une couleur différente. Ne laisse pas traîner cette lettre. Si Maurice lit ce passage, il va mourir de jalousie!

Quand je donnerai ma première exposition en Europe, je te le ferai savoir. Tu sauras alors que je suis arrivé à bon port.

Ton ami Adriano

6

L'enquête ne traîna pas en longueur. Le commissaire de Vailly trouva une lettre pour le moins incriminante dans une cassette cachée sous le pupitre du frère Arsène. Bien sûr que le meurtrier du frère Hubert aurait très bien pu détruire une preuve aussi évidente. C'était mal évaluer les états d'âme d'un moine qui avait voué son existence à Dieu et qui devait crever de remords. En exergue, à la première page, le frère avait écrit d'une belle écriture fleurie : *Au terrible torrent de boue constitué par les livres sortis de l'officine ténébreuse des impies, sans autre but, sous leur forme éloquente et leur sel perfide, que de corrompre la foi et les mœurs et d'enseigner le péché, le meilleur remède, on en peut être assuré, est de leur opposer des écrits salutaires et de les répandre.* Léon XII.

Le commissaire ne savait pas de quoi cet extrait voulait parler, mais il était sûr que c'était malsain. Pour qu'un pape aussi réputé ait écrit une chose aussi discutable, il fallait que ce soit pour une raison grave. Il décida de confier la recherche à Martin Loubière, un de ses plus érudits lieutenants. Il l'informa du dossier et accepta que Loubière aille rencontrer le frère Arsène dans son lieu de détention si cela s'avérait nécessaire.

Ce ne fut pas nécessaire. Loubière, à la seule évocation de l'*Encyclopédie* de Diderot, sut que cet extrait avait été rédigé au sujet de l'œuvre, contre son existence même. Plusieurs papes avaient condamné les livres qui tentaient d'expliquer autrement la course de l'Univers, en passant par la science, l'astronomie ou la philosophie. Dès qu'un savant questionnait l'hégémonie de l'Église en expliquant les phénomènes par autre chose que la volonté de Dieu, celle-ci attaquait dans tous les sens.

Restait à savoir pourquoi le moine avait assassiné son compagnon. Le frère Arsène s'était emmuré dans le silence et passait ses journées en prières. Un long interrogatoire se révéla inutile, mais concernant les motifs de ce meurtre, le commissaire n'allait surtout pas lâcher prise. Le frère Arsène avait avoué avoir tué le frère Hubert, mais il fallait savoir quelles en étaient les raisons. On ne tue pas quelqu'un pour une encyclopédie qui n'avait plus d'impact sur la société.

•

Le destinataire était un homme du nom de Lacourse. La lettre soulignait que c'était là la deuxième missive puisqu'elle disait : « Ainsi que je vous l'écrivais l'an dernier », mais bizarrement, l'entête de la lettre n'indiquait aucune date. « Étrange, ce manque de rigueur de la part d'un moine », se dit le commissaire. Peut-être que le moine avait l'intention d'indiquer la date au moment de la déposer à la poste.

Il était question d'une grosse somme d'argent en francs français qui correspondait à une véritable fortune. Et ce passage tout aussi intriguant : « Il fait très *frette,* comme on le dit dans votre pays d'adoption. » Ainsi, le fameux Lacourse ne vivait pas en France, mais dans un pays où on employait le mot *frette* lorsqu'il faisait froid. Loubière consulta un ouvrage de linguistique dans lequel il apprit qu'au Canada français, dans l'œuvre littéraire d'un certain Félix-Antoine Savard, il était question de *faire frette.* Le frère Arsène avait donc écrit une lettre à un Français vivant au Canada.

Une petite phrase lui rendit la tâche plus ardue. « Votre Clair de nuit sous la lune ne laisse personne indifférent. » C'est Loubière qui lui suggéra que le fait que le mot *clair* soit coiffé d'un C majuscule pouvait laisser supposer qu'il puisse s'agir du titre d'un livre ou d'un tableau acquis par le frère. Donc, le frère Arsène connaissait le fameux Lacourse et avait mis la main, par un moyen quelconque, sur un tableau. Le commissaire fit le tour du bureau du moine, du cagibi servant d'accueil, de toute l'abbaye, de la chapelle et nulle part ne trouva-t-il une œuvre intitulée *Clair de nuit sous la lune* ni aucun tableau signé Lacourse. Mais il sut que le destinataire de la fameuse lettre était un artiste français vivant au Canada. Le reste de la lettre comportait l'histoire de l'*Encyclopédie*, le nom des collaborateurs de Diderot et d'Alembert, le nombre de livres comprenant les planches, les dates de publication et les aléas concernant sa sortie et les difficultés rencontrées par les éditeurs. Pas un mot sur son fondement ni sur la véracité des informations. Plus loin dans la lettre, le frère Arsène indiquait que le montant demandé devait être remis en argent comptant, ce qui suggérait que le dénommé Lacourse devait se présenter à Vézoul même. Il s'agissait donc de la vente du deuxième exemplaire de l'*Encyclopédie* puisque le premier exemplaire avait été acquis par Didier Trousset, ingénieur civil français, tel que l'avait certifié l'assassin avant de se taire définitivement.

À la fin de sa lettre, juste au-dessus de son nom, le frère avait écrit : *Quando venit ergo sacri Plenitudo temporis, Missus est ab arce Patris Natus, orbis conditor ; Atque ventre virginali Carne amictus prodiit.*

Enfin : À bon entendeur, salut !

Et sa signature : Frère Arsène

— Cet homme est fou. Il écrit n'importe quoi, dit le commissaire de Vailly à son ami Loubière. Allez me décrypter ce texte…

— … en latin. Ce texte est du latin. Je vais vous le faire traduire et vous dirai d'où il est tiré.

Le lendemain, Loubière déposa une feuille sur le pupitre de son collègue. «Quand les temps sacrés furent accomplis, le Fils de Dieu, créateur du monde, fut envoyé du trône de son Père, et naquit d'une vierge dans le sein de laquelle il s'était incarné.»

– Ce texte est tiré des rites du Vendredi saint. Ces moines sont entièrement dédiés à la Vierge Marie et, j'imagine, vouent un culte particulier à sa virginité. Ça dit que le Christ s'est incarné lui-même dans le sein d'une vierge. C'est clair, je crois.

– Pourquoi ça se trouve là?

– Ça a sûrement rapport avec l'*Encyclopédie*, monsieur le commissaire. Il appert que dans la tête de bien des hommes, la maternité prend sa source dans l'impureté. La Vierge doit être pure, blanche, de là l'Immaculée Conception. C'est clair, il me semble.

De Vailly posa le front sur sa main et réfléchit longuement. Le frère Arsène avait avoué que l'*Encyclopédie* de Diderot n'était nulle part complète, car il manquait le livre VIII. Or, que contenait donc ce livre?

– Loubière, il faut que vous trouviez ce que contient le livre huitième. Le dernier livre de planches doit indiquer ce que contient cette œuvre, non? Inscrivez-moi tous les mots de ce livre. Autour de G ou H ou dans ces eaux-là. Je trouverai pourquoi ce moine a assassiné le frère Hubert.

Martin Loubière ne faisait jamais les choses à moitié. Il se rendit dans un petit village de Bourgogne où il savait qu'il y trouverait l'*Encyclopédie*, l'exemplaire appartenant à l'abbaye de Vézoul ayant été placé sous scellé parce que principale pièce à conviction dans l'affaire du meurtre du frère Hubert. À Le Creusot, il trouva le tome VIII. Loubière était fou de joie.

La dame qui s'occupait du petit musée savait se montrer collaboratrice. Elle connaissait bien les vingt-huit volumes et la plupart des principaux collaborateurs de Diderot même si l'*Encyclopédie* en comptait plus de cent quarante. Elle n'avait jamais hésité à mettre son bon savoir à la disposition de centaines de chercheurs en philologie, en psychologie ou en sociologie en provenance du monde entier. La dernière recherche qu'elle avait exécutée avait été pour une religieuse qui faisait une réflexion au sujet de la solitude. Diderot avait écrit, cita de mémoire madame Bada : « Mais il est à propos de se livrer quelques fois à la solitude, et cette retraite a de grands avantages ; elle calme l'esprit, elle assure l'innocence, elle apaise les passions tumultueuses que le désordre du monde a fait naître ; c'est l'infirmerie des âmes. » Les moines et les religieuses choisissent la retraite et ne vivent que de très peu de mouvance. Leurs activités se limitent à une participation ou deux au sein de leur pauvre vie communautaire, conclut-elle.

Loubière raconta à madame Bada ce qui l'amenait à Le Creusot : le meurtre avoué du frère Hubert après que ce dernier eut vendu toute une série de l'*Encyclopédie* de Diderot à un ingénieur civil qui l'avait acquise à grands frais, la lettre du frère Arsène, la citation en latin du Vendredi saint au sujet de la virginité de Marie, et il lui parla de la disparition étonnante du tome VIII et de l'artiste Lacourse qui vivait au Canada, là où *il fait frette.*

– Je ne me suis jamais demandé pourquoi le livre huitième a disparu chez la plupart des collectionneurs. Mais ici, nous les possédons tous. Nous les avons enfermés dans cette pièce verrouillée où quiconque, qui n'est pas accompagné par moi ou un de mes employés, ne peut y avoir accès. Le huitième donc – son index parcourait la table des matières à une vitesse folle – couvre des lettres H jusqu'à la lettre KO. Je me demande ce qui a bien pu semer une telle controverse pour qu'un moine se rende jusqu'au meurtre. Alors, je lis le *H, Habacuc, Habeas corpus, Habillement.* Attendez, j'ai ici *Haudriettes.* Ça dit : l'ordre de l'Assomption de Notre-Dame. Non, ça ne peut être ça. Je continue : *Hacher, Hémérocalles, Hérétique…* Tiens, *Hubert… Saint-Hubert.* Pure coïncidence, vraiment, dit madame Bada.

Loubière et madame Bada passèrent tout l'après-midi à éplucher les mots que contenait le huitième livre de l'*Encyclopédie*, ne lésinant sur aucun d'entre eux parmi tous ceux qui pouvaient expliquer les raisons de l'absence du tome huit dans la plupart des abbayes françaises.

Tout à coup, la dame lança un grand couac !

– Je ne suis pas détective, mais voyez ici, sous le mot HYMEN. Quelqu'un a souligné un paragraphe puis a tenté de l'effacer.

– Mais oui ! Quelqu'un a marqué ce paragraphe.

Il ajusta ses lunettes et se mit à lire :

– « Mundinus a le premier parlé de l'hymen comme d'un voile mis constamment par la nature au-devant du vagin ; il l'appelle *velamen subtile quod in violatis rumpitur, cum effusione sanguinis,* le voile de la pudeur, qui se rompt dans la défloration avec effusion de sang. Picolhomini a pareillement nommé ce voile le cloître de la virginité, *claustrum virginitatis.* Les Italiens l'appellent en conséquence dans leur langue la *telletta valvola, sede della virginita.* Les Latins, *flos virginitatis, zona virginea* ; & les matrones françoises, la dame du milieu. Tous ces noms indiquent assez le cas qu'on en a fait & l'idée qu'on s'en est formée. Aussi est-il arrivé que cette membrane délicate, de figure indéterminée, qui se trouve ou ne se trouve pas dans le conduit de la pudeur, qui est visible ou invisible, a causé plus de maux dans le monde que la fatale pomme jetée par la Discorde sur la table des dieux aux noces de Thétis & de Pelée. Mais d'un autre côté, de très grands maîtres de l'art, aussi fameux qu'accrédités, Ambroise Paré, Nicolas Massa, Dulaurent, Ulmus, Pineau, Bartholin, Mauriceau, Graaf, Palfyn, Dionis et plusieurs autres soutiennent nettement et fermement, que la membrane de l'hymen n'est point une chose constante ni naturelle au sexe & qu'ils sont assurés, par une multitude d'expérimentation, de recherches, de dissections que cette membrane n'existe jamais ordinairement. »

– Vous ne trouvez pas ça étrange, vous ? Pourquoi un tel passage serait intimidant ?

– Pas intimidant, madame Bada, il est hérétique. Il vient démolir toute la théorie de la virginité de la mère du Christ. L'abbaye Marie-des-Anges, l'abbaye Notre-Dame, l'abbaye Marie-de-l'Enfant-Jésus ont en leur possession la fameuse *Encyclopédie*. Ils ont détruit le huitième tome qui laisse un sacré doute sur l'existence de cet hymen. La Vierge ne peut pas avoir enfanté grâce au saint Esprit, si l'on se fie aux observations des scientifiques, ces maîtres de l'art, comme le dit l'*Encyclopédie*. Dès que la science se met à expliquer les dogmes laissés incompris par l'Église, on réagit.

— Je me demande surtout comment tous ces maîtres de l'art, comme vous le dites, ont pu disséquer toutes ces jeunes filles pour en arriver à cette conclusion.

— J'ai déjà lu que des pauvres cloches assassinaient des gens en santé pour ensuite vendre leur cadavre à de sombres pathologistes qui faisaient des dissections dans le seul but de faire avancer les connaissances en médecine.

— L'appât du gain en a fait faire des idioties, vous ne pensez pas ? Même des meurtres !

— Vous permettez ? Je dois téléphoner au commissaire.

Loubière, fier de sa découverte, parlait dans le combiné avec une telle force que de Vailly lui demanda de baisser le ton. À l'écoute de l'histoire de Loubière, il prenait des notes en souriant d'aise. Il pourrait donc prendre sa retraite fier du devoir accompli, après avoir fait la lumière sur un scandale que tout le monde semblait vouloir ignorer : le discours scientifique quant à la supposée virginité de la Vierge Marie, les mensonges de l'Église et le doute au sujet de la sainteté de ces moines eux aussi corrompus par la soif de gloire, par les missions opaques et par l'odeur de l'argent.

De Vailly savait maintenant pourquoi les tomes VIII de l'*Encyclopédie* de Diderot avaient été écartés ou même détruits. Il croyait aussi savoir que c'était l'appât du gain qui avait motivé le frère Arsène à s'emparer de la bourse payée par Didier Trousset et à assassiner le frère Hubert. Le reste était sans importance.

Quand il entra dans la cellule du frère Arsène, de Vailly ne prononça que deux assertions auxquelles le détenu acquiesça avant de s'agenouiller de nouveau pour prier.

À son retour au commissariat, le téléphone sonna. Le frère Arsène s'était suicidé par pendaison et Loubière avait trouvé, dans le grenier du prieuré de l'abbaye Marie-des-Anges, une soixantaine d'exemplaires du livre huitième de l'*Encyclopédie ou dictionnaire raisonné des sciences, des arts et des métiers* de Diderot et d'Alembert. De Vailly soupira : jamais il n'aurait pu découvrir les motivations du moine, n'eût été de cette lettre qu'il avait laissée avant de se pendre dans sa cellule.

*Que Dieu pardonne à mon âme qui s'est souillée à cause de son goût pour la luxure. Cette bourse volée au frère Hubert devait me permettre d'acheter une dizaine de tomes VIII de l'*Encyclopédie *qu'il me fallait retirer de la circulation en France parce que l'ange Gabriel me l'avait ordonné en songe à plusieurs reprises. Le tome VIII venait jeter un sombre doute sur Celle à qui j'ai offert toute ma vie, la Mère de Notre-Seigneur Jésus-*

Christ à laquelle j'ai consacré toute ma dévotion. Le tome VIII a été écrit par Lucifer et moi, Jacques Commuzat, dit le frère Arsène, j'ai consacré ma vie moniale à protéger Celle qui a porté l'enfant du Saint Esprit sans pour cela éprouver la souillure du péché. Je retourne auprès d'Elle pour ne plus subir la justice des hommes. Je demande pardon au frère Hubert et demande à Dieu de me laisser me blottir entre les bras de notre Sainte Marie, mère de Dieu.

J.C. ou frère Arsène

7

Adriano arriva à Macamic en Abitibi-Témisca-mingue avec la certitude d'y accomplir son devoir d'amitié envers Marc-Aurèle Fortin. Il se demanda s'il aurait eu le courage de René Buisson qui avait en quelque sorte kidnappé le vieux peintre à Fabreville pour le conduire dans un endroit sécuri-taire, si loin de L'Île Jésus, afin qu'il termine ses jours avec tout le respect qu'on lui devait. Fondé sous le gouvernement Duplessis en 1950, le Sanatorium Saint-Jean de Macamic était un établissement grandiose, voué au traitement des tuberculeux, mais qui accueillait aussi de grands malades qui pouvaient bénéficier de l'air du grand lac et de la ceinture d'arbres qui l'entourait.

René Buisson avait une grande admiration pour Fortin avec qui il était devenu ami au point de se mé-fier comme de la peste de cet Albert Archambault qui le maltraitait presque ouvertement. Plusieurs journalistes avaient commencé à s'inquiéter de l'état de santé du peintre de Sainte-Rose et certains, notamment Louis-Martin Tard dans *La Patrie*, avaient clairement questionné l'attitude machiavélique d'Archambault à l'égard de Fortin.

Lorsqu'enfin il parvint à la chambre de Marc-Aurèle, celui-ci n'était pas seul. Un homme était assis auprès de son fauteuil roulant placé face au lac dans le soleil d'après-midi. Fortin se retourna et, presque aveugle, attendit qu'Adriano lui parle pour être en mesure de le reconnaître. Fortin sourit en entendant Adriano.

– Tiens, mon peintre italien préféré… après de Vinci, ajouta Fortin avant de s'esclaffer. Voici mon ami Albert Rousseau. On a peint ensemble des paysages de Charlevoix. Lui pis moi, pis René Richard. Lui, c'est Adriano, un peintre aquarelliste qui fait des miracles avec la transparence de l'eau sur le papier. T'es venu de Montréal jusqu'ici rien que pour me voir ? Qui t'a dit que j'étais ici, au Sanatorium ?

– C'est René Buisson. Et les journaux en ont parlé.

– Ah, le cher homme ! Au commencement, je ne voulais pas m'enfermer ici. Mais comme il a dit que je marchais juste dans ma tête, je me voyais aux États-Unis, en Europe, partout. Mais j'ai plus de jambes, pis je vois plus rien. Ma vie achève, c'est aussi bien que ce soit dans une chambre propre pis avec des infirmières de bonne humeur. Vous savez que la femme d'Archambault changeait mes draps rien qu'une fois par mois. Je suis un grand malade pis j'ai besoin qu'on me couche dans des draps propres.

Rousseau, qui était à peine un peu plus jeune qu'Adriano, posa plusieurs questions au sujet des expositions auxquelles il avait participé et lui demanda si son séjour à New York l'avait aidé dans sa carrière à Montréal. Les trois comparses discutèrent tout l'après-midi de leur étonnant métier, des affres de l'univers des arts au Québec et ailleurs dans le monde. Tous les trois avaient exposé aux États-Unis, chacun avait eu des déboires amoureux, mais le mariage de très courte durée de Marc-Aurèle et de Gabrielle remporta la palme de popularité.

— Les femmes ne peuvent pas comprendre l'importance de la carrière, affirma Rousseau.

— Ou elles en attendent trop, ajouta Adriano.

— C'est pour ça que j'ai vécu mieux sans une femme ! Trop de troubles ! conclut Fortin.

Une infirmière, garde Marielle Godbout, entra porter une lettre pour Marc-Aurèle Fortin.

— Tiens, des nouvelles d'Albert Brosseau, mon ami d'enfance. Depuis qu'il sait que je suis ici, il m'écrit toutes les semaines. Je ne lui réponds qu'une fois par mois. C'est rendu cher, les timbres. Je ne vends pas de tableaux autant que vous deux, moi, dit-il avant de se mettre à rire.

Quand il fut le temps d'emmener Fortin à la salle à manger, il se renfrogna et reprit sa figure torturée. Le monde lui paraissait toujours hostile et menaçant dès qu'il quittait sa solitude.

Adriano quitta Rousseau et Fortin avec tristesse. Son ami Marc-Aurèle n'en avait plus pour très longtemps.

Lorsqu'il revint chez lui rue Sainte-Catherine, une surprise attendait Adriano. Une surprise qu'il anticipait depuis fort longtemps. Un homme grassouillet et court de taille était assis dans l'escalier d'en arrière, un mouchoir noué autour des cheveux et la cravate de travers sur une chemise blanche mal repassée.

– Adriano ? demanda-t-il.

Quand il fut certain que c'était bien lui, il se précipita vers Adriano.

– Tu ne reconnais pas ton Marco ? ajouta-t-il en italien. Mais si, c'est Marco ! Marco de Porto San Giorgio. Je t'ai cherché durant des années et des années ! Le type du magasin chez qui je suis venu faire encadrer la photo de mes enfants, il m'a dit que tu demeurais au-dessus ! Il a dit : « Vous êtes Italien ? » Il a dit : « Mon locataire est Italien, lui aussi. » Il a nommé ton nom. J'ai failli perdre connaissance, Adriano, tellement je t'ai cherché depuis que je suis au Canada. J'ai prié tous les saints du ciel et ta grand-mère pour que je puisse te retrouver.

– C'est la plus grande surprise de toute ma vie. Tu ne m'as pas vu dans les journaux ? Adriano S. C'était moi, Adriano S.

– Je ne lis pas les journaux, tu sais. Ça n'a pas changé. Je n'ai jamais aimé lire. Encore moins en français. Je travaille dans l'asphalte. Asphalte Marco, toi non plus, tu ne lis pas les annonces dans les journaux ?

– Il y a des centaines de Marco. Mais pas beaucoup d'Adriano S.

– Pourquoi S ?

– Parce que quand j'ai commencé ma carrière, Scognamiglio, c'était trop difficile. Comme Ferrovecchio. C'est pas facile à prononcer pour les *french pea soups.*

Ils se prirent dans les bras l'un de l'autre et Adriano invita Marco à entrer. C'est le bon Dieu qui lui envoyait Marco. Celui-ci arpentait le logement en riant plus souvent qu'à son tour, se moquant des meubles ou des illustrations sur certains murs.

– C'est temporaire. Je loue tout meublé. Y'a pas grand chose qui m'appartienne, ici.

– T'es si pauvre que ça ?

– Non, je ne suis pas pauvre. Je suis plutôt à l'aise. C'est juste que je suis souvent dans des situations bizarres qui ont fait que j'ai acheté plus de meubles que tu ne pourras jamais t'en procurer, Marco.

– Les femmes ?

– Ouais, les femmes. Elles me coûtent cher, les femmes. Et j'ai quatre enfants. Deux filles qui sont adultes et deux garçons qui le seront bientôt.

Ils passèrent toute la soirée à rire, à se rappeler et à boire du *Brunello di Montalcino.* Leur jeunesse, grâce surtout au vin, leur fit plaisir à évoquer : leurs courses entre les oliviers, leurs vols de grappes de raisin qu'ils attribuaient au chat de la « tigresse » mariée à Tony Pucelli, leurs escalades dans l'arbre devant la fenêtre de la chambre de mademoiselle Anna, les commissions qu'ils allaient faire pour la *nonna*, les gorgées de grappa subtilisées à Emilio quand lui-même avait trop bu, la mort de leur chien Lili, et celle du canari Pompelmo, ainsi appelé à cause de la couleur de son plumage, et la procession qu'ils organisèrent avec tous les enfants du village pour la mise en terre.

Mais une assertion de Marco vint brouiller tous les magnifiques souvenirs d'Adriano.

— Tu sais, je suis le lieutenant de nos amis Tadiello et Petrecca.

— Que veux-tu dire, Marco ?

— Que je fais des petits jobs pour eux. Tu sais ce que je veux dire.

— Oui, je sais.

— Comme toi, Adriano. Hier, j'ai entendu entre les branches que tu ne pouvais t'empêcher de faire des petits jobs pour ton oncle Fabrizio.

Adriano était interloqué. Cette grande joie de revoir son ami Marco venait de s'assombrir d'un seul coup. Marco avait été victime du ghetto orchestré par ses compatriotes. Un ghetto noir qui continuait à terroriser, à manigancer, à tuer même ses frères. Il aurait pu tout expliquer à son ami, lui raconter à quel point il avait tenu à échapper à la pègre de Montréal et de New York, qu'il avait fait tout son possible pour choisir une vie honnête sans nuire à ses amis italiens. Combien il avait répandu les rites et les coutumes de son enfance depuis son arrivée à Montréal et sa grand-mère pareillement, quand ils vivaient à Kamouraska. Adriano eut mal au cœur, tout à coup, à cause du vin ou à cause des révélations de Marco. Il avait tout fait pour échapper aux avances de son oncle et, par la suite, à celles de Tadiello et ses amis. N'avait jamais approuvé les actions malhonnêtes, quelles qu'elles soient, d'où qu'elles proviennent. Marco n'était pas un Canadien-français puisqu'il avait du mal à parler la langue. Il n'était pas non plus un Québécois d'adoption puisqu'il s'était ligué avec des ressortissants de son pays d'origine. Il n'était pas l'ami qu'il avait connu à Porto San Giorgio. Il se dit que quand deux lierres sont séparés l'un de l'autre à un certain moment et qu'ils poussent séparément, il est inutile de tenter de les replanter dans le même pot.

Marco continuait à rire et à raconter des trucs qu'il avait faits depuis qu'il connaissait la bande de Tadiello sans se douter un seul instant qu'il voyait son ami Adriano pour la dernière fois. Pour échapper à Marco Ferrovecchio, Adriano sut qu'il devait partir. Qu'il ne pourrait plus vivre librement comme il l'avait choisi.

– Tu vas m'excuser, Marco, mais je dois peindre aujourd'hui. Tu dois partir.

– Bien sûr, bien sûr. J'y vais. Je suis tellement content de t'avoir retrouvé.

– Moi aussi. Bien content.

– On se donne des nouvelles. Il faut que tu viennes à Blue Bonnet. J'ai deux chevaux. Je peux t'aider à miser sur le bon numéro.

– Oui, oui.

– J'y vais. Tu me donnes des nouvelles afin que je te présente ma femme et mes fils. Et que tu me présentes les tiens. Promis ?

– Promis.

Marco descendit l'escalier alors que le soleil se levait sur la cour arrière du logement de Marielle Pépin. Adriano se dit que la fin du mois arriverait rapidement. Il ne restait plus que quelques jours avant son départ pour Paris. Il venait d'avoir la certitude qu'il devait quitter Montréal.

•

– Ouvre ton cadeau, papa. Vite !

Anna était tout excitée. Adriano fixait la petite boîte comme si elle lui était destinée. Serge, son mari, rayonnait lui aussi. Adriano se demandait ce qu'ils tramaient tous les deux, mais jamais n'aurait-il cru connaître une telle joie.

Il ouvrit la boîte avec délicatesse, mit la main dans le froufrou du papier de soie et en retira une paire de petites bottines blanches. À voir la figure d'Anna, Adriano comprit.

– Tu m'as fait un petit-fils, Anna.

Il se reprit aussitôt.

– Un enfant ? Vous avez fait un enfant ? J'aurai une descendance, dit-il avec une certaine tristesse.

– Tu ne sautes pas de joie, papa ? On dirait que tu es déçu.

Rose regardait la scène et avait, elle, toutes les raisons d'être déçue pour sa sœur. Solange lui mit la main sur l'avant-bras pour lui transmettre son appui. Rose savait que jamais elle n'aurait d'enfant pour étendre les racines des Scognamiglio, mais elle était heureuse pour Anna et pour son père.

– Si, il est content, Anna. Il est toujours content quand il se pince le nez et qu'il ricane. Vois comme il est heureux de la nouvelle ! dit Rose.

Elle savait qu'Adriano voulait quitter Montréal pour de bon. Qu'il avait besoin de faire connaître son œuvre jusque dans son pays d'origine. Elle comprenait que cela allait être une décision plus difficile encore depuis qu'il savait qu'il serait grand-père.

Blanche était retournée en institut et tout était à recommencer : les traitements, les sérums, les piqûres, les larmes. Elle avait dit :

– Tu vas voir que ce n'est pas une sinécure d'avoir un enfant, ma fille ! Mais si c'est ce que toi et Serge vous voulez !

Pas d'effusions de bonheur, pas de larmes, pas de caresses. La réaction avait été plus vive lorsqu'Anna avait annoncé sa grossesse à ses demi-frères. Bruno lui avait fait promettre qu'elle le nommerait parrain et Anna choisit Rose comme marraine. Émile se promettait de longues heures à balader son neveu ou sa nièce dans le nouveau métro de Montréal pour l'emmener à l'Exposition universelle. Anna riait et portait en alternance sa main sur son ventre et sur son cœur.

Serge, lui, était heureux comme un pape. Il se gonflait d'orgueil et il pressa son beau-père contre sa poitrine en sanglotant.

– Je suis tellement heureux, monsieur Scognamiglio. J'aime tellement votre fille !

•

La conversation avait été brève. Adriano avait remis le logement à Mariette Pépin qui n'était pas faite pour la vie lente des carmélites et il voulait partir pour Paris le plus tôt possible. Il se décida à quitter Montréal après la naissance de l'enfant. Il choisit de rester à Montréal encore quelques mois, le temps de préparer son exode. Solange insista et Rose fut très heureuse de constater que son père accepte enfin la relation de sa fille et de sa conjointe. Une autre ambiguïté de résolue.

Grâce à Rose et aux contacts qu'elle avait mis des années à établir, Adriano Scognamiglio allait exposer en Europe, partout où l'on voudrait bien de lui. Puis il retournerait en France pour accomplir une mission de la plus haute importance : acheter l'*Encyclopédie* de Diderot en souvenir d'Edmond Dyonnet. Il devait faire des recherches pour en débusquer un exemplaire et l'offrir à son professeur. Il reviendrait à Montréal, se rendrait au Cimetière Notre-Dame-des-Neiges, section B, concession numéro 700, et déposerait la clé de l'armoire dans laquelle il aurait placé tous les tomes de l'œuvre tant recherchée par Dyonnet. Edmond trouverait bien les moyens d'en consulter tous les livres, un à un et ce, jusqu'à la fin des temps.

Toutes les étapes de son voyage étaient décidées, tantôt sous l'influence de Rose, tantôt selon les ouï-dire et les conseils d'amis peintres. Borduas et Dallaire, avant de mourir, lui avaient conseillé la Côte d'Azur ainsi que la Provence, et Marc-Aurèle Fortin avait parlé de l'Italie, question de retourner aux origines. S'expatrier, apporter une autre dimension de l'art moderne, se fondre dans un monde international, voilà ce qu'Adriano voulait. Il refusait de se joindre à la vie quotidienne, les dimanches en pique-nique à la plage, les vacances au bord de la mer, les anniversaires et les gâteaux colorés, la fête de la Reine et ses feux d'artifice, les après-midis au Marché Jean-Talon à discuter avec les *mammas* italiennes vantant leurs tomates parfumées, les longues soirées à prendre soin des petits-enfants, et surtout les périodes lentes et cruelles à réfléchir sur ses unions brisées. Et juste avant la mort, devoir tout regretter. Non, cela n'était pas pour Adriano Scognamiglio. Lui, il était fait pour la gloire, les cocktails, les petits bonheurs que lui procurait sans cesse l'aquarelle.

Rose comprit. Anna pleura. Blanche applaudit et retourna dans l'euphorie de ses médicaments.

Un soir vers minuit, la petite Léonie vint au monde, le corps couvert d'un duvet blond, l'épiderme aussi bleu que celui qui plaisait tant à son grand-père. Un bleu de céruse. Elle avait les cheveux drus et très foncés. Elle dormit toute la journée puis, vers neuf heures, se mit à chercher le mamelon de sa mère. Quand elle l'eut trouvé, elle referma les yeux et téta jusqu'au soir. Anna était heureuse. Serge, comblé. Adriano, lui, se prépara à partir.

8

Jamais le ciel n'avait été aussi proche. L'appareil tanguait entre deux effilochures de nuages immaculés. Adriano pouvait ressentir les battements rapides de son cœur. À sa droite, une jeune femme tentait elle aussi de se calmer. L'agent de bord leur sourit en leur souhaitant une belle traversée.

– C'est votre première fois en Europe? demanda la jeune femme.

– Non.

– J'imagine que non, avec votre accent italien, vous avez dû traverser pour vous en venir au Canada.

– En bateau.

– En bateau, ça a dû être long. En avion, ça prend une dizaine d'heures seulement. Moi, je m'en vais me marier en France. Je suis énervée, je vais rencontrer la famille de mon amoureux. Sa mère est allemande et son père, il est parisien. Un vrai cocktail explosif! C'est

Christian qui m'a dit ça. Je l'ai choisi sur une liste de correspondants à l'école. J'ai hésité entre un Belge et un Français. La maîtresse m'a dit que les Français ressemblaient plus aux Canadiens-français parce que, vous comprenez, nos ancêtres sont des Français. On doit avoir plus d'atomes crochus. On s'est écrit durant deux ans, on a échangé des portraits, pis on a décidé de se marier. Il va m'attendre à l'aéroport avec son frère Antoine. Il m'a dit qu'il va écrire mon nom sur un carton. J'avais trop peur de ne pas le reconnaître. C'est bien beau d'avoir vu des portraits, mais en personne, c'est pas pareil. Il s'appelle Christian Molyneux. Il vient de la haute société. Son père est chef d'une entreprise de pneus et maire d'une petite ville près de Versailles. Jouy-en-Josas que ça s'appelle. Ils t'ont des noms à coucher dehors, les Français.

– Vous allez habiter là-bas ?

– J'espère décider Christian à venir vivre par chez nous. Mes parents, mes sœurs et mon frère restent sur l'Ile Jésus. On a une ferme à Laval-Ouest. On cultive les fraises. Mon frère travaille avec mon père.

– Et vous ?

– Moi, je travaille à la Caisse populaire. J'ai lâché ma job pour aller me marier. Christian, lui, travaille dans un musée. Il surveille les toiles de Jouy. Des pièces de tissage très anciennes. Il paraît qu'il y a plus de cent mille touristes par année qui viennent voir les toiles de Jouy. Vous savez, des scènes de chasse avec des chevaux pis des chiens, des demoiselles crêtées et des chevaliers sur leur monture. Moi, j'aime ça, des scènes de chasse du Moyen Âge. Pis vous, vous faites quoi ?

Adriano s'était presque assoupi, la tête appuyée sur le hublot. Il entendait la jeune femme raconter sans se lasser l'histoire de sa vie, inquiet qu'une femme puisse aller se marier à l'étranger avec un homme qu'elle n'avait jamais rencontré, encouragée par une correspondance assidue. Il hésita, se racla la gorge.

– Je suis peintre, dit-il.

– Christian a toute fait peinturer son appartement pour me recevoir.

– Je suis artiste peintre. Aquarelliste.

– Ah, un artiste. Un artiste connu ?

– C'est pour ça que je m'en vais en Europe. Pour être connu.

– Moi, je connais seulement Marc-Aurèle Fortin. Il est déjà venu à la ferme à bicyclette, figurez-vous ! Il aimait beaucoup les fraises. Mais il n'est pas un artiste comme vous. Il s'habille comme un tramp. Il a l'air sale.

– Il est très malade. Il s'est fait couper les deux jambes.

– Mon Dieu ! Il a dessiné la ferme chez nous, la grange, l'étable et la maison. Papa dit qu'il a ajouté un gros arbre devant le salon. On voit juste l'arbre, il paraît.

– C'est sa marque de commerce, les gros arbres. Je le connais bien, monsieur Fortin, conclut Adriano avant de s'endormir.

Le temps allait être long avec un tel babillage. Il préférait se réfugier dans le sommeil.

Il fut tiré rapidement de ses rêves par l'hôtesse de l'air du début qui lui offrait son repas. Il était presque huit heures du soir sur sa montre. La jeune femme s'appelait Dolorès Cloutier et se montra très heureuse qu'Adriano soit revenu parmi les vivants.

La descente se fit en douceur. Adriano voulait assister à la première rencontre de Christian Molyneux et Dolorès Cloutier dont il connaissait maintenant toute l'histoire familiale. Il aperçut deux jeunes hommes rouquins dont l'un tenait une affichette portant le prénom de Dolorès. Il admira la grâce de sa voisine qui se dirigeait vers eux avec la même assurance et le même enthousiasme qu'ils déployèrent pour cette première rencontre. Il se dit qu'il y avait anguille sous roche pour qu'un Français, qu'il soit de Paris ou de Jouy-en-Josas, ait eu besoin d'épouser une petite Québécoise. Il se ravisa en songeant qu'il en avait aimé quatre alors que l'Italie en aurait tant eu à lui offrir ! Il se mit à rire en envoyant discrètement la main à Dolorès, constatant qu'elle ne paraissait pas déçue.

•

Le petit hôtel que Dallaire lui avait recommandé était très joli, propre et ses murs regorgeaient de peintures assez contemporaines pour qu'Adriano les observe chacune jusqu'à en noter les auteurs. On lui offrit un goûter et une bouteille de Bordeaux qu'il refusa, préférant se jeter sur un lit assez douillet et s'endormir sans même défaire son bagage.

Le lendemain, après un petit-déjeuner à l'européenne, Adriano se rendit à la gare pour joindre Vence au plus vite. Il avait loué un petit appartement au même endroit où avait habité Jean-Philippe Dallaire, chez madame Marty, une veuve, infirmière de métier, qui vouait aux peintres canadiens une admiration sans bornes. Dallaire était décédé en 1965 en faisant ce qu'il avait toujours aimé. Son studio était rempli de lumière et madame Marty avait laissé sur les murs quelques croquis minutieusement exécutés par Dallaire sur du papier quadrillé. Elle demanda le loyer pour trois mois qu'Adriano acquitta avec plaisir. C'était un endroit charmant encerclé par des platanes où les vieux se réunissaient pour jouer à la pétanque.

– Votre compatriote était un homme timide. Il peignait tous les matins jusqu'à onze heures, parce que la lumière lui convenait mieux le matin. Puis il allait déjeuner dans le petit café au bout de la place et se rendait à la confiserie acheter des bonbons pour mes deux fils. Il n'a jamais dérogé. Je savais alors toujours où je pouvais le trouver quand je consultais ma montre. Y'avait des Canadiens qui venaient pour le voir, des ambassadeurs, des voisins ou encore d'autres artistes. J'ai connu Riopelle et aussi Borduas. Vous les connaissez ?

– Bien sûr.

– Il y a beaucoup d'artistes peintres à Vence et à Saint-Paul. Ici, il y a un petit quelque chose que les artistes ne trouvent pas chez eux. Les Canadiens viennent sûrement pour le climat, dit-elle avant d'éclater de rire. Il fait froid, chez vous !

– Mais c'est le climat artistique qui nous intéresse, je crois. Les artistes acceptent les autres peintres tandis que chez nous, même le gouvernement ne s'intéresse pas à ses artistes. Et il y a aussi une étrange compétition.

– Vous, vous n'êtes pas tout à fait Canadien, je crois.

– Ah, si ! J'y suis depuis 1911, figurez-vous. J'ai appris à parler le canadien. Je vous montrerai. Il paraît que j'ai gardé mon petit accent italien. Mon rêve est d'exposer dans un musée dans mon patelin, dans la province de Fermo où je suis né.

Ils discutèrent jusqu'à l'arrivée de deux fils Marty. Deux garçons très bien éduqués qui, même à leur jeune âge, appréciaient la présence des artistes dans la maison de leur mère.

•

Madame Marty présenta Adriano à l'un de ses amis, directeur d'une galerie à Paris où exposait Jean-Paul Riopelle. La galerie Maeght était reconnue pour présenter des œuvres contemporaines, et son directeur, Aimé Maeght, venait d'inaugurer, quelques années après la mort de Dallaire, un complexe au cœur de magnifiques jardins, sur la rue des Gardettes à Saint-Paul-de-Vence. Cet homme avait su conjuguer le respect de l'environnement, l'architecture et la sculpture. Béton blanc sur brique romaine. C'était magnifique.

Maeght invita Adriano à déjeuner et lui fit visiter une partie seulement des œuvres qu'il avait acquises au fil des années. Miro, Braque, Chagall, Léger, Riopelle et quantité d'autres. Adriano avait l'impression d'être plongé dans un autre univers où la peinture et la sculpture régnaient en maîtres. Les cours étaient parsemées de personnages tous aussi loufoques les uns que les autres, invitant les visiteurs à se noyer dans les plus belles œuvres contemporaines du monde ; les jardins étaient taillés à l'anglaise et baignaient dans une multitude de verts imposant le calme. Jamais encore n'avait-il rencontré autant de passion chez un couple qui avait consacré sa vie au soutien d'artistes contemporains s'exprimant dans tous les styles. Adriano songea qu'Aimé et Marguerite Maeght avaient fait pour les arts en France davantage que tous les gouvernements canadiens avaient pu faire pour leurs artistes et que tout était, en fait, une simple question de foi. Une foi inattaquable qui fait qu'un pays se démarque par le support offert à ses créateurs, considérant que l'artiste est avant tout un ambassadeur et qu'il ne doit sous aucun prétexte vivre dans la misère.

Monsieur Maeght était un homme qui avait la prestance d'un acteur. Ses cheveux argentés ondulaient avec grâce et on aurait juré qu'il ne les perdrait jamais. Sa voix imposait le silence à ses interlocuteurs et sa liste d'amis prestigieux le rendait inébranlable lorsqu'il parlait des arts visuels, des ateliers mis à la disposition des peintres, des salles d'exposition, de la bibliothèque offrant aux amateurs de contemporanéité des ressources infinies. Lorsqu'il fut assis devant Aimé, Adriano fut tout à fait convaincu d'avoir fait le bon choix en traversant en France.

– J'ai consulté votre catalogue, Adriano, et je suis impressionné. Traiter ainsi l'aquarelle me fait dire que j'accepte de vous offrir une salle d'exposition.

L'homme réfléchit et consulta son agenda.

– Mettons, janvier 1970. Ça vous donnera toute une année pour peindre. Vous savez que le matériel d'artiste est d'excellente qualité en France. Je vous indiquerai une adresse à Nice où vous pourrez vous approvisionner. Vous travaillez sur du papier Montval?

– Non, je préfère Arches. Bien que Montval permette de corriger plus facilement, Arches est plus résistant. Ses fibres sont mieux réparties. On dirait de la mie de pain. Il résiste mieux au traçage, à l'usage du stylet pour créer des enfoncements sans arracher la fibre ou créer des boulettes.

Maeght lui tendit une carte professionnelle:

– Vous irez chez Franco Maison, rue Pastorelli à Nice. C'est là que votre compatriote Dallaire se rendait pour son matériel. Présentez cette carte et vous serez servi avec élégance. Vous avez un studio convenable, au moins?

– Le studio de Dallaire, justement. Un endroit très éclairé à Vence. Je comprends maintenant pourquoi tant d'artistes ont aimé peindre à Vence. À cause de la lumière si douce et parfois si éblouissante! J'ai commencé à travailler. Le jour, c'est merveilleux. Le soleil est si différent de chez moi.

Adriano lui parla de Porto San Giorgio, de Kamouraska, de Montréal, de New York puis de son but ultime qui était d'exposer dans un musée du nord de l'Italie.

– J'ai mes entrées dans les musées de Florence, de Sienne, de Turin et de Bologne mais aussi à Rome. Attendez d'exposer chez moi, d'abord. Vous tâterez le pouls des amateurs d'art et vous déciderez. Vous devez visiter d'abord la Côte d'Azur. Grasse, Biot, Antibes. Picasso est allé à Antibes et s'est installé à l'ancien château Grimaldi. Il vit maintenant à Mougins, pas très loin d'ici. Je peux vous arranger une petite rencontre. Il n'est pas très commode, mais comme vous êtes Italien, il fera une exception, j'en suis convaincu. Il est âgé, pas loin de 90 ans, mais il a toute sa tête, je vous jure. Vous aimerez Mougins.

– J'ai vécu à Paris quand j'étais jeune peintre. J'ai même enseigné avec Edmond Dyonnet.

– Edmond Dyonnet! Quel professeur! Un Français, évidemment, ajouta-t-il avant de s'esclaffer. J'ai quelques œuvres de Dyonnet que je vous montrerai. Dites, a-t-il finalement mis la main sur la fameuse *Encyclopédie* de Diderot?

– Non, je lui ai promis de lui en trouver un exemplaire, de façon posthume, évidemment. Je lui dois tout.

Monsieur Maeght se leva après avoir promis qu'une salle d'exposition serait dédiée à une exposition *Adriano S.* en janvier prochain. Adriano était fébrile. Les portes s'ouvraient toutes grandes pour lui. Il allait apporter un bouquet d'hortensias à madame Marty qui lui avait recommandé de s'adresser à Aimé Maeght. Il se dit que tous les chemins menaient à Rome.

•

Adriano peignait tous les jours, dans cette lumière devenue son «éveilleur de génie». Ayant aussi fait l'achat d'une Citroën usagée, il se mit à arpenter les environs, visitant les parfumeries de Grasse, les potiers de Vallauris, le musée Fernand-Léger à Biot et les cafés à l'ombre des platanes. Il monta jusqu'au château d'Èze, ainsi nommé en hommage à la déesse Isis, lui apprit le jardinier à qui il demanda sa route. Il se rendit à Nice pour acheter du matériel chez Franco Maison et discuta longuement avec un employé qui lui rapporta, non sans humour, les potins qui circulaient au sujet des peintres et des sculpteurs.

Adriano revenait par la suite à son studio et, soûlé des images et des couleurs emmagasinées au cours de ses visites, il se mettait à peindre comme jamais il ne l'avait fait auparavant. Qui disait que les artistes ne devaient jamais oser regarder les œuvres des autres artistes pour ne jamais subir des influences pouvant mener au plagiat? Adriano apprenait, se gavait, explorait, s'imprégnait de tout. Et rejetait son immense talent sur le papier, au milieu des courants d'eau, des pigments nouveaux, des mouvements de ses pinceaux. Il était heureux. Heureux comme lorsqu'il était un petit garçon de cinq ans, peignant *La dame au chapeau de paille* sur le navire les emmenant, lui et sa grand-maman, en terre d'Amérique.

Il donnait quelques nouvelles à ses filles, s'enquérait de leur santé et de celle de la petite Léonie, parlait très peu de Blanche ou de Carmélie, et racontait très succinctement – la communication avec le Canada était parfois difficile – les heures merveilleuses qu'il passait à Vence à parcourir ce pays de collines et de toits de tuiles rouges, il parlait de la Méditerranée qu'il apercevait à la croisée de deux routes et des artistes venus en si grand nombre s'installer sur la Côte d'Azur. Rose, surtout, exultait et jurait qu'elle allait le retrouver afin, disait-elle, de mieux couvrir l'exposition au Musée Maeght qui venait à grands pas.

Adriano passa l'hiver à Vence. Même s'il n'arrivait à vendre qu'une aquarelle ou deux, les fonds demeuraient suffisants pour lui permettre de bien vivre.

Cinq semaines avant l'heure fatidique du vernissage au musée, juste quelques jours avant la Noël, Rose se pointa, seule, dans la porte de l'appartement de son père. Elle fut si impressionnée d'apercevoir toutes les nouvelles œuvres de son père qu'elle en pleura sur l'épaule de madame Marty venue la reconduire au troisième avec ses cent valises. Cette dernière croyait à une jeune maîtresse qui débarquait et elle s'attendait à ce que son peintre canadien en demeure interloqué. Rose avait vite répliqué :

– C'est mon père, mais je suis également sa gérante.

– Boudiou ! Que je suis coucourde ! Je croyais que... Ah, ce qu'il va être content, votre papa ! dit madame Marty en attrapant l'une des cent valises. Il m'a parlé de vous tellement souvent ! Ses deux filles, ah, comme vous lui manquez !

Ce à quoi Rose avait rétorqué :

– Il n'est jamais trop tard...

9

*C*hère Jeanne-Mance,

Ton *ami* le peintre canadien d'origine italienne, *comme ils ont pris l'habitude de me présenter, a connu une exposition très fréquentée et les visites de mon studio ont été lucratives. Tu sais que ce n'est pas tant l'argent qui soit si important pour moi que la considération. Un artiste qui ne vend pas ses œuvres a de quoi se décourager. Eh bien, pas moi ! Rose a bien fait les choses et a développé un concept miraculeux qui a fait en sorte que j'ai eu une centaine de visiteurs venus de Montréal, de Québec et d'Ottawa juste pour voir mes œuvres qui jouxtaient, dans l'autre salle, les tableaux de ce cher Jean-Paul Riopelle. Il a lui aussi séjourné en France et a réussi, bien avant moi, à séduire les maniaques d'art comme on en trouve tellement parmi les Français et, je dois ajouter, trop peu à Montréal. Ici, on respecte énormément les artistes, en fait, les gens comme ma logeuse en adoptent un et ne le lâchent jamais. Nous devenons leur artiste, que nous soyons Canadien, Italien ou Catalan. Dès qu'un touriste tourne en rond sur la place de la Rouette ou dans l'Impasse Maurel, voilà que quelqu'un l'envoie à mon studio pour rencontrer le peintre canadien ou italien, c'est selon.*

Tu vois, ma chère Jeanne-Mance, je suis aux oiseaux. J'accomplis quelque chose de grand. Pour moi et pour le Québec comme l'a fait avant moi un certain Félix Leclerc. Et tant d'autres qui ont été reconnus dans ce pays si collé à la langue française, ma langue d'adoption. Je crois maintenant que si je veux écrire, comme je me le promets depuis si longtemps, je serai plus à l'aise en français qu'en italien. J'en ai oublié beaucoup de mots, tu sais.

Parlant d'Italien, figure-toi que mon copain de jeunesse, Marco Ferrovecchio, est venu me voir à mon appartement de la rue Sainte-Catherine, quelques mois avant mon départ pour Vence. Il s'est amené, comme si soixante ans ne nous séparaient pas, comme si la veille, nous avions bamboché au village ou que nous étions allés à la mer avec l'oncle Fabrizio. Ç'aurait pu marcher entre nous. Mais Marco est l'homme de main du clan de mafieux qui dirige la pègre de Montréal dont Tony Tadiello, de qui je t'ai peut-être parlé. Marco l'ignore, mais il a été le déclencheur pour que je prenne la poudre d'escampette et que je traverse ici, en Europe, pour n'avoir rien à voir avec lui. Y a-t-il moyen de vivre une existence honnête dans ce monde-ci?

À Vence, je suis un artiste. Pas autre chose qu'un créateur qui étonne avec ses aquarelles, ses teintes, ses pigments plus ou moins concentrés, ses formes libres et sa sagesse. Oui, parce que j'aurai 65 ans à l'automne et j'ai bien l'intention de promouvoir la sagesse que me confèrent mon âge, mon expérience et ma personnalité dynamique. Madame Marty m'appelle le peintre dynamo. Je me sens très en forme. Je marche beaucoup dans les magnifiques villages ensoleillés entourés de collines et de corniches à flanc de montagne. Ici, Jeanne-Mance, le ciel est constamment bleu et les montagnes glissent dans la mer, aussi bleue que le ciel. Parfois, quand je m'approche de Menton, ça sent le Rital. À quelques kilomètres (ici, on ne parle pas de milles), si l'on traverse au nord, on arrive en Italie. Sur les places publiques où les vieux jouent à la pétanque, on entend constamment: «Té, tu tires ou tu pointes?» *Et leur langue mouillée ressemble tant à celle que ma mère et ma grand-mère utilisaient. Il y a aussi Èze et ses escarpements à couper le souffle! Jeanne-Mance, tu étoufferais d'extase en regardant la mer bleue, notre bleu préféré, en contrebas quand tu la regardes du haut de la route. Et partout, il y a des artistes, des artisans, des* faiseurs, *comme je les appelle. De la poterie, du verre, du parfum, des herbes, des tableaux, des sculptures, ils font de tout sans se soucier de quoi sera fait le lendemain. Y viendras-tu un jour, tu crois?*

Ma fille Rose est ici. J'aurais dû t'en parler au début de ma lettre puisque c'était la plus grande nouvelle à t'annoncer! Elle est venue s'occuper de mon exposition au Musée Maeght ici, à Saint-Paul-de-Vence. Elle qui ne connaissait personne en France a fait un travail très professionnel! Je t'envoie l'invitation qu'elle a concoctée pour l'occasion et le tableau qu'elle a choisi pour placer en fond de page. J'ai eu plusieurs excellentes critiques et une moins bonne, pour ne pas dire mauvaise. J'ai cru qu'André Duhamel était revenu me hanter ! J'ai aussi donné une entrevue à la télévision, figure-toi, moi qui ne la regarde jamais. Je ne savais que faire avec toute cette poudre qu'on m'a mise au visage, et ce crayon noir pour souligner mon regard sombre.

L'exposition m'a permis de me faire adopter par les gens d'ici et partout en France. Je ne vise qu'une seule chose maintenant : exposer en Italie.

Aimé Maeght m'a promis assistance puisqu'il connaît beaucoup de directeurs de musées surtout au nord de l'Italie. Je vais quitter Vence avant la fin de 1971. Mais comme j'aimerais que tu voies la Côte d'Azur. Tu sais, c'est sur la Croisette que se déroule le festival de Cannes dont on entend parler dans tous les journaux et qui fait monter aux vedettes du cinéma français les vingt-quatre marches les menant à la gloire. Je n'y suis pas allé et je ne crois pas que j'irai avant mon départ. Je dois monter mes propres marches et elles sont parfois très hautes. La prochaine me mènera chez moi, une fois pour toutes.

Ton ami Adriano

•

Rose avait rencontré une jeune femme très élégante qui tenait le petit café à quelques pas de la place du Peyra et dont le frère travaillait au Musée Fernand-Léger à Biot. Tous les après-midis, Rose se rendait au

Café de Provence pour la rencontrer et elles étaient toujours très heureuses de s'y retrouver. À tel point que Josette Pichouy remplaça très vite la chère Solange Sirois qui était restée à Montréal. Josette avait la tête posée au bout d'un long cou comme une peinture de Modigliani et le teint cireux des petites filles maigres et pauvres. Elle portait en permanence un long tablier noir entourant ses hanches et une si petite poitrine qu'elle aurait pu la camoufler avec du fond de teint. Adriano n'arrivait pas à comprendre comment Rose, une fille qui appréciait tant les personnes en santé au teint de pêche et au dynamisme contagieux, pouvait se sentir attirée par cette fille.

Il y avait de ces femmes, dans l'entourage d'Adriano, qui se touchaient par excès d'enthousiasme, qui s'embrassaient à bouche-que-veux-tu, et personne n'en tenait compte. Elles couinaient au lieu de parler, elles minaudaient devant un tableau en se disant « Ma chérie » ou « Ma vieille » et se tenaient en groupuscules serrés, nullement intéressées par les mâles des alentours. Jamais Adriano n'avait songé à parler à qui que ce soit de l'homosexualité de Rose. Mais il était évident que depuis que Josette était entrée subtilement dans sa vie amoureuse, Rose avait modifié son attitude, devenant aussi dépendante qu'une biche qui vient de naître. Ne prenant aucune décision sans l'avis de Josette. Ne faisant pas le café parce que Josette seule savait comment le faire. Lui soumettant ses choix d'habillement pour obtenir son approbation. Sans le savoir – puisque étant d'une discrétion à faire honte à une blatte – Josette

Pichouy était venue prendre toute la place disponible qui restait entre Adriano et sa fille. Josette en vint à quitter le Café de Provence pour travailler à la promotion d'Adriano et aussi de trois autres artistes émergents, un Belge et deux Anglais, pour les faire connaître en France. Les deux filles ouvrirent même une agence qu'elles baptisèrent *Josette & Rose, agence d'artistes,* et Rose déménagea avec sa petite amie dans un grand appartement de la rue Saint-Michel à Menton. Il y avait une grande place pour stationner leur voiture et assez de proximité pour trimballer tout leur matériel.

Rose écrivit à Solange pour lui dire la vérité et reçut en retour une lettre qui la dévasta un bon moment. Solange parlait de mettre fin à ses jours, et Adriano songea à Rachel qui l'avait plongé dans une mer de remords après un suicide réussi.

Il chassa ces idées noires et se rendit à La Colombe d'Or afin de pouvoir admirer l'endroit où Matisse avait passé de longues heures en ce lieu qui lui rappelait San Gimignano, ville médiévale de la Toscane qu'il avait beaucoup aimée. Madame Marty avait connu Matisse, Léger et les autres peintres qui s'étaient établis à Vence et elle en parlait avec Adriano devant un pastis « perroquet » au sirop de menthe.

– Il faut maintenant que je parte, madame Marty.

– Vous ne me dites pas, boudiou ! C'est que je me suis attachée à vous, Adriano. Et que va dire la belle Rose, votre fille ?

– Ma fille a sa vie à vivre. Peut-être me suivra… me suivront-elles en Italie. Car c'est là que je m'en vais. À la fin du mois. Avec mon cahier de presse et quelques aquarelles.

– Vous allez revenir, dites ?

– La vie est comme la mer qui utilise son mouvement pour nous transporter et nous devons tous accepter d'y aller.

– Vous allez me donner des nouvelles, au moins ?

– J'espère que vous en aurez dans le *Paris Match*, madame Marty, dit Adriano en riant.

●

Ce soir-là, installé dans son atelier, il reçut un appel qui le surprit au point d'en perdre le fil du temps. Il connaissait cette voix, mais se demanda comment diable elle avait pu le joindre d'aussi loin que Kamouraska.

– Maurice est mort, on l'a enterré ce matin.

– Ah, ma pauvre Jeanne-Mance, tu dois être en petits morceaux. Je suis triste pour toi et tes enfants. Comment est-ce arrivé ?

– Une crise de cœur. Il s'est effondré juste à côté de sa voiture avant d'y monter. Jean-Paul a bien mal pris ça. C'est lui qui était le plus attaché à son père. Il était à côté de lui. L'église était remplie à craquer.

– Il a été directeur de l'école durant plus de vingt ans, ajouta Adriano.

– J'ai pensé à nous quand on était petits. Quand on a enterré ton lapin. Tu avais chanté *Ave Maria*, te souviens-tu ?

Adriano souriait en l'écoutant.

– Comment as-tu eu mon numéro en France ?

– Carmélie. Elle a son nom dans le *directory*. La réceptionniste me l'a donné. Carmélie m'a dit où tu étais et tout. Émile, ton fils, avait ton numéro de téléphone dans sa chambre. Elle lui a demandé et… j'ai fini par te parler. Ça va, Adriano ? Je sais qu'il est plus tard qu'ici…

– Six heures de décalage. Il est donc dix heures du soir, ici.

– Ça doit être beau, à Vence ? Ils ont parlé de ton exposition dans *Le Devoir*. Un texte qui nous a tous fait regretter d'avoir laissé partir un grand peintre d'ici dont le talent ne peut être véritablement reconnu qu'en Europe. Le journaliste a écrit que c'est tout le temps comme ça, au Québec. Que c'est rien que les Français qui ont le droit de décider si un artiste a du talent et qu'avant leur diagnostic, nous, on reste aveugles. C'est ce qu'il a écrit, le type du *Devoir*.

– Comment ça va au Québec ?

– Ils ont arrêté Paul Rose du FLQ pour le meurtre de Pierre Laporte pis, euh… Olivier Guimond est mort pis… ah oui, j'ai lu un nouveau roman qui s'appelle *Kamouraska*. C'est Anne Hébert qui l'a écrit. Elle parle d'un docteur et de sa maîtresse qui ont tué la femme du docteur pour vivre leur idylle. J'ai tellement pensé à notre affaire ! Il y a de belles phrases au sujet de la mer, de l'air salin, toutes ces choses que tu aimais. Je m'arrangerai pour te l'envoyer.

– Viens donc me le porter.

– …

– Es-tu là, Jeanne-Mance ?

– Oui.

– Si tu savais comme ce n'est pas loin, l'Europe. Des fois, je me lève, je peins, pis vers cinq heures, je prends mon verre de vin, je regarde l'horloge et je me dis : « Tiens, l'avion est arrivé de Montréal. » Imagine, tu pourrais venir me trouver. Penses-y au lieu de te mettre martel en tête. La vie est courte, tu sais. Tu as besoin maintenant de voir le monde. Tu m'appelles quand tu auras pris ta décision, okay ?

– Jamais je ne pourrais prendre l'avion. Toute seule, en plus.

– Tu veux que j'aille te chercher ?

– Bon, ça sonne à la porte. Je dois te laisser, Adriano. Je te rappelle et toi aussi, tu peux me téléphoner. J'ai encore le même numéro.

Adriano raccrocha et se sentit envahi d'une grande tristesse. Fermeture du côté de l'enfance, se dit-il. Et pourtant, combien était-il persuadé que Jeanne-Mance apprécierait au plus haut point de se retrouver en France et en Italie.

Par la fenêtre, il entendit rire un groupe de personnes devant la maison. Il poussa la persienne et recula de deux pas, abasourdi et excité à la fois. Il entendit :

– J'étais argenté comme une cuillère de bois ! Vers dix plombs, le type, il m'a argougné comme si j'étais un rat des égouts de Paris ! Un type qui aimait les voitures, un véritable aspirateur à pépées, je vous dis. Alors…

Adriano n'en voulait plus à Armandin Lacourse. La vie elle-même se charge d'ouvrir les yeux des gens, songea-t-il. Il oublia Carmélie qui l'avait trompé avec son meilleur ami. La joie de retrouver Armandin était plus forte que tout. Il descendit l'escalier comme un oiseau apeuré. La coïncidence était trop incroyable.

– Lacourse! Mais qu'est-ce que tu fais ici?

– J'suis venu te larguer l'*Encyclopédie* de mon arrière-cousin! Elle est toute dans cette malle que tu vois. J'ai fini par me déballonner et la vieille Béatrice au père Bichounet m'a dit: «Armandin, nous, la série de grandes connaissances de notre arrière-cousin, on l'a toute entière dans la grande armoire du bâtiment.» Je lui ai demandé si elle voulait la vendre. Elle a répondu: «Vu que t'es de la famille, je te l'échange contre ton alpague en laine. C'est pour Bichou, tu peux bien me croire!» Elle y est allée de sa goualante et m'a raconté que les Allemands avaient tout essayé pour qu'elle s'allonge et qu'elle leur remette l'*Encyclo.* Bichou l'a planquée dans sa charrette et s'est cassé du côté de la montagne. Après que les troupes se soient barrées, Bichou a ramené les bouquins et depuis, ils trônent en escadron dans l'armoire de la porcherie. Je lui ai donné ma veste et elle m'a remis l'*Encyclopédie.* Elle m'a même donné la malle. Bichou lui a posé des roulettes. Et quand j'ai su que tu étais à Vence – parce que ton exposition n'a laissé personne en statue de plâtre –, je me suis dit que comme t'es pas en train d'user le soleil, et que tu bosses comme un dingue, tu serais heureux que je t'apporte la collection de savoirs du père Diderot. Elle m'a coûté une veste, l'*Encyclopédie.* Alors, elle est à toi parce que tu as promis à Dyonnet. Et je suis bien placé pour savoir que tes promesses, tu sais les tenir ! J'ai fait mon apparition dans le coin il y a deux jours, j'ai demandé à l'épicemar et il m'a dit : « Ah, l'artiste qui habite chez Madame Marty ? C'est la maison jaune juste au bout de la rue. » Et voilà que je te retrouve. Si je parle trop, tu me le dis !

Adriano invita Lacourse à monter à son appartement. Deux ou trois boîtes de matériel d'art étaient alignées comme des wagons, prêtes à l'accompagner en Italie, plus quelques costumes foncés et des chemises blanches. Trois paires de chaussures.

– Tu pars ?

– J'attends un mot d'un ami qui a plusieurs contacts dans les musées et les grandes galeries en Italie. Je veux aller montrer mes œuvres à mes anciens compatriotes. Le fils qui a accepté les talents que ses parents lui avaient donnés et qui les a fait fructifier. C'est pas une parabole du Christ, ça ? Je leur dois bien ça. Tu veux un *limoncello* ?

Armandin était plutôt inquiet de la tournure des événements. Il savait qu'Adriano l'aimait bien, mais ce dernier n'avait manifesté aucune des réactions explosives à laquelle Lacourse se serait attendu. La malle était restée au pied de l'escalier. Et Adriano n'en avait pas reparlé.

– T'es content, pour l'*Encyclo* ?

– Très.

– Alors, il faut te mettre à table ! Je pensais que tu poserais des questions, que tu ferais des suppositions, que tu pleurnicherais.

– Écoute. Je suis comblé, vraiment. Et tu vas trouver ça étrange : je suis plus heureux de te retrouver que d'avoir mis la main sur cette *Encyclopédie*. Je suis content, bien sûr. Tu as été mon meilleur ami, quand même.

– Je suis penaud, vraiment. Ce qui s'est passé avec Carmélie…

– Non, je ne veux pas parler d'elle. J'ai tourné la page. Et tu dois faire la même chose, Armandin. Nous sommes des artistes et s'il fallait que tous les grands maîtres se soient arraché les cheveux parce qu'ils ont baisé la femme d'un autre artiste, eh bien, comme tu dirais : « Ils auraient tous la casquette en peau de fesses ! »

Armandin se mit à rire, heureux de la tournure des événements. Ils avaient trop de choses en commun. Trop de souvenirs partagés à Paris. Trop de rires étouffés.

Ils se promirent de se donner des nouvelles. Lacourse voulait justement aller voir du côté des galeries italiennes. Surtout maintenant qu'il était certain de l'amitié et du pardon d'Adriano.

Avant d'avaler sa chique, il exposerait lui aussi en Italie.

●

À l'aéroport de Naples, derrière une affichette portant son nom, Adriano découvrit Monica Carelli, la jeune femme qu'Aimé Meaght avait déléguée pour l'accueillir. Alors qu'elle croyait rencontrer un vieil artiste prodigue, voire un Italien déçu par la morosité de son existence au Canada, elle tomba plutôt sur un Adriano

Scognamiglio affichant le regard fureteur et inquiet du touriste qui en est à son premier voyage. Elle était loin d'imaginer qu'il était de retour chez lui, tout «canadianisé» qu'il était. Quand il la salua, il se rendit compte que son italien avait subi l'usure du temps, un fort accent français se mêlant maintenant à une langue presque oubliée. Elle rit, et se mit à parler français.

— Bienvenue chez vous, Adriano. Monsieur Ammendola vous attend. Il a fait préparer un dîner en votre honneur. Monsieur Maeght a bien fait les choses : mon directeur est fier d'accueillir un de ses compatriotes qui connaît un grand succès en Amérique et en France.

— L'Amérique, c'est beaucoup dire. New York, c'est peut-être la capitale des arts du monde, mais ce n'est pas toute l'Amérique. Il y a aussi le Québec francophone dans un océan anglophone ! Et la France, c'est… c'est quand même le Musée de monsieur Maeght, vous avez raison. J'en suis très fier. À Vence et à Saint-Paul, j'ai enfin compris qui j'étais. J'ai balayé tout ce passé qui avait un peu ralenti mes ambitions de peintre. Les mariages, les enfants, les problèmes de famille.

— Je croyais que vous aviez quitté votre terre natale il y a longtemps.

— Des membres inutiles de cette famille m'ont rejoint au Québec. Un jour, j'écrirai tout cela.

— Écrivain, ah, bon ?

— Mon professeur de dessin m'a appris que toutes les disciplines qui permettent la création, l'expression de la pensée, sont reliées. La poésie est dans la peinture et la peinture est dans la poésie.

– Nous vous avons organisé une magnifique exposition. Nous aurons plusieurs idées à vous proposer. Nous avons reçu trente-trois aquarelles que nous a fait parvenir monsieur Maeght et une documentation dynamique de la part de votre agente Amy Featherstone, sans compter un dossier complet que nous a envoyé votre fille Rose.

– Qui vous a dit ?

– Le nom de Scognamiglio ne doit pas courir les rues, ajouta Monica Carelli en s'esclaffant. Je blague. Elle m'a dit qu'elle était votre fille.

– Elle est vraiment exceptionnelle.

Madame Carelli fit les présentations. Il y avait une certaine ressemblance physique entre Aimé Maeght et Nello Ammendola. Deux hommes passionnés à la voix sûre et qui ne vivaient que pour les arts. Depuis 1954, Ammendola, qui avait passé sa jeunesse au théâtre de ses tantes et qui avait ouvert sa première galerie dans le fumoir attenant à la salle de spectacles, n'avait jamais cessé de travailler pour la reconnaissance des jeunes artistes italiens. Présenter une exposition d'Adriano Scognamiglio, pour souligner son retour dans son pays natal, ce pays qui l'avait fabriqué, qui l'avait modelé, le rendait heureux.

Adriano redécouvrait la cuisine italienne telle qu'il avait toujours tenté de la recréer à Montréal. Il redécouvrit la *sfogliatella*, pâtisserie chaude fourrée de ricotta parfumée à la vanille et de fruits confits comme les lui avait fait manger la *nonna* avant de s'embarquer sur le bateau à Naples en direction de l'Amérique. Les souvenirs glissèrent dans sa tête, mais il décida de ne pas se laisser abattre. Il était résolu à les laisser derrière lui. Le meilleur était devant.

L'exposition fut coiffée simplement du titre *Ritorno*. Un titre décidé par Adriano longtemps auparavant. Cela plut à Ammendola qui aimait les concepts concis et clairs. *Ritorno*. Le retour de l'enfant prodigue. Le retour d'un fils de Porto San Giorgio qui avait un jour traversé d'est en ouest pour quitter les anarchistes nés des syndicats et leurs petites guéguerres. Le retour d'un artiste italien qui avait gravé ses empreintes sur le sol canadien, qui avait tenu bon devant tous les détracteurs de l'aquarelle. Adriano Scognamiglio ne signait plus Adriano S. pour cette exposition essentielle. À Naples, on saurait prononcer le nom que lui avait légué son père.

●

Chère Jeanne-Mance,

Alleluia! Je ne croyais plus trouver le temps de t'écrire. J'ai beaucoup travaillé pour préparer cette expo-sition qui se tiendra dès le 1er juillet 1972 à Naples. Enfin, diras-tu, mon rêve se réalise. J'ai toujours voulu revenir chez nous pour montrer ce que j'ai réussi à faire de ma vie. Comme le chat de ta mère quand il venait poser un mulot mort ou étourdi sur le tapis de fibres de coco de-vant la porte. Comme s'il voulait lui montrer qu'il était un bon chasseur, qu'il accomplissait l'acte ultime pour lequel il avait été créé. Ta mère le félicitait toujours avant de disposer du petit cadavre du mulot. Son chat était bien nourri, tu penses bien. Mais chasser les petits rongeurs était sa mission de chat. Moi, ma mission est de peindre. Je ne manque pas d'argent, mais le besoin de montrer ce que je sais faire est la chose la plus importante. Et venir montrer mes peintures ici, dans la ville la plus importante qui se trouve en ligne géographique avec mon petit patelin sur la mer Adriatique, dans la ville d'où ma grand-mère et moi avons fui les emmerdements, là où Mateo Piredo nous a conduits au bateau dans sa doktorwagen, même en sachant que ma grand-mère aurait pu finir par l'aimer. Naples a été la fin de ma jeune vie de Rital. Elle a été la clé de l'exil. Je ne peux pas l'oublier.

Je ne suis pas encore allé à Porto San Giorgio. Il me pèse d'y retourner. Je sais que je serai déçu : tout a changé ici comme tout a changé à Kamouraska et à Montréal.

Dans quelque temps, j'aurai 70 ans. Je suis en bonne forme, rassure-toi. Je ne fais aucun excès et je parcours les rues de tous les endroits que j'ai habités en marchant allègrement. Tu auras 70 ans toi aussi. Nos familles sont élevées (moi, grâce à deux femmes qui ont bien travaillé, il va sans dire), et il nous reste encore plusieurs années.

Je ne te demande rien de plus que de ne pas m'oublier. Moi, je ne t'oublie pas.

Ton ami Adriano
Napoli, Italia

•

Il Messagero annonça l'exposition avec grand enthousiasme. Le journaliste, qui avait réussi un coup de maître en interviewant Ammendola et l'artiste lui-même, consacra un long article à l'exposition *Ritorno* «du plus célèbre peintre canadien ayant jamais vécu en Italie», écrivait-il. Le petit gars de Porto San Giorgio était de retour d'exil. Palizzi racontait des bribes de l'enfance d'Adriano avec tout le pathos dont il était capable, si bien que les mères italiennes larmoyaient en lisant le journal.

Adriano avait fait encadrer ses aquarelles avec élégance. Des passe-partout reprenaient la teinte la plus riche de chaque tableau. Placés au fond d'un cadre-vitrine, ils donnaient aux œuvres une profondeur qui allait au-delà de la simple esthétique. Jamais Adriano n'avait-il été aussi choyé par un galeriste. Deux salles distinctes avaient été prévues pour son exposition. De nombreuses personnalités italiennes et françaises avaient reçu des invitations. Trois cents personnes étaient attendues le soir du vernissage. De son côté, Rose avait fait parvenir des invitations à des galeristes new-yorkais, et bien sûr une invitation particulière à Bruno et Émile.

Rose arriva la veille de l'ouverture officielle de l'exposition *Ritorno*. Elle sursauta quand elle aperçut l'immense banderole qui portait le nom SCOGNAMIGLIO. Celui de son père, mais le sien à elle aussi. Elle fit le tour des grandes artères de Naples, libre et insouciante, puis se fixa à l'Albergo Astoria dans le quartier Santa Lucia.

Le soir du vernissage, elle offrit son aide à Amy et à Monica Carelli pour la bonne marche de la réception. Les belles voitures s'immobilisèrent devant la Mediterranea Arte. Les flashes crépitaient. Adriano arriva telle une vedette de cinéma dans la Fiat du directeur. À dix-sept heures trente, la galerie fourmillait. Les voix flûtées égayaient les lieux, et les rires et les accents mouillés des Italiens comblèrent Adriano. Il se rappela les soirées sur la grande place quand son grand-père conviait les villageois à venir boire le vin de ses raisins, les jeunes filles qui dansaient en tenant leur tablier, et les garçons qui buvaient en cachette en zyeutant les filles !

Adriano tendait la main à celles qui voulaient la toucher. Comme si son talent ne se trouvait qu'au bout de son bras. Il retrouvait petit à petit sa langue maternelle, mais continuait à faire rire les invités qui, eux, y dénotaient une maladresse bien compréhensible dans les circonstances.

Soudainement, quelques têtes se tournèrent vers le hall d'entrée. Une dame, certainement d'un certain âge malgré son élégance toute juvénile, cherchait Adriano du regard jusqu'à ce qu'elle le reconnaisse. Elle s'approcha vers lui en bafouillant son nom. Adriano la reconnut aussitôt et la prit dans ses bras, les yeux mouillés.

– Jamais je n'aurais cru te voir ici ce soir, Jeanne-Mance Guiroux ! Mon bonheur est complet. Tu ne peux pas savoir. Jeanne-Mance ! Ma Jeanne-Mance.

Adriano présenta Jeanne-Mance à tout le monde. Les rumeurs partirent dans tous les sens. Elle était sa sœur, elle était son amoureuse, son ex-femme, la mère de ses filles. Elle venait de France ou même du Canada. Rose s'approcha de Jeanne-Mance.

– Toi, tu dois être Anna… non, tu es Rose. La plus jeune. Adriano m'a tellement parlé de toi. Et des autres, bien sûr, mais particulièrement de Rose. Quelle belle exposition ! C'est mon premier voyage en Europe. Je suis veuve, maintenant. J'ai décidé de voyager. Et pour commencer, je ne pouvais pas mieux choisir que Naples, vous ne pensez pas ?

Rose aima instantanément Jeanne-Mance et elle explosait de joie à l'entendre raconter leurs souvenirs de Kamouraska, à elle et Adriano. Chaque phrase commençait par : « Tu sais, quand on était jeunes… »

•

Le peintre canadien est de retour chez nous. Chez lui. En effet, l'exposition qui se tient à la galerie La Mediterranea Arte de Naples nous permet à tous de constater qu'un des nôtres a vu son travail reconnu au Canada, au Québec plus précisément, où il s'est exilé en 1911 en compagnie de sa grand-mère Fabrizzio de Porto San Giorgio. Car c'est un fait : Adriano Scognamiglio a quitté l'Italie du port de Naples avec sa grand-mère pour se rendre dans le village de Kamouraska au Québec. Le peintre a évolué ensuite à Montréal où il a été re-connu parmi les plus grands peintres contemporains de cette province francophone et même du Canada. L'expo-sition, qui porte le titre évocateur de Retour, *réussit à redonner à l'aquarelle ses lettres de noblesse tant l'artiste sait manier ce médium qui est plus difficile à maîtriser qu'il ne le semble. Adriano Scognamiglio a beaucoup exposé à Montréal, à New York, en France, puis le voici à Naples pour sa première participation à la vie culturelle* de notre pays. L'artiste nous a confié être un enfant de la mer : la mer Adriatique près de laquelle il a passé son enfance, le fleuve Saint-Laurent où il a passé le reste de son existence. La mer, c'est l'eau qui mouille son papier, ce sont les vagues qui créent les formes, et qui a fini par se laisser dompter. On dirait Chagall et Picasso se rencontrant sur une feuille humide. Ce sont aussi les algues libres et insectes bizarres de Pellan qui est en quelque sorte un concitoyen du Québec. Sous sa main magique armée d'un pinceau ou d'un stylet, les pigments se glissent le long de traits maîtrisés pour ensuite éclater en bulles mythiques, en filaments sombres, se détachant sur des ciels d'un bleu à faire rêver. On peut y voir ce que l'on veut y voir. On peut y deviner le reste. Mais les formes qui nous sont proposées par l'artiste ne laissent jamais indifférents puisqu'elles ne sont, en fait, jamais laissées au hasard quoique l'on en pense. Maîtriser la folle liberté des couleurs. Voilà ce que l'on peut observer à cette exposition de l'un des nôtres qui nous est enfin révélé.

Mediterranea Arte
Via Carlo de Cesare, Napoli
Jusqu'au 31 août 1975.

10

Le commissaire de Vailly n'était pas au bout de sa surprise. Son estafette vint lui porter, comme s'il s'agissait d'une dentelle du Moyen Âge, un document très ancien qu'il tenait comme un vêtement suspendu sur une corde à linge.

– Qu'est-ce que c'est ?

– On m'a dit de vous remettre ceci, que c'était très important pour vous. L'enquête…

– Je prends ma retraite dans trois jours, Bailleux.

– Je sais que l'enquête est terminée. Mais c'est votre grand patron qui m'a remis ce document pour vous. Il a dit : « Apportez ceci à de Vailly le plus tôt possible. Il va pouvoir dormir tranquille. »

– Montre voir !

De Vailly saisit le document avec une délicatesse qu'il n'avait jamais démontrée depuis ses débuts dans l'enquête. La feuille était beige, presque brune, et ses contours étaient rongés par l'humidité et le temps. Dans le coin droit, un trou d'environ deux centimètres rendait le document particulièrement fragile. Le commissaire rajusta ses lunettes, s'assit et entreprit la lecture, tenait le document entre son pouce et son index comme il le faisait toujours.

Les lettres, tracées à la plume fine, s'étiraient plus que d'ordinaire. Une écriture de moine, songea de Vailly. Il vit rapidement qu'il s'agissait d'une liste, des noms et des prénoms sans ordre alphabétique avaient été ajoutés les uns à la suite des autres, à des époques différentes pouvant s'étaler sur une cinquantaine d'années. L'écriture et la couleur de l'encre par ses tons plus ou moins foncés attestaient que tous les noms n'avaient pas été gravés d'un même souffle. Il constata avec étonnement, un léger grognement à l'appui, qu'il s'agissait là uniquement de noms de jeunes filles. Josephte Marignac, Gertrude Francoeur, Renaude Le Puisatier, Marie Fradette, Sophie du Veillon, et encore une centaine d'autres. L'auteur de cette consignation avait aussi inscrit leur date de naissance suivie de celle de leur décès. Toutes ces jeunes femmes, selon les calculs rapides du commissaire, étaient mortes avant vingt ans. En tout petit, un chiffre avait été griffonné et il lui fallut presque une heure à comprendre : c'étaient des liards, une monnaie utilisée en France jusque dans les années 1855. Des liards ! Ces jeunes filles étaient des prostituées et alors, pourquoi étaient-elles toutes mortes avant l'âge de 20 ans ?

Il leva le regard sur Bailleux.

– Que vous a dit monsieur Saint-Amour ? Il a dû vous dire quelque chose ?

– Il m'a dit de vous laisser lire en premier et ensuite de vous dire qu'il a trouvé ce document dans le huitième tome d'un exemplaire de l'*Encyclopédie* Diderot. Le frère Arsène gardait ce document très précieusement.

– Entre quelles pages était inséré ce document, il vous l'a dit ?

– Je peux l'appeler si vous voulez.

– Faites donc.

Bailleux téléphona au préfet Saint-Amour et ne fut pas long à obtenir la réponse.

– Il dit que le document était inséré entre les pages 334 et 335 du tome huit.

De Vailly posa la tête sur sa main, laissant penser qu'il venait de sombrer dans une espèce de catatonie, qu'il avait perdu tout sens de la réalité. Il venait de tout comprendre et comme il allait prendre une retraite bien méritée, il dit :

– Mon petit Bailleux, assoyez-vous devant moi. Je vais vous expliquer.

Bailleux était un petit homme maigre à grosses moustaches cirées qui lui couvraient la moitié du visage. À l'emploi de la préfecture, il avait été abaissé au rang de commissionnaire à cause de sa femme qui avait menti à son sujet, l'accusant d'avoir volé des documents d'État alors qu'elle-même baisait avec le secrétaire du premier ministre. De Vailly avait toujours bien aimé Bailleux qu'il trouvait trop stupide pour avoir seulement songé à voler des documents importants. Et Bailleux était justement le genre de type qui pouvait s'asseoir des heures à écouter des explications, fussent-elles soporifiques.

– J'ai été appelé pour une sombre affaire, celle du meurtre d'un moine à l'abbaye de Vézoul. Quelqu'un avait assommé le frère Hubert, de son nom véritable Rodolphe Duvivier, dans le prieuré Saint-Jean de l'abbaye Marie-des-Anges. Vous me suivez ?

– Jusque là, ce n'est pas très compliqué.

– Taisez-vous et écoutez, mon petit Bailleux !

– Je procède à l'enquête. Le frère Arsène, compagnon du frère Hubert, s'entendait avec la victime comme larrons en foire selon les témoignages recueillis, et rien ne pouvait présumer qu'il pouvait avoir quelque responsabilité que ce soit dans cette affaire. Je pousse plus loin ma recherche. Le frère Hubert a été aperçu vivant la dernière fois lorsqu'un dénommé Didier Trousset est venu lui acheter à fort prix l'*Encyclopédie* Diderot, dont il manquait le livre huit. Ça va ?

– Pourquoi le livre huit ?

– J'y arrive. On a toujours cru que c'était le tome sept qui manquait. Il manque encore dans certains pays. Les alibis de cet ingénieur civil français, Didier Trousset, s'avèrent de béton, même si le frère Arsène les a vus en train de discuter près de la voiture et avant ça, en train de manger sous un arbre.

– Un témoin solide, comme vous dites souvent, dit Bailleux en retenant un bâillement.

– On a aussi cru longtemps que le coupable était un certain Armandin Lacourse, un artiste français vivant au Canada, qui était, figurez-vous, un arrière-petit-cousin du philosophe Diderot et qui entretenait des relations épistolaires avec les moines de Vézoul. Il était encore au Québec quand le meurtre a été perpétré. Vous me suivez toujours ? On lui avait promis de lui vendre la collection complète de l'*Encyclopédie* alors qu'il vivait à Montréal. Une fortune, mon vieux !

– Comment le savez-vous ?

– J'ai communiqué avec un enquêteur de Montréal, un certain inspecteur Guérin qui m'a donné certaines informations et qui a promis d'ouvrir l'œil.

L'après-midi passa et Bailleux tentait de rester éveillé malgré la voix lente et monotone du commissaire. Il le fallait bien s'il voulait retrouver l'admiration de son supérieur et monter en grade. Il se perdit un peu dans les dédales sombres des explications linguistiques, de la virginité de la Sainte-Vierge, mais retrouva vite de l'intérêt quand le commissaire de Vailly parla de cette liste de noms de jeunes filles vendues à des pathologistes – des maîtres de l'art, comme le disait l'*Encyclopédie* – pour être découpées et charcutées au nom de l'avancement de la science. Bailleux eut un haut-le-cœur quand il entendit le commissaire présumer qu'au XVIIIe siècle, des moines fournissaient des cadavres de jeunes filles saines et sous la vingtaine pour permettre à des savants véreux de faire valoir leurs théories sur la présence ou l'absence de l'hymen.

– Je ne comprends pas, laissa tomber Bailleux.

– Les moines de plusieurs communautés ne fondent leur foi que sur l'Immaculée Conception ; ils vouent un attachement sans bornes à la Sainte-Vierge, mais voyons, Bailleux, c'est facile à comprendre !

– Pour vous, peut-être.

– La religion, Bailleux, c'est un terreau très fertile pour les enquêtes de police. Si on ne s'intéressait qu'à la pratique de certaines croyances, souvent en marge de la logique humaine, nous aurions besoin de dix fois plus d'enquêteurs ! Même vous, mon petit Bailleux !

Bailleux esquissa un sourire timide. Devant les explications du commissaire, il se dit qu'il n'aurait pas pu arriver lui-même à toutes ces conclusions étonnantes. Il comprit que le frère Arsène avait bien eu raison de s'enlever la vie, totalement empêtré qu'il devait être dans d'horribles cauchemars. Il ne saisissait pas pourquoi tant de gens intelligents pouvaient s'être fait ensorceler par une encyclopédie et comprit, après le récit de son supérieur, qu'il ferait bien mieux de demeurer un agnostique. Il se leva et quitta le bureau du commissaire de Vailly, la tête remplie d'images sombres.

11

Ils roulaient sur les routes allant de Naples à Porto San Giorgio. Adriano voulait que Jeanne-Mance refasse avec lui le même trajet qu'il avait fait jadis avec sa grand-mère. Prendre l'avion aurait été un bon choix, mais Adriano avait besoin de ce temps passé en sa compagnie pour relancer ses relations avec elle. Relations constamment interrompues par les aléas de la vie. Elle avait été sa seule véritable amie, sa seule confidente, la seule femme qui n'avait pas essayé de le mâter.

Il avait acheté une voiture dès son arrivée à Naples. Jeanne-Mance avait accepté de partager la chambre de Rose pour quelques jours et, dès que les célébrations se furent calmées, Adriano décida d'emmener son amie dans son village natal qu'il craignait de ne pas retrouver intact. Il y avait eu deux guerres, de nombreux conflits et, pire, il y avait eu l'avancement de la science et la grande marche de la civilisation, la construction de milliers d'appartements en bordure de la mer, et le vieillissement de la population. Il avait peur, mais il s'était juré de retourner à Porto San Giorgio.

Traversant d'ouest en est, Adriano ne pouvait s'empêcher de comparer deux mondes presque opposés. Là où, enfant, il avait aperçu des collines, imaginant des volcans, se trouvaient des édifices qui s'étiraient devant le soleil, créant de gros pans d'ombre. Là où il était certain d'avoir observé le littoral en bordure de la route, il y avait des amoncellements de béton et des amas de ferraille. Là où la doktorwagen roulait sur des chemins caillouteux, la Bentley grimpait les longs rubans de bitume à l'étroit entre les boulevards plantés d'habitations roses ou jaunes toutes pareilles.

Les forêts avaient été rasées. À peine subsistait-il quelques cyprès autour des îlots domiciliaires. Au loin, il lui arrivait de reconnaître des rangées d'oliviers, si vieux qu'ils ployaient sous les derniers souffles de la bora.

– Ils étaient tous là quand je suis passé en 1911, je te le jure.

– Je te crois sur parole, ajoutait Jeanne-Mance en riant.

Les toits aiguilles des églises perçaient les nuages tant ces derniers nageaient à basse altitude, mêlés à la pollution environnante. Même les oiseaux étaient moins nombreux alors que quand la *nonna* et son petit-fils avaient traversé les villages pleins de la musique des fanfares, les alouettes et les fauvettes s'avançaient en escadrons au-dessus des fontaines entourées de femmes et d'enfants.

– Y'a presque plus d'oiseaux. Marco et moi, nous repêchions des plumes qui flottaient sur l'eau des fontaines et nous faisions des sifflets pour accompagner les clairons. C'est à peine si j'ai pu voir un ou deux oiseaux traîner dans les arbres. Ah, la civilisation a changé les choses, Jeanne-Mance.

– Ça fait plus de soixante-cinq ans que tu n'es pas venu ici. Moi, je trouve ça tellement beau.

Quand ils arrivèrent à Porto San Giorgio, une carte de la ville leur servant de guide, Adriano ressentit une soudaine insécurité. Des dizaines de boulevards et de rues avaient été ouverts et peuplés de milliers de maisons plus ou moins chics. Empruntant le boulevard Lungomare Nord, il fut presque terrifié : le bord de mer, où jadis il pouvait courir durant des heures sur la grève sablonneuse, fourmillait de petits commerces de location aussi serrés les uns sur les autres que des bouquets de fleurs. On y louait des vélos, des motos, des chaises de plage et des serviettes de bain.

Adriano stationna la voiture au milieu de l'un des centaines de parkings qui bordaient la mer. Il crut reconnaître la petite bicoque de la *gelateria* toujours entourée de palmiers et il se pensa dans une fourmilière tant les touristes occupaient toute la place, les uns marchant péniblement en tenant leur transat, les autres tirant deux ou trois *bambini* munis de leurs seaux et de leurs pelles. Adriano voulait se rendre à la mer à l'endroit même où l'oncle Fabrizio les emmenait tous les dimanches, lui et la *nonna*, quand la température le leur permettait.

Il parlait tellement que Jeanne-Mance riait de l'entendre ainsi s'exprimer, tantôt en italien, tantôt en français, comme un touriste. Il répétait sans cesse :

– C'est fou, Mance ! Je te le dis, c'est complètement fou ! Il n'y avait rien, ici !

Enfin il aperçut un champ d'herbe et un petit chemin de sable qui le traversait jusqu'à la mer.

– C'est ici. Regarde ! La boutique de Lorenzo Caminetto est encore là. Mince ! Plus de soixante-dix ans. Ils ont bâti un hôtel tout à côté.

Pas un pied, pas un pouce qui n'était occupé par des édifices, des stationnements, des voitures immatriculées de tous les pays d'Europe. Les palmiers ondulaient au vent du large et le sable était toujours aussi blanc.

Ils arrivèrent devant la mer.

Adriano saisit sans y penser la main de Jeanne-Mance. Elle appuya la tête sur l'épaule de son ami d'enfance, l'homme qu'elle avait toujours aimé. Le vent chargé de sable leur fouettait le visage. Ils retirèrent leurs chaussures comme lorsqu'ils étaient petits et plongèrent les pieds dans la première vague qui s'étira sur la plage. Ils riaient.

– Imagines-tu, Mance. Avoir mis si longtemps à s'unir enfin. On a marché sur bien des grèves, mais c'est l'union du sable et de la mer qui nous ramenait toujours l'un devant l'autre, dit Adriano.

– Est-ce que tu crois qu'on aura encore bien du temps ensemble ?

– Je ne le sais pas, Mance. Mais je peux te jurer que nous ne perdrons plus une seule minute.

Épilogue

Dix ans plus tard

L e ciel était aussi bleu que sur ses aquarelles. Bleu pour ecchymose. *Blues* pour dépression. *L'Heure Bleue*, parfum d'enfance qui l'avait suivi toute sa vie. Dans l'allée de la section B, concession 700, Adriano et Jeanne-Mance déambulaient côte à côte, en silence, comme lors de leur Première Communion à l'église de Kamouraska.

Devant la stèle d'Edmond Dyonnet, Adriano sentait qu'il retrouvait un ami après de nombreuses années d'absence. Juste de pouvoir lire le nom, presque effacé par le temps et la pluie, lui rappelait ses belles années à Paris, tous les moments partagés avec son vieux professeur.

En silence, Adriano prit une cuillère qu'il avait enfouie dans la poche de sa veste et creusa un trou de la grosseur que la boîte d'allumettes au fond de laquelle il avait placé la petite clé. Celle du cadenas qui verrouillait l'armoire placée dans leur chambre à Kamouraska, face à la mer. La maison Lauzier en face du fleuve. Une maison devant laquelle Jeanne-Mance et Adriano avaient joué durant de longues heures, où ils avaient couru sur la plage rocailleuse, où ils avaient fait mille promesses à la vie. Une vieille armoire était restée malgré les nombreux déménagements, et Adriano y avait placé tous les tomes de l'*Encyclopédie* de Diderot. La clé venait d'être remise à Edmond Dyonnet. Désormais, l'*Encyclopédie* était à lui. Parce que Diderot avait inspiré toute l'existence du vieux professeur, parce qu'il partageait avec le philosophe un nombre incalculable d'idées. Et parce que depuis sa mort, Adriano avait juré qu'il la lui offrirait.

L'offrande faite, il saisit Jeanne-Mance par la main et revint à la voiture, si heureux que son cœur avait des arythmies.

– Le bonheur, ça fait mal, parfois.

– C'est qu'il a mis trop de temps à venir.

Sur la montagne en fromage d'Oka
Août 2012

CET OUVRAGE, COMPOSÉ EN GARAMOND SIMONCINI,
A ÉTÉ ACHEVÉ D'IMPRIMER À MONTMAGNY,
SUR LES PRESSES DE MARQUIS IMPRIMEUR,
EN MARS DEUX MILLE TREIZE.